KB085644

High
Top

2권

화학 I

Structure

이 책의 구성과 특징

지금껏 선생님들과 학생들로부터 고등 과학의 바이블로 명성을 이어온 하이탑의 자랑거리는 바로,

- 기초부터 심화까지 이어지는 튼실한 내용 체계
- 백과사전처럼 자세하고 빈틈없는 개념 설명
- 내용의 이해를 돕기 위한 풍부한 자료
- 과학적 사고를 훈련시키는 논리정연한 문장

이었습니다. 이러한 전통과 장점을 이 책에 이어 담았습니다.

1 개념과 원리를 익히는 단계

● 개념 정리
여러 출판사의 교과서에서 다루는 개념들을 체계적으로 다시 정리하여 구성하였습니다.

● 시선 집중
중요한 자료를 더 자세히 분석하거나 개념을 더 잘 이해할 수 있도록 추가로 설명하였습니다.

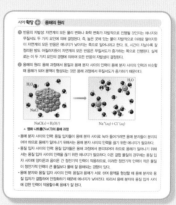

● 시야 확장
심도 깊은 내용을 이해하기 쉽도록 원리나 개념을 자세히 설명하였습니다.

● 탐구
교과서에서 다루는 탐구 활동 중에서 가장 중요한 주제를 선별하여 수록하고, 과정과 결과를 철저히 분석하였습니다.

● 집중 분석
출제 빈도가 높은 주요 주제를 집중적으로 분석하고, 유제를 통해 실제 시험에 대비할 수 있도록 하였습니다.

● 심화
깊이 있게 이해할 필요가 있는 개념은 따로 발췌하여 심화 학습할 수 있도록 자세히 설명하고 분석하였습니다.

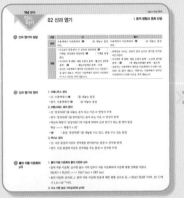

●개념 모아 정리하기

각 단원에서 배운 핵심 내용을 빈칸에 채워 나가면서 스스로 정리하는 코너입니다.

●개념 기본 문제

각 단원의 기본적이고 핵심적인 내용의 이해 여부를 평가하기 위한 코너입니다.

●개념 적용 문제

기출 문제 유형의 문제들로 구성된 코너입니다. '고난도 문제'도 수록하였습니다.

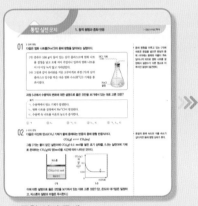

●통합 실전 문제

중단원별로 통합된 개념의 이해 여부를 확인함으로써 실전을 대비할 수 있도록 구성하였습니다.

●사고력 확장 문제

창의력, 문제 해결력 등 한층 높은 수준의 사고력을 요하는 서술형 문제들로 구성하였습니다.

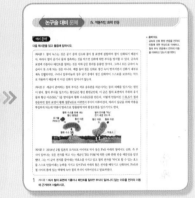

●논구술 대비 문제

논구술 시험에 출제되었거나, 출제 가능성이 높은 예상 문제로서, 답변 요령 및 예시 답안과 함께 제시하였습니다.

●정답과 해설

정답과 오답의 이유를 쉽게 이해할 수 있도록 자세하고 친절한 해설을 담았습니다.

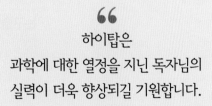

> ❝
> 하이탑은
> 과학에 대한 열정을 지닌 독자님의
> 실력이 더욱 향상되길 기원합니다.
> ❞

Contents
이 책의 차례 - 화학

"자세하고 짜임새 있는 설명과 수준 높은 문제로 실력의 차이를 만드는 High Top"

1권

III

화학 결합과
분자의 세계

1

화학 결합

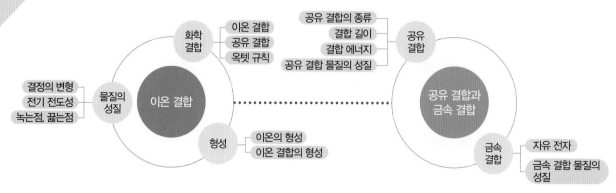

이온 결합

공유 결합의 종류
결합 길이
결합 에너지
공유 결합 물질의 성질

공유
결합

화학
결합

이온 결합
공유 결합
옥텟 규칙

결정의 변형
전기 전도성
녹는점, 끓는점

물질의
성질

이온 결합

공유 결합과
금속 결합

형성

이온의 형성
이온 결합의 형성

금속
결합

자유 전자
금속 결합 물질의
성질

이온 결합   **공유 결합과 금속 결합**

01 이온 결합

학습 Point   화학 결합과 전자 〉 이온 결합의 형성 〉 이온 결합 물질의 표현 〉 이온 결합 물질의 성질

1 화학 결합과 전자

우리 주변의 대부분 물질은 원자 상태로 존재하는 것이 아니라 원자들이 결합한 형태로 존재한다. 원자에서 전자는 원자핵보다 훨씬 큰 공간을 차지하므로 원자들이 충돌할 때는 전자들의 접촉이 일어난다. 따라서 화합물이 만들어지는 화학 반응이 일어날 때는 전자가 관여한다.

1. 화학 결합과 전자

(1) **물의 전기 분해:** 물은 수소 원자와 산소 원자가 전자쌍을 공유하여 형성된 공유 결합 물질이다. 물 분자를 구성하는 수소 원자와 산소 원자 사이의 결합에 전자가 관여하고 있으므로 전기를 이용하면 비교적 쉽게 물을 분해할 수 있다.

① **물의 전기 분해 과정:** 순수한 물은 전류가 흐르지 않지만 물에 수산화 나트륨($NaOH$)이나 황산 나트륨(Na_2SO_4)과 같은 전해질을 소량 넣어 녹인 다음, 전류를 흘려 주면 ($+$)극에서는 물 분자가 전자를 잃고 산화되어 산소 기체가 발생하고, ($-$)극에서는 물 분자가 전자를 얻어 환원되어 수소 기체가 발생한다. 이때 ($+$)극에서는 산소 기체와 함께 수소 이온(H^+)이 생성되고, ($-$)극에서는 수소 기체와 함께 수산화 이온(OH^-)이 생성된다.

$$($+$)극 : 2H_2O(l) \longrightarrow O_2(g) + 4H^+(aq) + 4e^-$$
$$($-$)극 : 4H_2O(l) + 4e^- \longrightarrow 2H_2(g) + 4OH^-(aq)$$
$$\overline{전체\ 반응 : 2H_2O(l) \longrightarrow 2H_2(g) + O_2(g)}$$

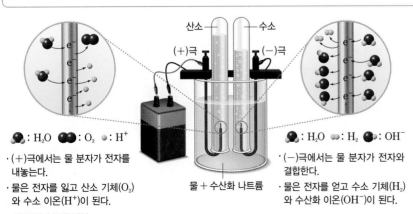

· ($+$)극에서는 물 분자가 전자를 내놓는다.
· 물은 전자를 잃고 산소 기체(O_2)와 수소 이온(H^+)이 된다.

    : H_2O : O_2 : H^+

물 + 수산화 나트륨

    : H_2O : H_2 : OH^-

· ($-$)극에서는 물 분자가 전자와 결합한다.
· 물은 전자를 얻고 수소 기체(H_2)와 수산화 이온(OH^-)이 된다.

▲ **물의 전기 분해 장치**

최초의 물 분해 실험

1783년 라부아지에는 주철관을 뜨겁게 달군 다음, 주철관의 한쪽 끝에 물을 천천히 부으면 물이 분해된다는 사실을 발견하였다. ➡ 주철관의 철은 물에서 산소를 빼앗아 산화되고, 수소 기체가 발생한다. 라부아지에가 물을 분해하는 데 이용한 화학 반응은 물과 철 사이에 전자가 이동하는 산화 환원 반응이다.

전해질
물에 녹아 이온화하여 전류를 흐르게 하는 물질이다.

② 공유 결합과 전자: 공유 결합은 비금속 원소의 원자들이 전자쌍을 공유하여 형성된다. 공유 결합의 형성 과정에서 원자들 사이에 전자가 관여하므로 물을 전기 분해할 수 있다.

(2) 염화 나트륨 용융액의 전기 분해: 염화 나트륨은 나트륨 이온(Na^+)과 염화 이온(Cl^-)의 정전기적 인력에 의해 형성된 이온 결합 물질로, 실온에서 고체 상태로 존재하며 고체 상태에서는 전기 전도성이 없다. 고체 상태의 염화 나트륨 결정을 가열하여 액체 상태(용융액)로 만든 후 전류를 흘려 주면 염화 나트륨을 분해할 수 있다.

① 염화 나트륨 용융액의 전기 분해 과정: 염화 나트륨 용융액에서는 고체 상태와는 달리 이온들이 자유롭게 이동할 수 있으므로 전기 전도성이 있다. 염화 나트륨 용융액에 전류를 흘려 주면 이온들이 반대 전하를 띤 전극으로 이동하여 (+)극에서는 Cl^-이 전자를 잃고 산화되어 염소(Cl_2) 기체로 되고, (−)극에서는 Na^+이 전자를 얻어 환원되어 나트륨(Na) 금속이 된다.

$$
\begin{aligned}
(+)극 &: 2Cl^-(l) \longrightarrow Cl_2(g) + 2e^- \\
(-)극 &: 2Na^+(l) + 2e^- \longrightarrow 2Na(s) \\
\hline
전체\ 반응 &: 2NaCl(l) \longrightarrow 2Na(s) + Cl_2(g)
\end{aligned}
$$

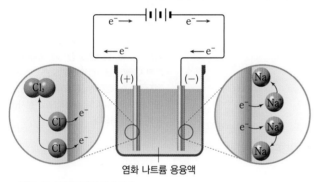

▲ **염화 나트륨 용융액의 전기 분해**

② 이온 결합과 전자: 이온 결합 물질인 염화 나트륨 용융액에 전류를 흘려 주었을 때 각각의 전극에서 전자를 잃거나 얻는 화학 반응이 일어나 화합물이 분해되어 성분 물질이 얻어진다. 이것으로 보아 이온 결합 물질은 양이온과 음이온의 결합으로 이루어져 있고, 이온 결합이 형성될 때 전자가 관여한다는 것을 알 수 있다.

2. 옥텟 규칙과 화학 결합의 종류

(1) 옥텟 규칙

① 비활성 기체의 전자 배치: 주기율표의 18족 원소들은 가장 바깥 전자 껍질에 전자가 모두 채워져서 안정한 전자 배치를 이루고 있다. 따라서 이들은 반응성이 매우 작아 다른 원소와 거의 결합하지 않고, 화학적으로 안정하기 때문에 비활성 기체라고 한다.

He: $1s^2$　　　　　　　　　　　　Ne: $1s^22s^22p^6$
Ar: $1s^22s^22p^63s^23p^6$　　　　　Kr: $1s^22s^22p^63s^23p^64s^23d^{10}4p^6$
Xe : $1s^22s^22p^63s^23p^64s^23d^{10}4p^65s^24d^{10}5p^6$

염화 나트륨 용융액
고체 염화 나트륨을 가열하면 801 ℃에서 녹아 액체 상태(용융액)가 되며, 용융액에서는 이온들이 각 전극으로 자유롭게 이동할 수 있어 전류가 흐른다.

비활성 기체의 이용
· 헬륨(He): 공기보다 가볍고 화학 반응을 하지 않으므로 비행선이나 광고용 풍선의 주입 기체로 이용한다. 또, 헬륨은 혈액에 대한 용해도가 작아 질소 대신 잠수부가 사용하는 공기통에 넣어 잠수병을 예방하는 데 이용한다.
· 네온(Ne): 광고용 간판, 붉은색을 내는 레이저 포인터, 의료용 레이저 등에 이용하며, 끓는점이 낮고 냉동 효과가 좋아 저온 냉매로도 이용한다.
· 아르곤(Ar): 고온에서도 안정하여 용접에 이용하며, 형광등의 충전 기체로도 이용한다.

② **옥텟 규칙**: 헬륨을 제외한 나머지 비활성 기체는 가장 바깥 전자 껍질의 s 오비탈과 p 오비탈을 완전히 채워 ns^2np^6의 전자 배치를 이룬다. 전형 원소들은 전자를 잃거나 얻어서 비활성 기체와 같이 가장 바깥 전자 껍질에 8개의 전자를 채워 안정한 전자 배치를 이루려는 경향이 있는데, 이것을 **옥텟 규칙**이라고 한다. 옥텟 규칙에는 예외가 있지만 이온의 형성이나 공유 결합의 형성을 이해하는 데 있어서 매우 유용하게 이용된다.

(2) **옥텟 규칙과 화학 결합의 종류**: 비활성 기체를 제외한 대부분의 원소는 화학 결합을 통해 비활성 기체와 같은 전자 배치를 이루려고 한다. 이때 결합하는 원소의 종류에 따라 금속 원소와 비금속 원소로 이루어지는 이온 결합, 비금속 원소 사이에 이루어지는 공유 결합, 금속 원소로 이루어지는 금속 결합이 있다.

이온 결합	공유 결합	금속 결합
금속 원소 ➕ 비금속 원소	비금속 원소 ➕ 비금속 원소	금속 원소

▲ **화학 결합의 종류** 소금의 주성분은 염화 나트륨이고, 다이아몬드의 주성분은 탄소(C)이다.

2 이온 결합의 형성

전자를 잃기 쉬운 금속 원소의 원자와 전자를 얻기 쉬운 비금속 원소의 원자 사이에는 이온 결합이 형성된다. 금속 원자와 비금속 원자가 만나면 두 원자 사이에 전자가 이동하여 이온이 형성되고, 이온들 사이에 정전기적 인력이 작용하여 화학 결합이 형성된다.

1. 염화 나트륨(NaCl)에서 이온 결합 형성 모형

나트륨(Na) 원자와 염소(Cl) 원자가 만나면 나트륨 원자가 전자 1개를 잃고 안정한 이온인 나트륨 이온(Na^+)이 되고, 염소 원자는 전자 1개를 얻어 안정한 이온인 염화 이온(Cl^-)이 되며, 반대 전하를 띤 두 이온 사이의 정전기적 인력에 의해 이온 결합이 형성된다.

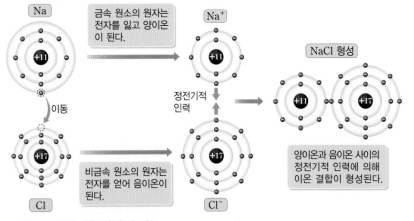

▲ **염화 나트륨에서 이온 결합 형성 모형**

비활성 기체(18족 원소)의 전자 배치

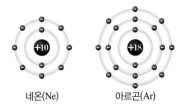

네온(Ne)   아르곤(Ar)

18족 원소는 전자를 얻거나 잃으려고 하지 않기 때문에 화학적인 활성을 거의 가지지 않는다.

옥텟 규칙이 성립하는 이유

• 주기율표의 1족, 2족, 13족 원소는 원자가 전자가 느끼는 유효 핵전하가 작기 때문에 원자가 전자가 원자핵에 약하게 붙들려 있어 원자핵에서 비교적 쉽게 떨어져 나갈 수 있다. 그러나 16족, 17족 원소는 원자가 전자가 느끼는 유효 핵전하가 커서 전자를 떼어 내기보다 받아들이기가 더 쉽다.

• 18족 원소는 원자가 전자가 느끼는 유효 핵전하가 크기 때문에 전자가 떨어져 나가기 어렵다. 또, 전자를 얻으면 그 다음 전자 껍질에 전자가 들어가야 하는데, 이때 에너지가 급격히 증가하므로 전자를 받아들이기 어렵다.

2. 이온의 형성과 옥텟 규칙

원자는 양성자수와 전자 수가 같으므로 전기적으로 중성이지만 원자가 전자를 잃거나 얻으면 전하를 띠는 이온이 된다.

(1) 양이온의 형성: 원자가 전자를 잃으면 양이온이 된다. 전자가 11개인 나트륨(Na) 원자가 전자 1개를 잃고 나트륨 이온(Na^+)이 되면 전자가 10개가 되어 비활성 기체인 네온(Ne)과 같은 전자 배치를 이룬다.

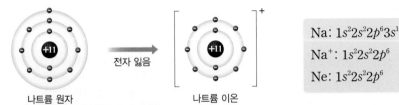

전자 잃음

나트륨 원자　　　　　나트륨 이온

Na: $1s^2 2s^2 2p^6 3s^1$
Na^+: $1s^2 2s^2 2p^6$
Ne: $1s^2 2s^2 2p^6$

▲ 나트륨 원자와 나트륨 이온의 전자 배치

(2) 음이온의 형성: 원자가 전자를 얻으면 음이온이 된다. 전자가 17개인 염소(Cl) 원자가 전자 1개를 얻어 염화 이온(Cl^-)이 되면 전자가 18개가 되어 비활성 기체인 아르곤(Ar)과 같은 전자 배치를 이룬다.

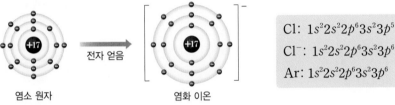

전자 얻음

염소 원자　　　　　염화 이온

Cl: $1s^2 2s^2 2p^6 3s^2 3p^5$
Cl^-: $1s^2 2s^2 2p^6 3s^2 3p^6$
Ar: $1s^2 2s^2 2p^6 3s^2 3p^6$

▲ 염소 원자와 염화 이온의 전자 배치

시선 집중 ★ 비활성 기체와 같은 전자 배치를 갖는 이온

❶ 주기율표의 1족, 2족 원소와 13족의 알루미늄(Al) 원소는 원자가 전자가 각각 1개, 2개, 3개인 금속 원소로, 원자가 전자를 잃고 양이온이 되기 쉽다. 따라서 1족 원소는 +1의 양이온, 2족 원소는 +2의 양이온이 되며, 13족 원소인 알루미늄(Al)은 +3의 양이온이 되어 비활성 기체와 같은 전자 배치를 이룬다.

1	2	13	15	16	17	18
						He $1s^2$
Li^+ $1s^2$	Be^{2+} $1s^2$		N^{3-} $[He]2s^22p^6$	O^{2-} $[He]2s^22p^6$	F^- $[He]2s^22p^6$	Ne $[He]2s^22p^6$
Na^+ $[He]2s^22p^6$	Mg^{2+} $[He]2s^22p^6$	Al^{3+} $[He]2s^22p^6$	P^{3-} $[Ne]3s^23p^6$	S^{2-} $[Ne]3s^23p^6$	Cl^- $[Ne]3s^23p^6$	Ar $[Ne]3s^23p^6$
K^+ $[Ne]3s^23p^6$	Ca^{2+} $[Ne]3s^23p^6$		As^{3-} $[Ar]4s^23d^{10}4p^6$	Se^{2-} $[Ar]4s^23d^{10}4p^6$	Br^- $[Ar]4s^23d^{10}4p^6$	Kr $[Ar]4s^23d^{10}4p^6$
Rb^+ $[Ar]4s^23d^{10}4p^6$	Sr^{2+} $[Ar]4s^23d^{10}4p^6$			Te^{2-} $[Kr]5s^24d^{10}5p^6$	I^- $[Kr]5s^24d^{10}5p^6$	Xe $[Kr]5s^24d^{10}5p^6$
Cs^+ $[Kr]5s^24d^{10}5p^6$	Ba^{2+} $[Kr]5s^24d^{10}5p^6$					

❷ 주기율표의 16족과 17족 원소는 원자가 전자가 각각 6개, 7개이며, 전자를 얻어 각각 −2의 음이온과 −1의 음이온이 되어 비활성 기체와 같은 전자 배치를 이룬다.

❸ 안정한 이온의 전자 배치는 비활성 기체의 전자 배치와 같으며, 양이온의 전하는 원자가 전자 수와 같고, 음이온의 전하는 (원자가 전자 수−8)과 같다.

3. 이온 결합의 형성과 에너지

이온 결합은 금속 원소의 원자에서 비금속 원소의 원자로 전자가 이동하여 형성된 양이온과 음이온 사이에 정전기적 인력이 작용하여 안정한 화합물을 형성하는 결합이다.

(1) 염화 나트륨이 형성되는 과정에서의 에너지: $Na(g)$이 $Na^+(g)$으로 되는 데 필요한 이온화 에너지는 496 kJ/mol이고, $Cl(g)$가 $Cl^-(g)$으로 될 때 방출하는 전자 친화도는 349 kJ/mol이다. 따라서 이온의 형성 자체만을 고려한다면 원자 상태의 $Na(g)$과 $Cl(g)$가 이온 상태의 $Na^+(g)$과 $Cl^-(g)$으로 되는 과정은 에너지 면에서 불리한 변화이다.

$Na(g) + 496 \text{ kJ} \longrightarrow Na^+(g) + e^-$ 이온화 에너지 $= +496$ kJ/mol

$Cl(g) + e^- \longrightarrow Cl^-(g) + 349 \text{ kJ}$ 전자 친화도 $= -349$ kJ/mol

$Na(g) + Cl(g) \longrightarrow Na^+(g) + Cl^-(g)$ $\Delta E = +147$ kJ/mol

그러나 양이온과 음이온 사이에 이온 결합이 형성되어 이온 결정이 되는 과정에서 큰 에너지가 방출되므로 전체 반응 과정은 에너지 면에서 유리해진다. 이것은 무수히 많은 양이온과 음이온 사이에 정전기적 인력이 작용하기 때문이다.

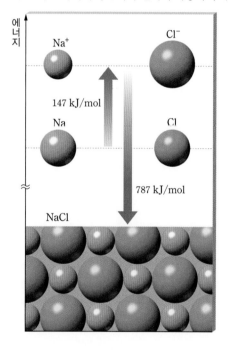

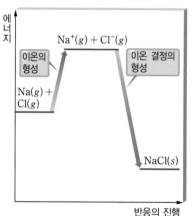

▲ **이온 결합의 형성과 에너지** 양이온과 음이온이 이온 결합을 형성하여 결정을 이루면 충분히 큰 에너지를 방출하므로 에너지 면에서 유리하다. 염화 나트륨이 형성될 때 Na과 Cl가 Na^+과 Cl^-이 될 때는 147 kJ/mol의 에너지가 필요하지만, Na^+과 Cl^-이 결합하여 $NaCl$ 결정이 될 때는 787 kJ/mol의 에너지가 방출된다.

(2) 이온 사이에 작용하는 힘: 양이온과 음이온은 모두 원자핵과 전자로 이루어져 있으므로 두 이온의 원자핵과 원자핵, 전자와 전자 사이에는 반발력이 작용한다. 또한 이온의 전자와 다른 이온의 원자핵 사이에는 인력이 작용한다.

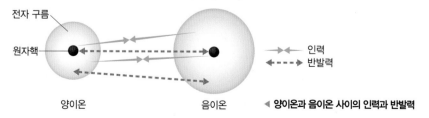

◀ **양이온과 음이온 사이의 인력과 반발력**

전자 친화도
기체 원자 1몰에 전자를 첨가하여 -1의 음이온 1몰을 만들 때 발생하는 에너지

이온 결합과 에너지
원자로부터 양이온이 형성될 때는 이온화 에너지가 필요하고, 원자로부터 음이온이 형성될 때는 전자 친화도에 해당되는 에너지가 방출된다. 그런데 대체로 양이온이 될 때 필요한 이온화 에너지가 방출되는 전자 친화도보다 커서 양이온과 음이온이 형성되는 과정에서는 에너지가 필요하다. 즉 양이온과 음이온만 형성되면 에너지 면에서 불리하다. 그런데 양이온과 음이온이 이온 결합을 형성하여 결정을 이룰 때 많은 에너지가 방출되므로 이온 결정이 형성되는 과정은 에너지 면에서 유리하다.

염화 나트륨

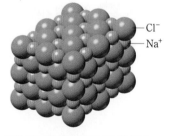

염화 나트륨은 이온으로 구성된 물질로, 고체 염화 나트륨 결정은 수많은 Na^+과 Cl^-이 3차원적으로 배열되어 이루어져 있다.

(3) **이온 사이의 거리에 따른 에너지 변화:** 양이온과 음이온 사이에는 인력과 반발력이 동시에 작용하는데, 먼 거리에서는 인력이 주요하게 작용하고, 가까운 거리에서는 반발력이 주요하게 작용한다. 즉 양이온과 음이온이 서로 접근하면 이들 이온 사이에 인력이 주요하게 작용하여 에너지가 낮아진다. 그러나 두 이온이 점점 가까워지면 두 이온의 전자 구름이 겹치게 되고, 핵과 핵 사이의 반발력 또한 증가하여 에너지가 급격하게 높아져 불안정한 상태가 된다. 따라서 양이온과 음이온은 인력과 반발력이 균형을 이루어 에너지가 가장 낮은 거리(평형 거리, r_e)에서 결합을 형성하며, 이때 에너지 면에서 가장 안정한 상태가 된다.

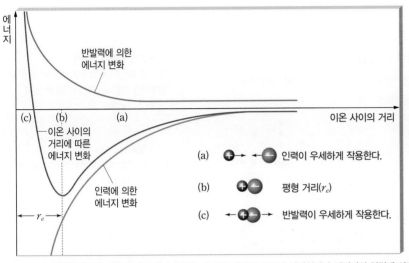

▲ **양이온과 음이온 사이의 거리에 따른 에너지 변화** 두 이온 사이의 거리가 가까워지면 정전기적 인력에 의해 전체 에너지가 낮아지지만, 너무 가까워지면 반발력이 급격하게 커진다. 이온 결합은 인력과 반발력이 균형을 이루는 이온 사이의 거리(평형 거리)에서 형성된다.

정전기적 인력과 반발력
• 정전기적 인력과 반발력은 이온 사이에 작용하는 힘이며, 다른 종류의 전하를 띤 이온 사이에는 인력이 작용하고, 같은 종류의 전하를 띤 이온 사이에는 반발력이 작용한다.
• 양이온과 음이온 사이에 작용하는 인력은 이온의 전하량이 클수록, 이온 사이의 거리가 가까울수록 크다.

이온 사이의 거리에 따른 에너지의 변화
• (a) : 이온 사이의 거리가 멀어 반발력이 작게 작용하고, 두 이온이 접근할수록 정전기적 인력이 크게 작용하여 에너지가 낮아지며 안정한 상태가 된다.
• (b) : 이온 사이의 거리가 가까워질수록 인력과 함께 반발력도 커지게 되는데, 인력과 반발력이 균형을 이루는 지점(r_e), 즉 에너지가 가장 낮은 지점에서 결합이 형성된다.
• (c) : 두 이온 사이의 거리가 너무 가까워지면 반발력의 영향이 점차 커져서 에너지가 높아지며 불안정한 상태가 된다.

평형 거리(r_e)
두 이온 사이의 정전기적 인력과 전자 껍질의 겹침에 의한 반발력이 균형을 이루어 가장 안정된 결합이 형성되는 거리이다.

③ 이온 결합 물질의 표현

이온 결합 물질은 수많은 양이온과 음이온의 결합으로 이루어진 물질로, 보통 하나의 독립된 입자로 존재하지 않는다. 이러한 이온 결합 물질은 양이온과 음이온 사이에 일정한 조성비를 이루고 있다.

1. 이온 결정의 형성

이온 결합 물질은 한 쌍의 양이온과 음이온이 결합하는 것이 아니라 수많은 양이온과 음이온이 3차원적으로 서로를 둘러싸며 규칙적으로 배열하여 단단한 결정을 이룬다.

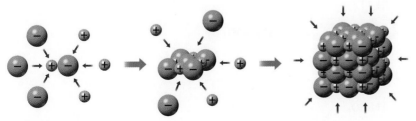

▲ **이온 결정의 형성**

2. 이온 결합 물질의 화학식

이온 결합 화합물은 전기적으로 중성이므로 결정을 이루는 양이온의 전하와 음이온의 전하의 총합이 0이다. 이온 결합 물질은 조성이 일정하고 독립적인 입자가 존재하지 않으므로 이온 결합 물질의 화학식은 이온들의 개수비를 가장 간단한 정수비로 나타낸다.

$$(양이온의\ 전하 \times 양이온의\ 수) + (음이온의\ 전하 \times 음이온의\ 수) = 0$$

(1) **양이온과 음이온이 1 : 1의 개수비로 결합하는 경우:** 염화 나트륨에서 나트륨 이온(Na^+)과 염화 이온(Cl^-)의 전하는 각각 +1과 -1이므로 1 : 1의 개수비로 결합해야 전기적으로 중성이 된다. 따라서 염화 나트륨의 화학식은 $NaCl$로 나타낸다.

(2) **양이온과 음이온이 결합하는 개수비가 1 : 1이 아닌 경우:** 염화 칼슘은 칼슘 이온(Ca^{2+}) 1개당 2개의 염화 이온(Cl^-)이 결합하므로 양이온과 음이온이 1 : 2의 개수비로 결합한다. 따라서 염화 칼슘의 화학식은 $CaCl_2$로 나타낸다.

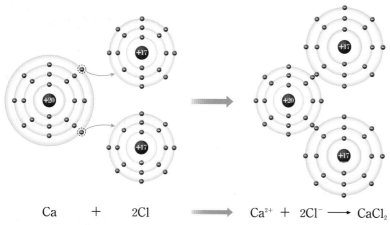

$$Ca \quad + \quad 2Cl \quad \longrightarrow \quad Ca^{2+} + 2Cl^- \longrightarrow CaCl_2$$

▲ 염화 칼슘의 형성 모형

(3) **다원자 이온을 포함하는 경우:** 다원자 이온은 여러 개의 원자로 이루어진 이온을 말한다. 다원자 이온을 포함한 이온 결합 물질의 화학식에서는 황산 알루미늄($Al_2(SO_4)_3$)과 같이 다원자 이온이 여러 개일 때 괄호를 이용하는데, 황산 알루미늄은 알루미늄 이온(Al^{3+})과 황산 이온(SO_4^{2-})이 2 : 3의 개수비로 결합한 것을 의미한다.

3. 이온 결합 물질의 이름

이온 결합 물질의 이름은 음이온의 이름을 먼저 읽고, 양이온의 이름을 나중에 읽는다. 즉, 음이온의 이름에서 '이온'을 생략하고 먼저 읽은 다음, 양이온의 이름에서 '이온'을 생략하고 나중에 읽는다. 예를 들면 $NaCl$은 양이온인 나트륨 이온(Na^+)과 음이온인 염화 이온(Cl^-)으로 이루어져 있으므로 '염화 나트륨'이라고 읽는다.

양이온	음이온	화학식	화합물의 이름
Na^+	Cl^-	$NaCl$	염화 나트륨
Mg^{2+}	Cl^-	$MgCl_2$	염화 마그네슘
Na^+	SO_4^{2-}	Na_2SO_4	황산 나트륨
Mg^{2+}	SO_4^{2-}	$MgSO_4$	황산 마그네슘

▲ 여러 가지 이온 결합 물질의 화학식과 이름

이온 결합 물질의 화학식
A^{a+}과 B^{b-}이 결합하여 생성되는 물질의 화학식은 다음과 같이 나타낼 수 있다.

$$A^{a+} \qquad B^{b-}$$
$$A_bB_a$$

a : b는 가장 간단한 정수비이며, a 또는 b가 1이면 생략한다.

4 이온 결합 물질의 성질

이온 결합 물질은 모두 양이온과 음이온 사이의 정전기적 인력에 의해 단단하게 결합되어 있으므로 대부분 실온에서 고체 결정으로 존재하며, 비휘발성이다. 이온 결정은 한 이온이 반대 전하를 띠는 여러 개의 이온들과 결합되어 있기 때문에 단단할 뿐만 아니라 녹는점과 끓는점이 매우 높고, 물에 잘 녹는 것이 많다.

1. 이온 결정의 변형

탐구 2권 019쪽

이온 결정은 매우 단단하지만 외부에서 힘을 가하면 쉽게 쪼개지거나 부서진다. 이것은 이온 결정에 힘을 가하면 이온 층이 밀리면서 인접한 두 층의 경계면에서 같은 전하를 띤 이온들이 만나게 되고, 이때 같은 종류의 전하를 띤 이온들 사이에 반발력이 작용하기 때문이다.

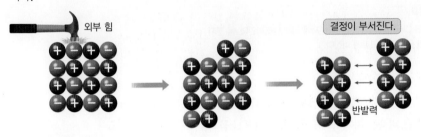

2. 전기 전도성

(1) **고체 염화 나트륨의 전기 전도성**: 고체 상태의 염화 나트륨에서는 Na^+과 Cl^-이 3차원적인 배열을 하면서 강한 결합을 이루고 있기 때문에 자유롭게 이동할 수 없다. 따라서 고체 상태의 염화 나트륨에 전원을 연결해도 전류가 흐르지 않으므로 전기 전도성이 없다.

(2) **염화 나트륨 수용액과 염화 나트륨 용융액의 전기 전도성**: 염화 나트륨을 물에 녹인 염화 나트륨 수용액이나 액체 상태인 용융액에서는 Na^+과 Cl^-으로 나누어져서 자유롭게 이동할 수 있으므로 전기 전도성이 있다.

3. 녹는점과 끓는점

이온 결합 물질에서 양이온과 음이온은 강한 정전기적 인력에 의해 이온 결합을 형성하면서 3차원적인 배열을 이루고 있다. 따라서 용융시키거나 용융액을 기화시키려면 수많은 결합을 끊어야 하므로 이온 결합 물질의 녹는점과 끓는점은 매우 높다. 이온 결합 물질에서 이온 결합력은 이온의 전하와 이온 사이의 거리에 따라 달라지는데, 이온의 전하량이 클수록, 이온 사이의 거리가 짧을수록 이온 결합력이 커져 녹는점과 끓는점이 높아진다.

전하(양이온, 음이온)	+1, −1			+2, −2	
물질	NaF	NaCl	KI	MgO	CaO
이온 사이의 거리(pm)	231	276	353	210	240
녹는점(℃)	996	801	723	2825	2572
끓는점(℃)	1676	1413	1330	3600	2850

▲ **이온 결합 물질의 녹는점과 끓는점** 이온 사이의 거리는 NaF<NaCl<KI이며, 녹는점과 끓는점은 NaF>NaCl>KI이다. +1과 −1의 전하를 가지는 NaF보다 +2와 −2의 전하를 가지는 CaO의 녹는점과 끓는점이 훨씬 높다.

이온 결합 물질의 전기 전도도

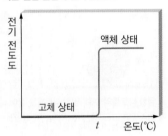

t ℃가 이온 결합 물질의 녹는점이며, 녹는점 이후에는 액체 상태이므로 전기 전도성이 있다.

염화 나트륨의 전기 전도성

| (+) | (−) | (+) | (−) | (+) | (−) |
NaCl(s)　　NaCl(l)　　NaCl(aq)

고체 상태에서는 이온들이 자유롭게 이동하지 못하므로 전기 전도성이 없고, 액체와 수용액 상태에서는 이온들이 자유롭게 이동할 수 있으므로 전기 전도성이 있다.

정전기적 인력(쿨롱 힘)

정전기적 인력(F)은 전하를 띤 입자의 전하량(q)에 비례하고, 입자 사이의 거리의 제곱에 반비례한다. 정전기적 인력이 클수록 이온 결합력이 크다.

$$F = k\frac{q_1 \cdot q_2}{r^2}$$

(q_1, q_2: 각 입자의 전하량, r: 두 입자 사이의 거리)

4. 물에 대한 용해성

이온 결정은 극성 용매인 물에 잘 녹는 것이 많으며, 물에 녹을 때는 수화된 이온을 만든다. 고체 염화 나트륨(NaCl)을 물에 넣으면 물과 접촉한 표면으로부터 Na^+과 Cl^-이 떨어져 나와 물 분자에 의해 둘러싸여 물속에 고르게 분산되어 안정한 상태로 존재하는데, 이러한 현상을 수화라고 한다. 물 분자에서 부분적인 (+)전하를 띠는 수소 원자 부분은 Cl^-을 끌어당기고, 부분적인 (−)전하를 띠는 산소 원자 부분은 Na^+을 끌어당기게 되어 각각의 이온을 산소 원자 쪽과 수소 원자 쪽이 둘러싸고 있는 모양이 된다.

물 분자의 극성
수소와 산소로 이루어진 물 분자에서 전기 음성도가 큰 산소는 부분적인 (−)전하를 띠고, 전기 음성도가 작은 수소는 부분적인 (+)전하를 띤다.

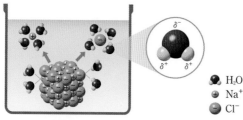

- H_2O
- Na^+
- Cl^-

▲ **염화 나트륨의 수화** 염화 나트륨을 물에 넣으면 Na^+과 Cl^-이 극성 분자인 물 분자에 의해 둘러싸인다. 물 분자에 둘러싸여 안정해진 Na^+과 Cl^-이 결정에서 떨어져나와 물속으로 고르게 퍼진다.

5. 우리 주변의 이온 결합 물질

이온 결합 물질은 우리 생활 주변에 다양하게 존재하며, 여러 가지 용도로 이용되고 있다.

(1) **염화 나트륨(NaCl):** 바닷물의 염류 중 가장 큰 비율을 차지하며 물에 잘 녹는다. 소금의 주성분으로 조미료로 이용되며, 음식물을 저장할 때에도 이용된다.

(2) **염화 칼슘($CaCl_2$):** 실온에서 흰색의 고체 상태로 존재하며 물에 잘 녹는다. 조해성이 있어 습기 제거제로 이용되며, 물에 용해될 때 열을 방출하고 물의 어는점을 낮추므로 제설제로 이용된다.

조해성
습기를 흡수한 후 스스로 녹는 성질

(3) **탄산 칼슘($CaCO_3$):** 실온에서 흰색의 고체 상태로 존재하며 물에 잘 녹지 않는다. 석회암 동굴의 종유석이나 석순, 석주 등을 이루는 물질이며, 분필의 성분이기도 하다. 탄산 칼슘이 주성분인 대리석은 건축재나 예술 조각품의 재료로 이용된다.

(4) **탄산수소 나트륨($NaHCO_3$):** 베이킹 소다라고도 한다. 실온에서 흰색의 가루 상태로 존재한다. 가열하면 분해되어 이산화 탄소를 생성하므로 과자를 만들 때 팽창제로 이용된다. 또 위산을 중화시키는 제산제로 이용되기도 한다.

염화 칼슘이 주성분인 제설제

소금이 이용된 새우젓

▲ **우리 생활에 이용되는 이온 결합 물질**

탄산 칼슘이 주성분인 대리석 조각상

탐구

이온 결합 물질의 성질

이온 결합 물질의 물리적 성질과 전기 전도성을 알아보고, 공통적인 성질을 설명할 수 있다.

과정

1 염화 나트륨 결정과 염화 마그네슘 결정을 준비하여 색깔을 관찰하고 손으로 만져 감촉을 확인한 다음, 망치로 살짝 두드려본다.

2 염화 나트륨 결정과 염화 마그네슘 결정에 각각 전기 전도성 측정기의 전극을 대어 보고, 전기 전도성을 확인한다.

3 염화 나트륨 결정과 염화 마그네슘 결정을 물에 녹여 만든 수용액에 각각 전기 전도성 측정기의 전극을 담가 전기 전도성을 확인한다.

전기 전도성 측정기
전류가 흐르면 소리가 나고 불이 켜지는 것으로 물질의 전기 전도성을 확인하는 장치이다.

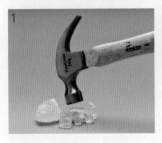
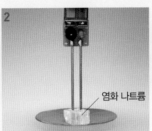
염화 나트륨

염화 나트륨
수용액

결과 및 해석

1 **염화 나트륨 결정과 염화 마그네슘 결정은 어떤 형태를 하고 있으며, 색깔과 감촉은 어떠한가?**
➡ 결정을 이룬 흰색의 고체 상태이며, 손으로 비비면 까칠까칠한 느낌이 난다.

2 **염화 나트륨 결정과 염화 마그네슘 결정에 힘을 가하면 어떻게 되는가?**
➡ 결정이 깨지거나 부서진다.

3 **염화 나트륨과 염화 마그네슘이 각각 고체 상태일 때와 수용액 상태일 때 전기 전도성은 어떻게 다른가?**
➡ 두 물질 모두 고체 상태일 때는 전기 전도성이 없지만, 수용액 상태일 때는 전기 전도성이 있다.

유의점
- 전극끼리 서로 직접 닿지 않도록 주의한다.
- 전기 전도성을 확인할 때 화합물의 종류가 달라지면 전극을 증류수로 깨끗이 씻어서 사용한다.
- 화합물을 손으로 만진 후에는 바로 손을 씻는다.

정리

- 이온 결합 물질은 실온에서 고체 상태이고, 규칙적인 3차원 구조의 결정 구조를 이루고 있다.
- 이온 결합 물질은 이온 사이의 정전기적 인력에 의해 결합하므로 단단하지만 외부 충격에 의해 쉽게 부서진다.
- 이온 결합 물질은 고체 상태에서는 전류가 흐르지 않지만, 수용액 상태나 용융 상태에서는 전류가 흐른다.

▶ 탐구 확인 문제

》정답과 해설 49쪽

01 위 탐구에 대한 설명으로 옳지 <u>않은</u> 것을 모두 고르면?
(정답 2개)

① 이온 결합 물질은 실온에서 고체 상태이다.
② 이온 결합 물질은 고체 상태에서 전류가 흐른다.
③ 이온 결합 물질은 극성 용매에 비교적 잘 녹는다.
④ 이온 결합 물질은 수용액 상태에서 전류가 흐른다.
⑤ 이온 결합 물질은 매우 단단해서 외부에서 힘을 가해도 잘 부서지지 않는다.

02 염화 칼슘($CaCl_2$)을 이용하여 위와 같은 실험을 수행하였다.

(1) 염화 칼슘 결정에 힘을 가했을 때의 변화를 쓰시오.

(2) 염화 칼슘이 고체 상태일 때와 수용액 상태일 때의 전기 전도성을 각각 쓰시오.

이온 결정의 구조

이온 결합 물질은 양이온과 음이온이 3차원적으로 결합하여 규칙적인 배열을 갖는 결정을 이룬다. 이온 결정에서 양이온과 음이온이 배열되는 형태는 이온의 크기와 이온의 개수비에 의해 결정된다. 몇 가지 이온 결정의 구조에 대해 알아보자.

❶ 결정이란?

원자, 이온, 분자 등의 입자들이 규칙적으로 배열된 것으로, 이온들이 규칙적으로 배열된 것을 이온 결정이라고 한다.

❷ 결정 구조

모든 결정은 단위 세포라고 하는 작은 반복 단위들로 구성되어 있다. 단위 세포에는 단순 입방 구조, 면심 입방 구조, 체심 입방 구조 등이 있는데, 이들 단위 세포의 구조는 다음과 같다.

• 단순 입방 구조: 정육면체의 8개 꼭짓점에 입자가 한 개씩 위치해 있는 구조이다.
• 체심 입방 구조: 정육면체의 각 꼭짓점과 중심에 입자가 위치해 있는 구조이다.
• 면심 입방 구조: 정육면체의 각 꼭짓점과 면심에 입자가 위치해 있는 구조이다.

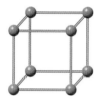
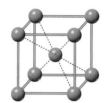
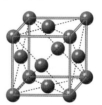

▲ 단순 입방 구조　　　　▲ 체심 입방 구조　　　　▲ 면심 입방 구조

❸ 몇 가지 이온 결정의 구조

① 염화 나트륨의 결정 구조: NaCl 결정에서 1개의 Na^+은 가장 가까운 6개의 Cl^-에 둘러싸여 있고, 1개의 Cl^-도 가장 가까운 6개의 Na^+에 둘러싸여 있으며, Na^+과 Cl^-은 각각 정육면체의 꼭짓점과 각 면심에 위치하고 있다. 즉 Na^+과 Cl^-은 각각 면심 입방 구조를 이루고 있으므로 NaCl은 면심 입방 구조가 2개 겹쳐 있는 구조이다.

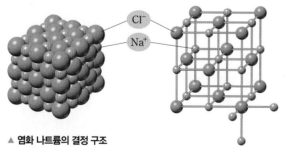

▲ 염화 나트륨의 결정 구조

• 단위 세포 속 입자 수: NaCl 결정의 단위 세포 속에 존재하는 입자 수를 구해 보면, Cl^-의 경우는 $\frac{1}{2} \times 6 + \frac{1}{8} \times 8 = 4$개이고, Na^+의 경우는 $1 + \frac{1}{4} \times 12 = 4$개이다. 따라서 개수비는 $Na^+ : Cl^- = 1 : 1$이므로 화학식은 NaCl이 된다.

이온 결정의 구조 연구 방법

• 이온 결정에 X선을 쏘여 주면 X선이 이온 결정 내의 원자들에 의해 회절되어 규칙적인 회절 무늬가 생기는데, 이것을 라우에 무늬라고 한다. 이러한 라우에 무늬를 분석하면 이온 결정의 구조를 알아낼 수 있다.

• 결정을 자동으로 회전시키면서 회절을 컴퓨터로 처리해 주는 장비인 X선 회절 분석계를 이용하여 한 결정 내에 있는 두 원자 사이의 거리와 결정 구조를 알아낼 수 있는데, 이는 물질의 구조를 연구하는 중요한 수단이다.

단위 세포 속의 입자 수(N)

결정 구조에서 반복되는 가장 작은 단위를 단위 세포라고 한다.

$$N = 체심\ 원자\ 수 + \frac{면심\ 원자\ 수}{2}$$
$$+ \frac{모서리\ 원자\ 수}{4}$$
$$+ \frac{꼭짓점\ 원자\ 수}{8}$$

② 염화 세슘의 결정 구조: 염화 세슘 결정에서 1개의 Cs^+은 가장 가까운 8개의 Cl^-에 둘러싸여 있고, 1개의 Cl^-도 가장 가까운 8개의 Cs^+에 둘러싸여 있으며 Cs^+과 Cl^-은 각각 정육면체의 꼭짓점에 위치하고 있다. 즉 Cs^+과 Cl^-은 각각 단순 입방 구조를 이루고 있으므로 CsCl은 단순 입방 구조 2개가 겹쳐 있는 구조이다.

단순 입방 결정
정육면체의 8개의 꼭짓점에 원자나 이온이 1개씩 위치해 있는 결정 구조이다.

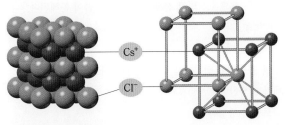

▲ 염화 세슘의 결정 구조

• 단위 세포 속의 입자 수: CsCl 결정의 단위 세포에 존재하는 입자 수를 구해 보면, Cl^-의 경우는 $\frac{1}{8} \times 8 = 1$개이고, Cs^+의 경우는 중심에 있는 1개이다. 따라서 개수비는 $Cs^+ : Cl^- = 1 : 1$이므로 화학식은 CsCl이 된다.

③ 플루오린화 칼슘의 결정 구조: 플루오린화 칼슘 결정에서 1개의 Ca^{2+}은 8개의 F^-에 둘러싸여 있고, 1개의 F^-은 4개의 Ca^{2+}에 둘러싸여 있다. 이는 Ca^{2+}이 Na^+보다 이온 반지름이 훨씬 크지만 F^-은 Cl^-보다 이온 반지름이 훨씬 작기 때문이다.

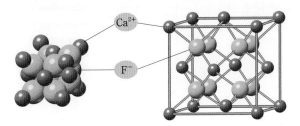
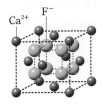

▲ 플루오린화 칼슘의 결정 구조

❹ 이온 결정의 구조: 이온 결정이 어떤 구조를 이루는지는 양이온과 음이온의 크기에 따라 달라진다. 양이온의 크기가 상대적으로 큰 경우에는 이온 결정을 구성하는 양이온과 음이온이 각각 단순 입방 구조를 이루고, 이 단순 입방 구조 2개가 겹쳐진 구조를 갖는다. 반면 양이온의 크기가 상대적으로 작은 경우에는 이온 결정을 구성하는 양이온과 음이온이 각각 면심 입방 구조를 이루고, 이 면심 입방 구조 2개가 겹쳐진 구조를 갖는다.

배위수
결정에서 기준이 되는 입자를 가장 가까운 거리에서 둘러싸고 있는 입자 수를 배위수라고 한다.
양이온의 크기가 작은 경우에는 음이온 사이의 반발력 때문에 크기가 큰 음이온이 많이 둘러싸는 것이 어렵다. 따라서 양이온의 크기가 상대적으로 작은 경우가 큰 경우보다 배위수가 작은 구조를 이룬다.

화합물	NaCl	NaBr	NaI	CsCl	CsBr	CsI
양이온 반지름 음이온 반지름	0.52	0.49	0.44	0.93	0.87	0.78
결정 구조	양이온과 음이온이 각각 면심 입방 구조를 이룸			양이온과 음이온이 각각 단순 입방 구조를 이룸		
배위수	6	6	6	8	8	8

▲ 몇 가지 이온 결합 물질의 결정 구조와 배위수

▶정답과 해설 **49**쪽

01 이온 결합

1. 화학 결합

① 화학 결합과 전자

1. 화학 결합과 전자

(1) **물의 전기 분해**: 순수한 물에 황산 나트륨과 같은 전해질을 넣고 전류를 흘려 주면 물이 분해된다.
- (+)극: 물이 전자를 잃어 (❶) 기체가 발생한다.
- (−)극: 물이 전자를 얻어 (❷) 기체가 발생한다.

(2) **염화 나트륨 용융액의 전기 분해**: 염화 나트륨 용융액에 전류를 흘려 주면 염화 나트륨이 분해된다.
- (+)극: 염화 이온이 전자를 잃어 염소 기체가 발생한다.
- (−)극: 나트륨 이온이 전자를 얻어 금속 나트륨이 생성된다.
  → 공유 결합이나 이온 결합이 형성될 때 (❸)가 관여한다.

2. 옥텟 규칙과 화학 결합의 종류

- (❹): 비활성 기체를 제외한 원소들이 화학 결합을 통해 비활성 기체와 같은 전자 배치를 이루려는 경향
- 화학 결합의 종류: 이온 결합(금속+비금속), 공유 결합(비금속+비금속), 금속 결합(금속)

② 이온 결합의 형성

1. 이온 결합 금속 양이온과 비금속 음이온의 정전기적 인력에 의해 형성된 결합

2. 이온 결합의 형성과 에너지 변화 양이온과 음이온은 전기적인 인력과 반발력에 의한 에너지가 가장 (❺) 거리(평형 거리)에서 이온 결합을 형성한다.

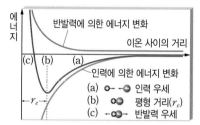

③ 이온 결합 물질의 표현

1. 이온 결합 물질의 화학식 화합물을 구성하는 성분 원소의 가장 간단한 결합 개수비로 나타내며, 양이온과 음이온의 총 전하량이 같아서 전기적으로 (❻)이 되는 개수비로 양이온과 음이온이 결합한다.

$$mA^{n+}+nB^{m-} \longrightarrow A_mB_n$$

2. 이온 결합 물질의 이름 음이온의 이름에서 '이온'을 생략하고 먼저 읽은 다음, 양이온의 이름에서 '이온'을 생략하고 나중에 읽는다. ⑩ NaCl: 염화 나트륨, $MgSO_4$: 황산 마그네슘

④ 이온 결합 물질의 성질

1. 이온 결합 물질의 성질

- 전기 전도성: 고체 상태에서는 전기 전도성이 (❼), 액체 상태나 수용액 상태에서는 전기 전도성이 (❽).
- 외부에서 힘을 가하면 쉽게 쪼개지거나 부서진다.
- 녹는점과 끓는점이 높은 편이며, 녹는점은 이온의 전하량이 클수록 이온 사이의 거리가 가까울수록 높다.
- 물과 같은 극성 용매에 잘 녹는 것이 많다.

2. 이온 결합 물질의 이용

- (❾): 소금의 주성분이다.
- (❿): 습기 제거제나 제설제로 이용된다.
- (⓫): 대리석의 주성분이며, 종유석, 석주, 석순을 이룬다.

01 그림과 같이 황산 나트륨을 녹인 물에 전류를 흘려 주었더니 전극 (가)와 (나)에서 기체가 발생하였다. 이에 대한 설명으로 옳은 것은 ○, 옳지 **않은** 것은 ×를 표시하시오.

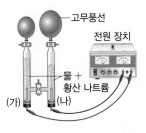

고무풍선
전원 장치
물 + 황산 나트륨
(가) (나)

(1) (가)에서 발생한 기체는 가연성이 있다.   (   )
(2) (나)는 (−)극이다.   (   )
(3) 화학 결합에 전자가 관여한다는 것을 알 수 있다.
                                                   (   )

02 염화 나트륨 용융액의 전기 분해에 대한 설명으로 옳은 것만을 보기에서 있는 대로 고르시오.

보기
ㄱ. 황산 나트륨과 같은 전해질을 넣어야 한다.
ㄴ. (+)극과 (−)극에서 모두 기체가 발생한다.
ㄷ. 실험 결과를 통해 이온 결합이 형성될 때 전자가 관여한다는 것을 알 수 있다.

03 그림은 원소 A와 B로 이루어진 화합물 X의 화학 결합을 모형으로 나타낸 것이다.

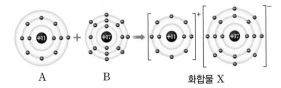

A   B   화합물 X

이에 대한 설명으로 옳은 것만을 보기에서 있는 대로 고르시오. (단, A와 B는 임의의 원소 기호이다.)

보기
ㄱ. A는 비금속 원소이다.
ㄴ. X의 화학식은 AB이다.
ㄷ. X는 이온 결합 물질이다.
ㄹ. X는 고체 상태일 때 전기 전도성이 있다.

04 그림은 이온 결합이 형성될 때 이온 사이의 거리에 따른 에너지 변화를 나타낸 것이다.

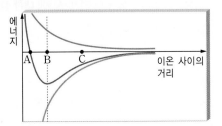

에너지
A B   C   이온 사이의 거리

이에 대한 설명으로 옳은 것만을 보기에서 있는 대로 고르시오.

보기
ㄱ. A에서 이온 결합이 형성된다.
ㄴ. B에서는 인력과 반발력이 균형을 이룬다.
ㄷ. C에서는 반발력이 인력보다 우세하다.

05 그림은 주기율표의 일부를 나타낸 것이다. A~E는 임의의 원소 기호이다.

족\주기	1	2	3~12	13	14	15	16	17	18
1	A								
2							B		
3	C			D		E			

다음 원소가 결합하여 이루어진 안정한 물질의 화학식을 쓰시오.

(1) A와 C   (2) B와 D   (3) C와 E

06 그림은 원자 A~D의 원자 반지름과 안정한 이온일 때의 이온 반지름을 상대적으로 비교한 것이다.

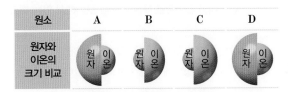

원소	A	B	C	D
원자와 이온의 크기 비교	원자 이온	원자 이온	원자 이온	원자 이온

이온 결합을 형성하는 원소들을 모두 골라 짝 지으시오. (단, A~D는 임의의 원소 기호이다.)

01 ▶ 화학 결합과 전자
다음은 화합물 X와 Y의 전기 분해에 대한 설명이다.

X	Y
고체 X는 전기 분해되지 않지만 용융시키면 전기 분해된다.	순수한 액체 Y는 전기 분해되지 않지만 전해질을 첨가하면 전기 분해된다.
$2X(s) \xrightarrow[\text{전기 분해}]{\text{용융}} 2A(s) + B_2(g)$	$2Y(l) \xrightarrow[\text{전기 분해}]{+\text{전해질}} 2C_2(g) + D_2(g)$

이에 대한 설명으로 옳은 것만을 보기에서 있는 대로 고른 것은? (단, A~D는 임의의 원소 기호이다.)

보기
ㄱ. X는 이온 결합 물질이다.
ㄴ. Y를 이루는 C와 D 사이의 결합에 전자가 관여하고 있다.
ㄷ. 화학식을 구성하는 원자 수는 X와 Y가 같다.

① ㄱ   ② ㄷ   ③ ㄱ, ㄴ   ④ ㄴ, ㄷ   ⑤ ㄱ, ㄴ, ㄷ

> 물질을 전기 분해함으로써 물질을 이루는 결합에 전자가 관여한다는 것을 확인할 수 있다.

02 ▶ 이온 결합 물질의 성질
다음은 순수한 고체 결정 X의 성질을 알아보기 위한 실험이다.

[실험]
Ⅰ. 도가니에 X를 넣고 가열하면서 온도에 따른 전류의 세기를 측정한다.
Ⅱ. 일정량의 물에 X를 넣어 녹이면서 넣어 준 X의 질량에 따른 전류의 세기를 측정한다.

[실험 결과]

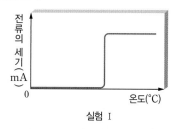

실험 Ⅰ   실험 Ⅱ

X에 대한 설명으로 옳은 것만을 보기에서 있는 대로 고른 것은?

보기
ㄱ. 원자가 전자쌍을 공유하여 형성된다.
ㄴ. 고체 상태에서 전기 전도성이 없다.
ㄷ. 외부에서 힘을 가하면 부서지기 쉽다.

① ㄱ   ② ㄴ   ③ ㄱ, ㄷ   ④ ㄴ, ㄷ   ⑤ ㄱ, ㄴ, ㄷ

> 이온 결합 물질은 고체 상태에서 전기 전도성이 없지만, 액체나 수용액 상태에서 전기 전도성이 있다.

03 > 이온 결합 물질의 표현

표는 3주기 원소 A와 B의 순차 이온화 에너지(E_n)를 나타낸 것이다.

원소	순차 이온화 에너지(E_n, $\times 10^3$ kJ/몰)					
	E_1	E_2	E_3	E_4	E_5	E_6
A	0.7	1.5	7.7	10.6	13.6	18.0
B	0.5	4.6	6.9	9.6	13.4	16.6

(가)A의 안정한 산화물의 화학식과 (나)B의 안정한 염화물의 화학식으로 옳은 것은? (단, A와 B는 임의의 원소 기호이다.)

	(가)	(나)			(가)	(나)
①	AO	BCl		②	AO	BCl_2
③	A_2O	BCl		④	A_2O	BCl_2
⑤	AO_2	BCl_3				

• $E_n \ll E_{n+1}$일 때 원자가 전자 수는 n이다. 원자가 전자를 잃고 안정한 이온이 될 때 비활성 기체와 같은 전자 배치를 이룬다.

04 > 이온 결합의 형성과 이온 결합 물질

그림은 원자 A~C의 전자 배치를 모형으로 나타낸 것이다.

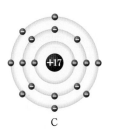

A   B   C

A~C로 이루어진 화합물에 대한 설명으로 옳은 것만을 보기에서 있는 대로 고른 것은? (단, A~C는 임의의 원소 기호이다.)

보기

ㄱ. BA_2가 형성될 때 A는 환원된다.
ㄴ. BC_2와 CA는 화학 결합의 종류가 같다.
ㄷ. 녹는점은 $BA_2(s)$가 $BC_2(s)$보다 높다.

① ㄱ   ② ㄴ   ③ ㄱ, ㄴ   ④ ㄱ, ㄷ   ⑤ ㄴ, ㄷ

• 이온 결합 물질은 금속 원소와 비금속 원소로 이루어져 있으며, 결합이 형성될 때 금속 원소의 원자는 전자를 잃고 산화되고, 비금속 원소의 원자는 전자를 얻고 환원된다.

05 고난도
> 이온 결합 물질의 표현

그림은 몇 가지 원소의 이온 반지름과 이들 이온의 전하 수를 나타낸 것이고, 표는 이들 원소로 이루어진 화합물에 대한 자료이다. A~E는 각각 O, Na, Mg, Cl, K의 이온 중 하나이다.

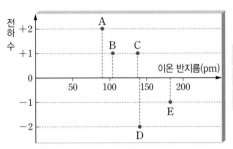

화합물	X	Y	Z
구성 이온	A, D	B, E	C, D
화학식	㉠	㉡	㉢

이에 대한 설명으로 옳은 것만을 보기에서 있는 대로 고른 것은?

> 보기

ㄱ. Y는 수용액에서 전기 전도성이 있다.

ㄴ. ㉠과 ㉢의 구성 원자 수는 같다.

ㄷ. 녹는점은 X가 Z보다 높다.

① ㄱ　　　② ㄴ　　　③ ㄱ, ㄷ　　　④ ㄴ, ㄷ　　　⑤ ㄱ, ㄴ, ㄷ

• 이온 결합 화합물은 전기적으로 중성이므로 이온 결합 물질에서 양이온의 전하와 음이온의 전하의 총합은 0이다. 또 이온 결합 물질의 녹는점은 이온의 전하량이 클수록, 이온 사이의 거리가 짧을수록 높다.

06 고난도
> 이온 결합의 형성과 에너지

그림은 이온 사이의 거리에 따른 에너지 변화를, 표는 몇 가지 이온의 이온 반지름을 나타낸 것이다. (가)는 CaS이 형성될 때의 에너지 변화이다.

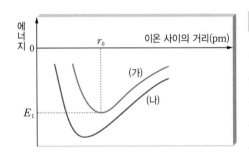

이온	이온 반지름(pm)
$_{12}Mg^{2+}$	65
$_{16}S^{2-}$	184
$_{17}Cl^{-}$	181
$_{19}K^{+}$	133
$_{20}Ca^{2+}$	99

이에 대한 설명으로 옳은 것만을 보기에서 있는 대로 고른 것은?

> 보기

ㄱ. CaS이 형성될 때 이온 사이의 거리가 r_0에서 인력이 최대이다.

ㄴ. (나)는 KCl이 형성될 때의 에너지 변화이다.

ㄷ. MgS이 형성될 때 방출되는 에너지의 절댓값은 E_1보다 크다.

① ㄱ　　　② ㄷ　　　③ ㄱ, ㄴ　　　④ ㄱ, ㄷ　　　⑤ ㄴ, ㄷ

• 이온 결합은 이온 사이의 인력과 반발력이 균형을 이루는 평형 거리에서 형성된다. 이온 결합이 형성되는 과정에서 에너지가 방출되면서 에너지가 낮아지는데, 이온의 전하량이 클수록, 이온 사이의 거리가 짧을수록 방출되는 에너지가 크다.

07 > 이온 결합 물질의 형성과 에너지

그림 (가)는 이온 결합 물질에서 이온 사이의 거리에 따른 에너지 변화를, (나)는 이온 결합 물질 A~C의 녹는점을 상댓값으로 나타낸 것이다. A~C는 각각 NaCl, KCl, MgO 중 하나이다.

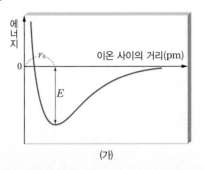
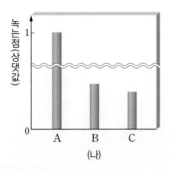

(가)　　　(나)

이에 대한 설명으로 옳은 것만을 보기에서 있는 대로 고른 것은?

> 보기

ㄱ. r_0는 C가 가장 크다.

ㄴ. E는 B가 A보다 크다.

ㄷ. 녹는점은 C가 KBr보다 높다.

① ㄱ　　② ㄴ　　③ ㄱ, ㄷ　　④ ㄴ, ㄷ　　⑤ ㄱ, ㄴ, ㄷ

• E는 이온 사이의 인력과 반발력이 균형을 이루는 거리에서 결합이 형성될 때 방출되는 에너지이다. 두 이온 사이의 인력이 클수록 방출하는 에너지가 크고, 녹는점이 높다.

08 > 이온 결합 물질의 이용

그림은 원소 A, B로부터 화합물 AB_2가 형성되는 과정을 모형으로 나타낸 것이다.

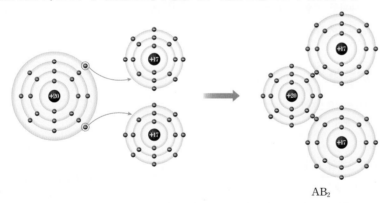

AB_2

AB_2에 대한 설명으로 옳은 것만을 보기에서 있는 대로 고른 것은? (단, A와 B는 임의의 원소 기호이다.)

> 보기

ㄱ. 이온 결합 물질이다.

ㄴ. 공기 중의 습기를 흡수하는 성질이 있어 습기 제거제로 이용된다.

ㄷ. 겨울철 눈이 내린 도로에 뿌리는 제설제로 이용된다.

① ㄱ　　② ㄷ　　③ ㄱ, ㄴ　　④ ㄴ, ㄷ　　⑤ ㄱ, ㄴ, ㄷ

• A는 전자가 들어 있는 전자 껍질 수가 4이고 원자가 전자 수가 2인 원소이다. B는 전자가 들어 있는 전자 껍질 수가 3이고 원자가 전자 수가 7인 원소이다.

01 이온 결합 **027**

02 공유 결합과 금속 결합

학습 Point 공유 결합의 형성 〉 공유 결합 물질의 성질 〉 금속 결합의 형성 〉 화학 결합의 종류와 세기

공유 결합의 형성

이온 결합은 금속 원소와 비금속 원소 사이에 이루어지는 화학 결합이고, 공유 결합은 비금속 원소와 비금속 원소 사이에 이루어지는 화학 결합이다.

1. 공유 결합

(1) **공유 결합:** 비금속 원소들은 원자가 전자를 내놓으려는 경향이 비슷하므로 전자를 주고받아 양이온과 음이온이 되기 어렵다. 이러한 비금속 원소들은 서로 원자가 전자를 내놓아 전자쌍을 만들고, 이 전자쌍을 공유함으로써 안정한 18족 원소의 원자와 같은 전자 배치를 이루어 옥텟 규칙을 만족하면서 화학 결합을 형성한다. 이와 같이 두 원자 사이에 전자쌍을 공유하여 이루어지는 화학 결합을 **공유 결합**이라고 한다.

(2) **수소 분자의 공유 결합:** 수소 원자는 원자가 전자가 1개이므로 2개의 수소 원자가 각각 1개의 전자를 내놓아 전자쌍을 만들고, 이를 공유함으로써 수소 분자를 형성하는데, 이때 수소 원자는 헬륨 원자와 같은 안정한 전자 배치를 이룬다. 공유 결합에서 공유된 전자쌍은 두 원자핵에 끌리게 되고, 이 인력에 의해 분자에서 두 원자가 결합을 유지한다.

수소 원자   수소 원자   수소 분자   헬륨 원자

└ 공유 전자쌍

▲ **수소 분자의 결합**

(3) **물 분자의 공유 결합:** 물 분자는 수소 원자 2개와 산소 원자 1개로 이루어져 있다. 산소 원자 1개는 수소 원자 2개와 각각 1개씩의 전자쌍을 공유하여 옥텟 규칙을 만족하는 안정한 전자 배치를 이룬다. 즉, 수소 원자는 헬륨 원자의 전자 배치와 같아지고, 산소 원자는 네온 원자의 전자 배치와 같아진다.

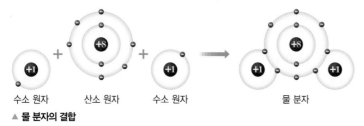

수소 원자   산소 원자   수소 원자   물 분자

▲ **물 분자의 결합**

공유 결합과 분자
물질의 고유한 성질을 가지며 독립적으로 존재하는 입자를 분자라고 한다. 대체로 원자들이 공유 결합을 형성하면 분자를 이루는데, 비활성 기체의 경우와 같이 원자 자체가 분자인 경우도 있다.

공유 전자쌍
두 원자가 서로 공유하고 있는 전자쌍이다.

분자의 개념과 공유 결합
분자의 개념은 17세기부터 알려져 왔지만, 20세기에 공유 결합의 개념이 확립되면서 분자가 형성되는 원리를 이해할 수 있게 되었다. 원자들이 원자가 전자를 공유하여 화학 결합을 한다는 것을 최초로 제안한 사람은 루이스(Lewis, G. N.)이다.

2. 공유 결합의 종류

비금속 원소의 원자들이 전자쌍을 공유하여 결합을 형성할 때 비활성 기체와 같은 전자 배치를 이루기 위해 1개의 전자쌍을 공유하기도 하고, 2개, 3개의 전자쌍을 공유하기도 한다.

(1) 단일 결합: 플루오린은 원자가 전자가 7개이므로 가장 바깥 전자 껍질에 8개의 전자를 배치하기 위해서 1개의 전자가 더 필요하다. 따라서 플루오린 원자 2개가 결합하여 플루오린 분자를 형성하기 위해서는 각 원자에서 전자 1개씩을 내놓아 만든 1개의 전자쌍을 공유해야 한다. 이와 같이 전자쌍 1개를 공유하는 결합을 **단일 결합**이라고 한다.

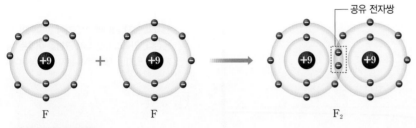

▲ 플루오린 분자의 결합

(2) 2중 결합: 산소는 원자가 전자가 6개이므로 가장 바깥 전자 껍질에 8개의 전자를 배치하기 위해서 2개의 전자가 더 필요하다. 따라서 산소 원자 2개가 결합하여 산소 분자를 형성하기 위해서는 2개의 전자쌍을 공유해야 한다. 이와 같이 전자쌍 2개를 공유하는 결합을 **2중 결합**이라고 한다.

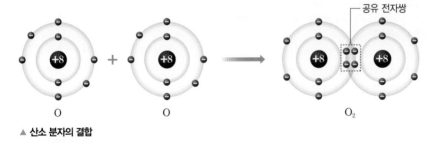

▲ 산소 분자의 결합

(3) 3중 결합: 질소는 원자가 전자가 5개이므로 가장 바깥 전자 껍질에 8개의 전자를 배치하기 위해서 3개의 전자가 더 필요하다. 따라서 질소 원자 2개가 결합하여 질소 분자를 형성하기 위해서는 3개의 전자쌍을 공유해야 한다. 이와 같이 전자쌍 3개를 공유하는 결합을 **3중 결합**이라고 한다.

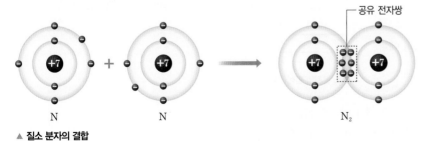

▲ 질소 분자의 결합

2중 결합과 3중 결합의 형성
2중 결합은 대부분 C, N, O, S 원자에서 형성되며, 3중 결합은 대부분 C와 N 원자에서 형성된다.

단일 결합과 다중 결합
2중 결합, 3중 결합과 같이 원자 사이에 2개 이상의 전자쌍을 공유한 결합을 다중 결합이라고 한다.

H:H	$\ddot{\text{O}}$::$\ddot{\text{O}}$	:N⋮⋮N:
H−H	O=O	N≡N
단일 결합	2중 결합	3중 결합

3. 공유 결합의 형성과 에너지

(1) 원자 사이의 거리에 따른 에너지 변화: 공유 결합을 형성할 때 결합하는 원자핵과 전자들 사이에 작용하는 인력과 반발력은 두 원자 사이의 거리에 따라 결정된다. 두 원자가 서로 멀리 떨어져 있을 때에는 인력이 매우 작지만, 두 원자 사이의 거리가 점점 가까워지면 원자핵과 전자 사이에 인력이 작용하여 에너지가 낮아지다가 거리가 너무 가까워지면 전자와 전자, 원자핵과 원자핵 사이에 반발력이 크게 작용하면서 에너지가 높아져 불안정해진다.

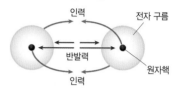

두 원자 사이의 상호 작용

각 원자의 원자핵과 공유된 전자 사이에 정전기적 인력이 작용하고, 원자핵과 원자핵, 전자와 전자 사이에 정전기적 반발력이 작용한다. 인력과 반발력이 균형을 이루는 위치에서 원자는 서로 묶여 분자를 형성한다.

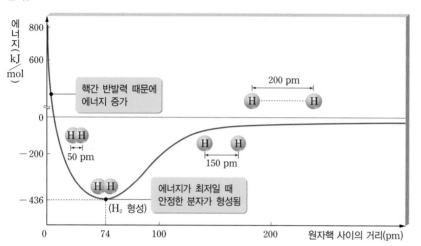

▲ **수소 원자의 원자핵 사이의 거리에 따른 에너지 변화** 2개의 수소 원자가 공유 결합을 형성할 때 수소 원자들이 너무 멀리 떨어져 있으면 작용하는 정전기적 인력이 작아 결합을 이루지 않고 위치 에너지가 0에 가깝다. 그리고 두 수소 원자가 접근하면 정전기적 인력에 의해 위치 에너지가 점점 낮아지며, 위치 에너지가 최소가 되는 지점에서 안정한 수소 분자(H_2)를 형성한다. 그러나 두 수소 원자의 원자핵 사이의 거리가 74 pm보다 가까워지면 원자핵 사이의 정전기적 반발력이 급격하게 커져서 위치 에너지가 높아져 불안정해진다.

(2) 결합 길이와 결합 에너지: 공유 결합을 형성할 때 두 원자의 원자핵 사이의 거리를 공유 결합 길이 또는 결합 길이라고 한다. 공유 결합을 형성할 때는 에너지가 방출되는데, 이때 방출된 만큼 에너지가 낮아져 안정해진다. 반대로 공유 결합을 끊을 때는 결합을 형성할 때 방출한 에너지만큼이 필요하다. 이처럼 기체 상태의 분자 1몰에서 공유 결합을 끊어 기체 상태의 원자로 만드는 데 필요한 에너지를 결합 에너지라고 한다.

인력과 위치 에너지
물체 사이에 인력이 작용하는 경우 물체 사이의 거리가 가까워질수록 위치 에너지가 낮아진다.

수소 원자로부터 수소 분자가 형성될 때 두 원자 사이의 거리가 74 pm에서 결합이 형성되므로 수소 분자에서 결합 길이는 74 pm이다.

그리고 수소 원자 2몰이 결합하여 수소 분자 1몰을 형성할 때 436 kJ/mol의 에너지를 방출한다.

$$H(g) + H(g) \longrightarrow H_2(g) + 436 \text{ kJ}$$

반대로 수소 분자 1몰에서 수소 원자 사이의 결합을 끊고 2몰의 수소 원자를 만들 때는 436 kJ/mol의 에너지를 흡수한다.

$$H_2(g) + 436 \text{ kJ} \longrightarrow H(g) + H(g)$$

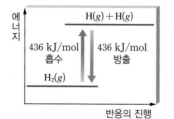

▲ **수소 분자의 형성과 에너지**

공유 결합 길이와 공유 결합 반지름

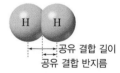

같은 종류의 원자가 공유 결합을 이루고 있을 때 공유 결합 길이의 반을 그 원자의 공유 결합 반지름이라고 한다.

따라서 수소의 결합 에너지는 436 kJ/mol이다. 결합 에너지는 분자를 이루는 원자 사이의 결합의 세기를 나타내는 척도로 결합 에너지가 클수록 결합이 강하고 안정하다.

(3) 다중 결합에서 결합 에너지와 결합 길이: 원자 사이에 다중 결합을 형성하는 경우에는 결합 수가 많아질수록 결합 에너지는 증가하고, 결합 길이는 짧아진다.

다음 표는 C, N 원자로 이루어진 물질의 결합 에너지와 결합 길이를 비교한 것이다.

분자	C_2H_6(에테인)	C_2H_4(에틸렌)	C_2H_2(아세틸렌)
공유 결합	C−C	C=C	C≡C
결합 에너지(kJ/mol)	345	612	809
결합 길이(pm)	154	134	120

▲ 탄소 원자(C)로 이루어진 물질의 결합 에너지와 결합 길이

분자	N_2H_4(하이드라진)	HN_3(아자이드화 수소)	N_2(질소)
공유 결합	N−N	N=N	N≡N
결합 에너지(kJ/mol)	163	418	945
결합 길이(pm)	146	125	110

▲ 질소 원자(N)로 이루어진 물질의 결합 에너지와 결합 길이

같은 원소로 이루어진 결합의 경우 결합 길이와 결합 에너지의 크기는 두 원자 사이에 공유된 전자쌍을 나타내는 결합 차수에 의존한다. 결합 차수가 증가하면 결합 길이는 감소하고, 결합 에너지는 증가한다.

- 결합 길이: 단일 결합>2중 결합>3중 결합
- 결합 에너지: 단일 결합<2중 결합<3중 결합

(4) 평균 결합 에너지: 분자의 모든 결합은 특정한 값의 결합 에너지를 갖는다. 그런데 분자의 구조가 동일하지 않더라도 동일한 원자 사이의 결합 에너지는 거의 비슷하며, 평균 결합 에너지를 이용하여 여러 종류의 결합을 비교할 수 있다. 다음 표는 몇 가지 단일 결합에 대하여 평균 결합 에너지와 결합 길이를 나타낸 것이다.

원소	H	C	N	O	F	Cl	Br	I
H	436	413	391	463	565	429	363	295
	74	108	101	97	93	128	142	162
C	413	345	305	358	489	339	285	218
	108	154	147	143	138	177	194	214
N	391	305	163	201	278	192	240	−
	101	147	146	136	136	197	214	−
O	463	358	201	146	193	208	234	234
	97	143	136	148	142	170	187	207
F	565	489	278	193	155	253	249	280
	93	138	136	142	142	163	176	197
Cl	429	339	192	208	253	240	219	211
	128	177	197	170	163	199	214	232
Br	363	285	240	234	249	219	190	178
	142	194	214	187	176	214	229	257
I	295	218	−	234	280	211	178	148
	162	214	−	207	197	232	257	267

▲ 몇 가지 원자들이 단일 결합을 형성할 때의 평균 결합 에너지(kJ/mol)(위)와 결합 길이(pm)(아래)

탄소 원자 사이의 결합 길이 비교

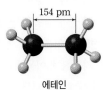

154 pm

에테인

134 pm

에틸렌

120 pm

아세틸렌

결합 차수

결합 차수는 결합의 전자 밀도에 대한 척도이다. 전자 밀도가 클수록 핵들은 더 단단하게 결합하고, 더 가까이에 있게 된다. 단일 결합의 결합 차수는 1, 2중 결합의 결합 차수는 2, 3중 결합의 결합 차수는 3이다.

다중 결합을 형성할 때의 결합 에너지와 결합 길이

결합	결합 에너지 (kJ/mol)	결합 길이 (pm)
C=C	612	134
C=N	615	130
C=O	745	122
N=N	418	125
O=O	498	121
C≡C	809	120
C≡N	891	116
N≡N	945	110

4. 공유 결합 물질의 성질

(1) 녹는점과 끓는점: 공유 결합 물질은 원자 사이의 결합력이 강하지만 분자 사이의 인력이 약하므로 녹는점과 끓는점이 비교적 낮다. 그러나 다이아몬드나 이산화 규소(SiO_2)와 같이 원자들이 공유 결합을 형성하여 결정을 이루는 물질은 녹는점이 매우 높다.

(2) 전기 전도성: 이온 결합 물질은 고체 상태에서는 전기 전도성이 없지만 액체 상태에서는 이온들이 자유롭게 이동할 수 있기 때문에 전기 전도성이 있다. 공유 결합 물질은 고체 상태와 액체 상태에서 모두 이온이 존재하지 않으며, 금속처럼 자유롭게 이동할 수 있는 전자도 존재하지 않기 때문에 고체 상태와 액체 상태에서 모두 전기 전도성이 없다.

성질	물질	이온 결합 물질		공유 결합 물질		
		NaCl	KF	H_2	CH_4	HCl
녹는점(°C)		801	858	-259	-184	-115
끓는점(°C)		1413	1502	-253	-164	-84.9
실온에서의 상태		고체	고체	기체	기체	기체
전기 전도성	고체	없음	없음	없음	없음	없음
	액체	있음	있음	없음	없음	없음

▲ 이온 결합 물질과 공유 결합 물질의 성질

(3) 물에 대한 용해성: 이온 결합 물질 중에는 물에 잘 녹는 물질이 많지만, 공유 결합 물질 중에는 물에 잘 녹지 않는 물질이 많다. 공유 결합 물질 중 극성 분자는 물에 잘 녹고, 무극성 분자는 물에 잘 녹지 않는다. 이러한 무극성 분자는 무극성 용매인 사염화 탄소(CCl_4)나 벤젠(C_6H_6) 등에 잘 녹는다.

5. 공유 결정과 분자 결정

(1) 공유 결정: 분자 결정과는 달리 원자들이 인접한 원자들과 계속적으로 공유 결합을 형성하면서 그물처럼 3차원적으로 이어진 결정을 공유 결정 또는 원자 결정이라고 한다.

① 공유 결정의 특장: 공유 결정은 결정을 이루는 모든 원자들이 강한 공유 결합에 의해 그물처럼 연결되어 있어 매우 단단하고, 녹는점과 끓는점이 매우 높다. 공유 결정은 분자 결정과 마찬가지로 고체 상태와 액체 상태에서 모두 전기 전도성이 없다. (단, 흑연은 예외)

② 공유 결정의 예: 다이아몬드(C), 흑연(C), 이산화 규소(SiO_2) 등이 있다.

C−C 사이의 거리: 154 pm

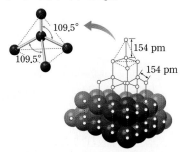

▲ **정사면체의 다이아몬드 구조** 1개의 탄소 원자가 주위에 있는 다른 4개의 탄소 원자와 공유 결합을 하여 정사면체의 입체 구조로 연결된 구조이다.

C−C 사이의 거리: 142 pm

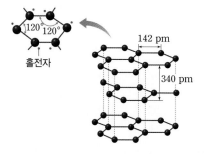

▲ **층상 결정의 흑연 구조** 1개의 탄소 원자가 3개의 탄소 원자와 평면에서 정육각형 모양으로 결합하여 층을 이룬 구조이다. 층과 층 사이의 결합은 약한 편이어서 부스러지기 쉽고, 층들이 쉽게 미끄러진다.

이온 결합 물질과 공유 결합 물질의 차이점

일반적으로 공유 결합의 세기는 이온 결합의 세기와 비슷하다. 그런데 이온 결합 물질은 결정 전체에 걸쳐서 강한 인력이 작용하여 결합을 끊기가 어려우므로 녹는점, 끓는점이 높다. 그러나 대부분의 공유 결합 물질을 구성하는 분자는 거대한 구조를 형성하지 않으며 분자 사이에는 약한 분자간 힘만 작용하여 분자 사이의 인력을 끊기가 쉬우므로 녹는점과 끓는점이 낮다.

화학 결합과 전기 전도성

화학 결합	고체	액체	수용액
이온 결합	없음	있음	있음
공유 결합	없음	없음	경우에 따라 다름

물에 잘 녹는 공유 결합 물질과 물에 잘 녹지 않는 공유 결합 물질

· 물에 잘 녹는 물질: HCl, NH_3, CH_3OH 등
· 물에 잘 녹지 않는 물질: Cl_2, Br_2, I_2 등

흑연과 다이아몬드의 구조와 전기 전도성

흑연은 탄소 원자의 원자가 전자 4개 중 3개가 평면상에서 강한 공유 결합을 형성하고, 남은 1개의 전자는 위나 아래의 층과 결합되어 있으며, 육각 평면 구조의 위쪽에 있는 전자는 비교적 자유롭게 움직일 수 있으므로 전기 전도성을 갖는다. 그러나 다이아몬드는 탄소 원자의 원자가 전자 4개가 모두 강한 공유 결합을 형성하고 있으므로 전기 전도성이 없다.

(2) **분자 결정:** 분자로 구성된 공유 결합 물질 중 분자들이 모양을 유지하며 규칙적으로 배열하여 고체 결정을 이룬 것을 분자 결정이라고 한다.

① **분자 결정의 특징:** 분자 결정을 유지하는 힘은 분자 사이에 작용하는 인력으로, 공유 결합력에 비하여 훨씬 약하다. 따라서 분자 결정을 이루고 있는 물질은 녹는점과 끓는점이 매우 낮고, 용융열이나 승화열이 작으며, 승화성을 가지는 것들이 많다.

② **분자 결정의 예:** 얼음(H_2O), 아이오딘(I_2), 드라이아이스(CO_2), 나프탈렌($C_{10}H_8$) 등이 있다.

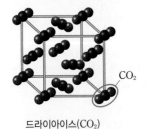
드라이아이스(CO_2)

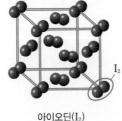
아이오딘(I_2)

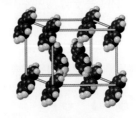
나프탈렌($C_{10}H_8$)

▲ **몇 가지 분자 결정 구조**

(3) **공유 결정과 분자 결정을 이루는 물질의 비교:** 분자 결정을 이루고 있는 물질은 녹는점과 끓는점이 매우 낮지만 분자량이 증가함에 따라 녹는점과 끓는점이 높아지는 경향을 가진다. 그러나 공유 결정을 이루고 있는 물질은 화학식량에 따라 녹는점이나 끓는점이 변화되는 경향을 보이지 않는다. 공유 결정을 이루고 있는 물질은 분자 결정을 이루는 물질처럼 고체나 액체 상태에서 모두 전기 전도성을 갖지 않는다. 단, 흑연은 독특한 구조적 특징 때문에 전기 전도성을 갖는다.

구분		화학식량	녹는점(℃)	끓는점(℃)
공유 결정을 이루고 있는 물질	흑연(C)	12	3730	4830
	규소(Si)	28	1414	2335
	이산화 규소(SiO_2)	60	1700	2230
분자 결정을 이루고 있는 물질	염소(Cl_2)	71	−100.9	−34.1
	브로민(Br_2)	160	−7.9	58.8
	아이오딘(I_2)	254	113.6	184.4

▲ **공유 결정과 분자 결정을 이루고 있는 물질의 녹는점과 끓는점**

수정(SiO_2)의 결정 구조

석영은 천연적으로 얻을 수 있는 결정 상태의 이산화 규소이며, 그중에서도 결정성이 뛰어난 것을 수정이라고 한다.

예제

다음 중 전기 전도성이 있는 물질을 보기에서 있는 대로 고르시오.

보기
ㄱ. KCl(s)   ㄴ. 다이아몬드   ㄷ. 드라이아이스
ㄹ. 나프탈렌   ㅁ. NaCl(l)   ㅂ. 흑연
ㅅ. 아이오딘   ㅇ. 메테인   ㅈ. 수소

해설 NaCl과 같은 이온 결합 물질은 전하를 띤 이온으로 이루어져 있으며, 액체 상태에서는 이온이 자유롭게 이동할 수 있으므로 전기 전도성이 있다. 공유 결합 물질 중 흑연은 독특한 구조적 특징 때문에 예외적으로 전기 전도성이 있다.

정답 ㅁ, ㅂ

② 금속 결합의 형성

금속 원자들은 일반적으로 전자를 내놓고 양이온이 되기 쉽다. 따라서 금속 결정 속에서 금속 원자들은 원자가 전자를 내놓고 양이온으로 존재하며, 원자핵의 구속으로부터 벗어난 원자가 전자들은 어느 한 원자에 구속되지 않고 자유롭게 이동한다.

1. 금속 결합

(1) **자유 전자:** 금속 원자에서 떨어져 나온 전자들은 금속 양이온 사이를 자유롭게 이동하므로 자유 전자라고 한다.

(2) **금속 결합:** 자유 전자와 금속 양이온 사이의 정전기적 인력에 의해 형성되는 결합을 금속 결합이라고 하며, 금속은 금속 결합으로 규칙적으로 배열된 금속 결정을 이룬다.

— 금속 원자가 전자를 내놓아 금속 양이온이 된다.

— 금속 원자가 내놓은 전자는 양이온 사이의 공간에서 자유롭게 움직인다.

금속 양이온   자유 전자

▲ **금속 결합 모형과 자유 전자**

2. 금속 결정의 성질

(1) **전기 전도성과 열전도성:** 금속에 전압을 걸어 주면 자유 전자들이 (+)극 쪽으로 이동하면서 전류가 흐르므로 금속은 전기 전도성이 매우 크다. 또 금속은 열전도성 또한 큰데, 이는 금속을 가열하면 열에너지를 얻어 큰 열에너지를 가진 자유 전자들이 이웃한 금속 양이온과 자유 전자에 열에너지를 쉽게 전달하기 때문이다.

전압을 가함.

(+)극   (−)극

▲ **금속의 전기 전도성**

(2) **연성과 전성:** 금속은 일반적으로 가늘게 실처럼 뽑을 수 있는 성질(뽑힘성)인 연성과 종이처럼 얇게 펼 수 있는 성질(펴짐성)인 전성이 뛰어나다. 이것은 금속에 힘을 가하면 변형이 일어나더라도 자유 전자가 금속 양이온 사이로 쉽게 이동하여 금속 양이온과 자유 전자 사이의 결합이 유지되기 때문이다.

외부 힘

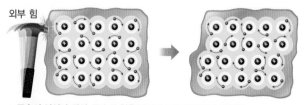

▲ **금속의 연성과 전성** 금속에 힘을 가하면 금속의 모양이 변한다.

전자 바다 모형

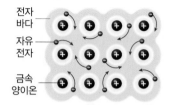

전자 바다

자유 전자

금속 양이온

금속 결합을 설명하는 모형으로, 각 금속 원자에서 나온 전자들이 금속 양이온 사이의 공간에서 자유롭게 움직인다고 가정한다. 즉, 전자의 바다에 금속 양이온이 잠겨 있는 것으로 생각할 수 있다.

온도에 따른 금속의 전기 전도도

일반적으로 금속의 전기 전도도는 온도가 높을수록 낮아지는 경향이 있다. 이는 온도가 높아지면 진동 운동이 활발해진 원자들이 자유 전자와 충돌하게 되어 전자의 흐름이 방해를 받기 때문이다.

금속의 성질과 이용

금속의 광택과 연성을 이용한 장신구

금속의 전성을 이용한 금속박

금속의 연성과 큰 전기 전도성을 이용한 전선

(3) **금속 광택**: 금(노란색), 구리(붉은색)를 제외한 대부분의 금속은 은백색 광택을 나타낸다. 이는 금속 표면에 있는 자유 전자들이 가시광선을 모두 흡수하였다가 거의 대부분의 파장의 빛을 반사하기 때문이다.

(4) **금속의 녹는점과 끓는점**: 금속 결합은 금속 양이온과 자유 전자 사이의 강한 정전기적 인력에 의해 형성되므로 대체로 녹는점이 높아 수은(Hg)을 제외한 모든 금속은 실온에서 고체 상태로 존재한다. 금속 결합력은 금속 양이온의 반지름이 작을수록, 원자가 전자 수가 많을수록 강해지므로 금속 원소의 종류에 따라 녹는점 차가 크게 나타난다.

몇 가지 금속의 녹는점

금속	녹는점(°C)
수은	−39
칼륨	63
나트륨	98
마그네슘	650
구리	1085
철	1538

③ 화학 결합의 종류와 세기

화학 결합에는 이온 결합, 공유 결합, 금속 결합이 있으며, 이러한 결합의 종류는 녹는점과 같은 물질의 성질에 영향을 끼친다.

1. 화학 결합의 종류와 세기

원자들이 결합하여 물질을 이룰 때 원자들의 결합 방식은 원자의 종류에 따라 다르다. 이온 사이의 정전기적 인력에 의해 형성된 이온 결정, 원자들의 공유 결합으로 형성된 공유 결정, 금속 결합에 의해 형성된 금속 결정의 녹는점은 그 결합력에 따라 달라진다. 결합력이 클수록 녹는점이 높아지는데, 이온 결정, 금속 결정의 녹는점은 대체로 높은 편이다. 특히 다이아몬드나 흑연과 같은 공유 결정의 녹는점은 이온 결정이나 금속 결정에 비해 매우 높다. 따라서 일반적으로 공유 결합은 다른 결합에 비해 결합력이 강하다고 할 수 있다.

2. 원소의 종류에 따른 화학 결합의 세기

화학 결합에서 결합력은 결합의 종류뿐 아니라 그 물질을 이루는 원소의 성질에도 영향을 받는다. 예를 들어 산화 마그네슘(MgO), 염화 나트륨(NaCl), 플루오린화 칼륨(KF)은 모두 이온 결합으로만 이루어진 이온 결정으로 녹는점이 서로 다르므로 결합력이 서로 다르다는 것을 알 수 있다. 마찬가지로, 같은 공유 결정인 다이아몬드, 규소(Si), 탄화 규소(SiC) 역시도 각각의 결합력이 다르고, 금속 결정인 철(Fe), 나트륨(Na), 알루미늄(Al) 역시도 결합력이 모두 다르다.

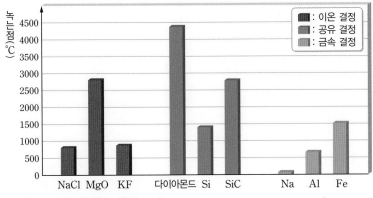

▲ 이온 결정, 공유 결정, 금속 결정의 녹는점

이온 결합, 공유 결합, 금속 결합의 비교

• 이온 결합: 양이온과 음이온 사이의 정전기적 인력
• 공유 결합: 전자쌍과 원자핵 사이의 정전기적 인력
• 금속 결합: 자유 전자와 금속 양이온 사이의 정전기적 인력

분자 결정에서의 화학 결합력

공유 결합 물질 중 독립된 분자로 이루어진 분자 결정은 화학 결합이 아닌 분자 사이의 인력에 의해 결정을 이루므로 화학 결합력 비교에서 제외한다.

차이를 만드는

심화

배위 공유 결합

일반적으로 공유 결합은 결합하는 두 원자가 같은 개수의 전자를 내놓아 전자쌍을 만들고, 이 전자쌍을 공유하여 이루어진다. 그러나 일부 물질은 한 원자가 비공유 전자쌍을 다른 원자와 공유하여 결합하기도 한다. 이와 같은 결합에 대해 알아보자.

❶ 배위 공유 결합

대부분의 공유 결합은 2개의 원자가 각각 전자를 내놓아 전자쌍을 공유하지만, 한 원자가 일방적으로 다른 원자에 전자쌍을 제공하여 공유 결합이 형성될 수도 있다. 어떤 원자가 비공유 전자쌍을 일방적으로 제공하여 이루어지는 공유 결합을 배위 공유 결합 또는 배위 결합이라고 한다. 배위 공유 결합은 전자쌍을 공유한다는 점에서 공유 결합과 차이가 없다. 단지 공유하는 전자쌍을 어느 한쪽이 일방적으로 제공한다는 점이 공유 결합과는 다르다.

❷ 암모늄 이온(NH_4^+)의 형성과 배위 공유 결합

암모니아(NH_3)가 수소 이온(H^+)과 결합할 때에는 질소 원자가 가지고 있던 비공유 전자쌍을 일방적으로 제공하여 수소 원자와 공유함으로써 암모늄 이온(NH_4^+)이 형성된다. 암모늄 이온이 형성되는 과정을 루이스 전자점식을 이용하여 다음과 같이 나타낼 수 있다.

$$\begin{matrix} H \\ H:N: \\ .. \\ H \end{matrix} \quad + \quad H^+ \quad \longrightarrow \quad \left[\begin{matrix} H \\ H:N:H \\ .. \\ H \end{matrix}\right]^+ \quad 또는 \quad \left[\begin{matrix} H \\ | \\ H-N-H \\ | \\ H \end{matrix}\right]^+$$

암모니아   수소 이온   암모늄 이온

암모늄 이온에서 질소 원자는 일반적인 결합 수보다 많은 4개의 결합을 갖지만 여전히 옥텟 규칙을 만족한다. 산소(O), 인(P), 황(S)과 같은 원자들도 종종 배위 공유 결합을 형성한다.

루이스 전자점식과 구조식
- 루이스 전자점식: 화학 결합을 나타내기 위해 원자들의 원자가 전자를 점으로 표시하여 결합을 표시하는 방법
- 구조식: 공유 전자쌍만을 결합선($-$)으로 표시하는 방법

❸ 하이드로늄 이온(H_3O^+)의 형성과 배위 공유 결합

산성 용액에서 수소 이온(H^+)은 물(H_2O) 분자와 배위 공유 결합을 하여 하이드로늄 이온(H_3O^+)을 형성한다. 하이드로늄 이온은 물 분자에 있는 산소가 일방적으로 수소 이온에 비공유 전자쌍을 제공하여 생성되는 것이다. 하이드로늄 이온에서 산소는 2개의 수소와 보통의 공유 결합을 형성하고, 한 개의 수소와는 배위 공유 결합을 형성한다. 하이드로늄 이온이 형성되는 과정을 루이스 전자점식을 이용하여 다음과 같이 나타낼 수 있다.

$$\begin{matrix} .. \\ H:O: \\ .. \\ H \end{matrix} \quad + \quad H^+ \quad \longrightarrow \quad \left[\begin{matrix} .. \\ H:O:H \\ .. \\ H \end{matrix}\right]^+ \quad 또는 \quad \left[\begin{matrix} H-O-H \\ | \\ H \end{matrix}\right]^+$$

물   수소 이온   하이드로늄 이온

배위 공유 결합과 공유 결합
배위 공유 결합은 공유 결합과 차이가 없다. 따라서 하이드로늄 이온(H_3O^+)에서 산소 원자와 수소 원자 사이의 3개의 결합은 구별할 수 없는 동등한 결합이다.

❹ 옥텟을 이루지 못한 분자와 비공유 전자쌍을 가진 분자 사이의 배위 공유 결합

분자를 이루는 원자 중에서 옥텟 규칙을 만족하지 못하는 원자들이 있는데, 대표적인 분자가 삼플루오린화 붕소(BF_3)이다. BF_3에서 B는 3개의 F과 공유 결합을 하지만 중심 원자 주위에 전자가 6개이므로 옥텟 규칙을 만족하지 못한다. 따라서 BF_3는 NH_3에 있는 비공유 전자쌍을 일방적으로 제공받아 옥텟 규칙을 만족하게 되는 배위 공유 결합을 잘 형성한다.

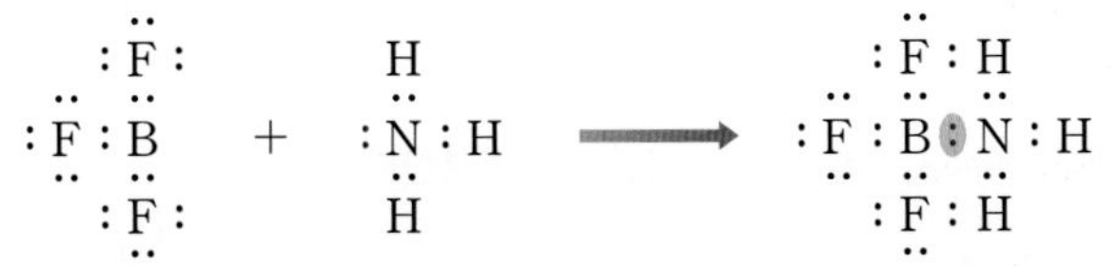

삼플루오린화 붕소   암모니아   삼플루오린화 붕소 암모늄

배위 공유 결합이 포함된 분자의 구조식에서는 배위 공유 결합된 전자쌍을 →로 표시하여 나타내기도 한다. 삼플루오린화 붕소 암모늄의 경우 오른쪽 그림과 같이 배위 공유 결합을 표시하여 구조식으로 나타낼 수 있다.

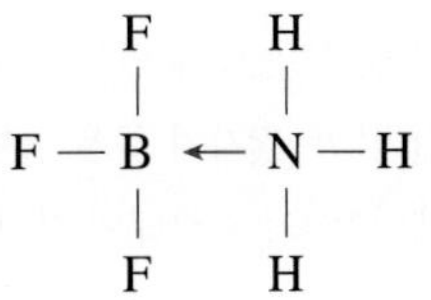

옥텟 규칙과 배위 공유 결합
삼플루오린화 붕소(BF_3)에서 붕소(B) 원자 주위에는 6개의 전자가 존재한다. 이와 같이 옥텟 규칙을 만족하지 못하는 분자들은 전자를 얻어 옥텟을 이루려고 한다. 따라서 일방적으로 전자쌍을 제공받아 이루어지는 배위 공유 결합을 하게 되는 것이다.

❺ 금속 이온과 리간드 사이의 배위 공유 결합

배위 공유 결합은 비금속 원소 사이의 결합뿐만 아니라 금속 이온과 비금속 리간드의 결합에서도 찾아볼 수 있다. 전이 원소의 금속 양이온은 비공유 전자쌍을 갖는 분자나 이온(리간드)과 배위 공유 결합을 하여 착이온을 형성한다. 예를 들어 황산 구리(Ⅱ) 수용액에 암모니아수($NH_3(aq)$)를 조금 가하면 처음에는 청백색 앙금($Cu(OH)_2$)이 생성되고, 계속해서 암모니아수를 가하면 진한 푸른색 용액이 된다. 이것은 용액 속에 착이온인 테트라암민구리(Ⅱ) 이온($[Cu(NH_3)_4]^{2+}$)이 생성되기 때문이다.

$$Cu^{2+}(aq) + 2NH_3(aq) + 2H_2O(l) \longrightarrow Cu(OH)_2(s) + 2NH_4^+(aq)$$
청백색 앙금

$$Cu(OH)_2(s) + 4NH_3(aq) \longrightarrow [Cu(NH_3)_4]^{2+}(aq) + 2OH^-(aq)$$
진한 푸른색 용액

$$Cu^{2+} + 4NH_3 \longrightarrow [Cu(NH_3)_4]^{2+} \Longrightarrow$$

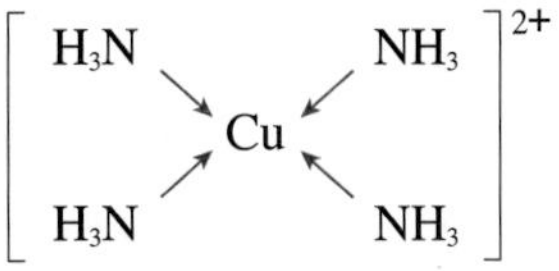

테트라암민구리(Ⅱ) 이온

착이온과 리간드
착이온은 중심 금속 양이온에 하나 이상의 분자나 이온이 결합하여 형성된 이온으로, 착이온에서 금속 이온과 결합을 형성하는 데 사용할 수 있는 비공유 전자쌍이 있는 분자나 이온을 리간드라고 한다.
$[Co(NH_3)_5Cl]Cl_2$에서 착이온은 $[Co(NH_3)_5Cl]^{2+}$이고, 착이온에서 Co와 결합을 형성하는 모든 이온과 분자(한 개의 Cl^-, 5개의 NH_3 분자)가 리간드로 작용하고 있다.

은 이온(Ag^+)이 들어 있는 수용액에 암모니아수($NH_3(aq)$)를 조금 가하면 처음에는 갈색 앙금이 생성되나 계속해서 암모니아수를 가하면 앙금이 녹아 무색 투명한 용액이 된다. 이것은 용액 중에 착이온인 $[Ag(NH_3)_2]^+$이 생성되었기 때문이다.

$$Ag^+ + 2NH_3 \longrightarrow [Ag(NH_3)_2]^+ \Longrightarrow [NH_3 \rightarrow Ag \leftarrow NH_3]^+$$
다이암민은(Ⅰ) 이온

배위 공유 결합이 있는 분자나 이온
NH_4^+, $[Ag(NH_3)_2^+]$, SO_4^{2-}, $[Cu(NH_3)_2]^{2+}$, BF_3NH_3, SO_2, SO_3, HNO_3, NO_3^-, H_2SO_4 등

02 공유 결합과 금속 결합

① 공유 결합의 형성

1. 공유 결합

(1) 공유 결합: (❶　　　) 원소의 원자들이 전자를 내놓아 전자쌍을 만들고, 이 전자쌍을 공유하여 형성되는 결합

(2) 공유 결합의 종류: 공유하는 전자쌍의 수에 따라 전자쌍 1개를 공유하는 (❷　　　) 결합, 전자쌍 2개를 공유하는 (❸　　　) 결합, 전자쌍 3개를 공유하는 (❹　　　) 결합으로 구분한다.

(3) 공유 결합의 형성과 에너지

- 공유 결합의 형성과 에너지: 두 원자 사이의 정전기적 인력과 반발력이 균형을 이루는 지점에서 에너지가 가장 낮으며, 이때 안정한 분자가 생성된다.
- 결합 길이: 두 원자가 공유 결합을 형성할 때 원자핵 사이의 거리
- 결합 에너지: 기체 상태의 분자 1몰에서 원자 사이의 공유 결합을 끊어 기체 상태의 원자를 만드는 데 필요한 에너지 ➡ 결합 에너지가 클수록 결합력이 (❺　　　).
- 결합 길이와 결합 에너지: 같은 원소로 이루어진 결합의 경우 결합 차수가 증가하면 공유 결합 길이는 (❻　　　)하고, 결합 에너지는 (❼　　　)한다.

2. 공유 결합 물질의 성질

- 분자로 구성된 공유 결합 물질은 분자 내의 공유 결합은 매우 강하지만 다른 분자들과의 인력은 약하므로 녹는점과 끓는점이 낮다.
- 공유 결합 물질은 고체나 액체 상태에서 모두 전기 전도성이 없다. (단, 흑연은 고체 상태에서 전기 전도성이 있다.)

3. (❽　　　) 분자로 구성된 공유 결합 물질이 약한 분자간 인력에 의해 고체 상태로 존재하는 결정
　예 얼음(H_2O), 아이오딘(I_2), 드라이아이스(CO_2), 나프탈렌($C_{10}H_8$) 등

4. (❾　　　) 공유 결합 물질 중 인접한 원자끼리 연속적으로 공유 결합을 이루어 모든 원자들이 그물처럼 이어진 결정　예 다이아몬드(C), 흑연(C), 이산화 규소(SiO_2) 등

② 금속 결합의 형성

1. 금속 결합　금속 양이온과 (❿　　　) 사이의 정전기적 인력에 의해 형성되는 결합

2. 금속 결정의 성질

- 전기 전도성과 열전도성: 고체 상태, 액체 상태에서 전기 전도성이 매우 크다. 또한 열전도성이 매우 크다.
- (⓫　　　)(뽑힘성)과 (⓬　　　)(펴짐성): 힘을 가하면 길게 늘어나는 성질과 얇게 펴지는 성질이 있다.
  → 금속의 전기 전도성, 열전도성, 뽑힘성과 펴짐성 등은 모두 (⓭　　　)에 의해 나타나는 성질이다.

③ 화학 결합의 종류와 세기

1. 화학 결합력과 녹는점　화학 결합력이 강할수록 녹는점이 높다. 이온 결정, 금속 결정, 공유 결정(원자 결정)은 모두 강한 정전기적 인력에 의한 결합이므로 이온 결정, 금속 결정, 공유 결정의 녹는점은 대체로 높다. 이중에서 (⓮　　　) 결정은 모든 원자가 강한 공유 결합으로 연결된 물질로 녹는점이 매우 높다.

01 그림은 원자 X와 Y의 전자 배치를 나타낸 것이다.

X   Y

이에 대한 설명으로 옳은 것은 ○, 옳지 <u>않은</u> 것은 ×를 표시하시오. (단, X와 Y는 임의의 원소 기호이다.)

(1) X끼리는 금속 결합을 형성한다.   (   )

(2) X와 Y는 공유 결합을 형성한다.   (   )

(3) Y_2에서 공유 전자쌍 수는 3이다.   (   )

(4) XY_2에서 X는 옥텟 규칙을 만족한다.   (   )

(5) XY_2에서 X와 Y 사이의 결합은 2중 결합이다.
                                     (   )

(6) XY_2에서 모든 원자는 네온과 같은 전자 배치를 이룬다.   (   )

02 그림은 수소 분자(H_2)가 형성될 때 두 원자핵 사이의 거리(r)에 따른 에너지 변화를 나타낸 것이다.

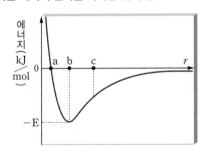

이에 대한 설명으로 옳은 것만을 보기에서 있는 대로 고르시오.

보기
ㄱ. a에서 결합이 형성된다.
ㄴ. b에서 반발력과 인력이 균형을 이룬다.
ㄷ. c에서는 인력이 반발력보다 우세하게 작용한다.
ㄹ. 수소 분자 1몰을 기체 상태의 수소 원자로 만드는 데 필요한 에너지는 E kJ/mol이다.

03 그림은 금속 결정에 힘을 가했을 때 입자 배열의 변화를 모형으로 나타낸 것이다.

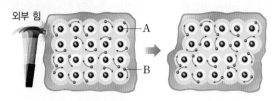

외부 힘

(1) A와 B의 이름을 쓰시오.

(2) 위 모형으로 설명할 수 있는 금속의 성질을 모두 쓰시오.

04 그림은 주기율표의 일부를 나타낸 것이다.

주기 \ 족	1	2	13	14	15	16	17	18
2	A				B		C	
3		D						

이에 대한 설명으로 옳은 것만을 보기에서 있는 대로 고르시오. (단, A~D는 임의의 원소 기호이다.)

보기
ㄱ. A(s)는 전기 전도성이 있다.
ㄴ. D(s)는 힘을 가해도 부서지지 않고 변형된다.
ㄷ. B와 C로 이루어진 화합물은 이온 사이의 정전기적 인력으로 결합한다.
ㄹ. AC와 DC_2는 모두 공유 결합 물질이다.

05 표는 3가지 고체 물질 A~C의 성질을 나타낸 것이다.

물질	전기 전도성		기타
	액체	고체	
A	있음	없음	망치로 두드리면 부서져 가루가 됨
B	없음	없음	실온에 두면 시간이 지날수록 크기가 점점 작아짐
C	있음	있음	가느다란 모양이고 붉은색이며 광택이 있음

A~C의 결정의 종류를 각각 쓰시오.

01 ▶공유 결합의 형성

공유 결합을 형성할 수 있는 원소의 전자 배치만을 보기에서 있는 대로 고른 것은?

보기
ㄱ. $1s^2 2s^1$ ㄴ. $1s^2 2s^2 2p^3$ ㄷ. $1s^2 2s^2 2p^4$ ㄹ. $1s^2 2s^2 2p^6$

① ㄱ, ㄴ   ② ㄱ, ㄷ   ③ ㄱ, ㄹ   ④ ㄴ, ㄷ   ⑤ ㄷ, ㄹ

> • 공유 결합은 비금속 원소 사이에 이루어지는 화학 결합이다.

02 ▶공유 결합의 형성

그림은 물질 XY_4와 Z_2의 화학 결합을 모형으로 나타낸 것이다.

이에 대한 설명으로 옳은 것만을 보기에서 있는 대로 고른 것은? (단, X~Z는 임의의 원소 기호이다.)

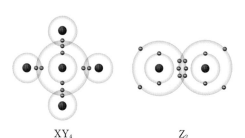

XY_4 Z_2

보기
ㄱ. 원자가 전자 수는 Z가 X보다 크다.
ㄴ. 공유 전자쌍 수는 Z_2가 XY_4보다 크다.
ㄷ. ZY_3에는 2중 결합이 있다.

① ㄱ   ② ㄴ   ③ ㄱ, ㄷ   ④ ㄴ, ㄷ   ⑤ ㄱ, ㄴ, ㄷ

> • 공유 결합은 두 원자 사이에 전자쌍을 공유하여 형성된 화학 결합으로, 두 원자가 전자를 서로 내놓아 공유한다.

03 ▶공유 결합의 형성과 에너지

그림은 수소(H_2) 분자와 플루오린(F_2) 분자가 형성될 때 분자 내 두 원자핵 사이의 거리에 따른 에너지 변화를 나타낸 것이다.

이에 대한 설명으로 옳은 것만을 보기에서 있는 대로 고른 것은?

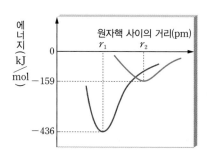

보기
ㄱ. H_2의 결합 길이는 r_1이다.
ㄴ. F_2의 결합 에너지는 159 kJ/mol이다.
ㄷ. 결합력은 H_2가 F_2보다 크다.

① ㄱ   ② ㄱ, ㄴ   ③ ㄱ, ㄷ   ④ ㄴ, ㄷ   ⑤ ㄱ, ㄴ, ㄷ

> • 수소(H)는 1주기 1족 원소이고, 플루오린(F)은 2주기 17족 원소이다. H와 F의 원자 반지름은 H<F이다.

04 ❯ 이원자 분자의 공유 결합 길이와 공유 결합 에너지

표는 2주기 원소 A~C로 이루어진 이원자 분자에 대한 결합 길이와 결합 에너지를 나타낸 것이다.

분자	결합 길이(pm)	결합 에너지(kJ/mol)
A_2	110	945
B_2	121	498
C_2	142	155

이에 대한 설명으로 옳은 것만을 보기에서 있는 대로 고른 것은? (단, A~C는 임의의 원소 기호이며, 주어진 분자는 모두 25 ℃, 1기압에서 기체 상태로 존재한다.)

보기
ㄱ. A_2에서 A 원자 사이의 결합은 단일 결합이다.
ㄴ. 원자 사이의 결합력은 B_2가 C_2보다 크다.
ㄷ. 공유 전자쌍 수는 C_2가 A_2보다 크다.

① ㄱ   ② ㄴ   ③ ㄱ, ㄷ   ④ ㄴ, ㄷ   ⑤ ㄱ, ㄴ, ㄷ

• 분자는 비금속 원소의 원자가 전자쌍을 공유하여 형성된 것으로, 2주기 원소 중 이원자 분자는 N_2, O_2, F_2이다.

고난도
05 ❯ 공유 결정과 이온 결정

표는 고체 물질 A와 B의 성질을 나타낸 것이고, 그림은 A와 B의 결정 구조 모형을 순서 없이 나타낸 것이다.

물질	녹는점(℃)	물에 대한 용해성	전기 전도성	
			고체	액체
A	801	있음	없음	있음
B	3550	없음	없음	없음

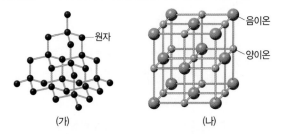

(가)   (나)

이에 대한 설명으로 옳은 것만을 보기에서 있는 대로 고른 것은?

보기
ㄱ. A와 B는 같은 종류의 화학 결합으로 형성된 물질이다.
ㄴ. B의 결정 구조는 (나)에 해당한다.
ㄷ. A의 수용액에는 같은 수의 양이온과 음이온이 존재한다.

① ㄴ   ② ㄷ   ③ ㄱ, ㄴ   ④ ㄱ, ㄷ   ⑤ ㄱ, ㄴ, ㄷ

• (가)는 원자들이 공유 결합을 형성하여 이루어진 공유 결정이고, (나)는 양이온과 음이온이 이온 결합을 형성하여 이루어진 이온 결정이다.

06 › 화학 결합의 종류

그림은 주기율표의 일부를 나타낸 것이다.

주기 ＼ 족	1	2	15	16	17	18
1	A					
2	B			C	D	

이에 대한 설명으로 옳은 것만을 보기에서 있는 대로 고른 것은? (단, A~D는 임의의 원소 기호이다.)

> **보기**
> ㄱ. $B(s)$는 전기 전도성이 있다.
> ㄴ. A_2C와 B_2C의 화학 결합의 종류는 같다.
> ㄷ. CD_2에 존재하는 공유 전자쌍 수는 2이다.

① ㄱ   ② ㄴ   ③ ㄱ, ㄷ   ④ ㄴ, ㄷ   ⑤ ㄱ, ㄴ, ㄷ

● 금속 원소로만 이루어진 물질은 금속 결정이고, 금속 원소와 비금속 원소로 이루어진 물질은 이온 결정이다. 또 비금속 원소로만 이루어진 물질은 공유 결합 물질이다.

07 › 화학 결합 모형

그림은 AB_2와 CB의 화학 결합 모형을 나타낸 것이다.

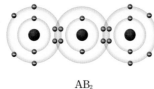

AB₂

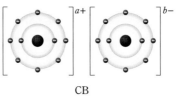

CB

이에 대한 설명으로 옳은 것만을 보기에서 있는 대로 고른 것은? (단, A~C는 임의의 원소 기호이다.)

> **보기**
> ㄱ. $a+b=2$이다.
> ㄴ. CAB_3는 공유 결합 물질이다.
> ㄷ. AB_2에서 모든 원자는 옥텟 규칙을 만족한다.

① ㄱ   ② ㄷ   ③ ㄱ, ㄴ   ④ ㄴ, ㄷ   ⑤ ㄱ, ㄴ, ㄷ

● 이온 결합 화합물은 전기적으로 중성이므로 양이온의 전하와 음이온의 전하의 총합은 0이다. 비금속 원소의 원자가 비활성 기체와 같은 전자 배치를 이루는 음이온이 될 때 음이온의 전하는 (원자가 전자 수−8)과 같다.

08 > 이온 결합과 공유 결합

그림은 원자 A, B, C의 전자 배치를 모형으로 나타낸 것이다.

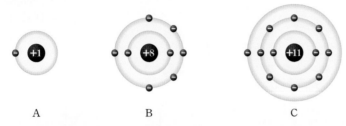

A   B   C

A~C로 이루어진 물질에 대한 설명으로 옳은 것만을 보기에서 있는 대로 고른 것은? (단, A ~C는 임의의 원소 기호이다.)

보기
ㄱ. A_2B와 B_2에 있는 공유 전자쌍 수는 같다.
ㄴ. 액체 상태의 C_2B는 전기 전도성이 있다.
ㄷ. C(s)에 힘을 가해도 부서지지 않고 변형된다.

① ㄱ   ② ㄴ   ③ ㄱ, ㄷ   ④ ㄴ, ㄷ   ⑤ ㄱ, ㄴ, ㄷ

• 금속 원소와 비금속 원소로 이루어진 물질은 이온 결합 물질이고, 비금속 원소로만 이루어진 물질은 공유 결합 물질이다.

09 > 금속 결합의 형성

그림은 원소 A, B, C의 금속 결합 모형을 나타낸 것이다.

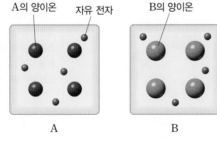

A의 양이온   자유 전자   B의 양이온   C의 양이온

A   B   C

이에 대한 설명으로 옳은 것만을 보기에서 있는 대로 고른 것은? (단, A~C는 임의의 원소 기호이다.)

보기
ㄱ. 금속 양이온의 전하는 C가 B보다 크다.
ㄴ. 금속의 녹는점은 A가 B보다 높다.
ㄷ. 전류를 흘려 주면 자유 전자가 (+)극 쪽으로 이동한다.

① ㄱ   ② ㄷ   ③ ㄱ, ㄴ   ④ ㄴ, ㄷ   ⑤ ㄱ, ㄴ, ㄷ

• 금속 결정에서 금속 양이온의 (+) 전하의 총합과 자유 전자의 (−)전하의 총합은 같아 전기적으로 중성이다.

10 ▶ 화학 결합의 종류와 성질

그림은 3가지 고체 결정을 주어진 기준에 따라 A~C로 분류하는 과정을 나타낸 것이다.

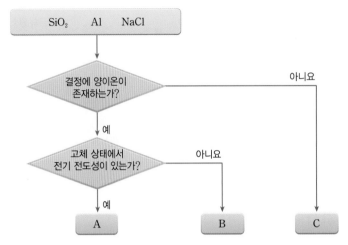

A~C에 대한 설명으로 옳은 것만을 보기에서 있는 대로 고른 것은?

> 보기
> ㄱ. A는 연성과 전성이 크다.
> ㄴ. B는 이온들 사이의 정전기적 인력에 의해 결합되어 있다.
> ㄷ. C는 원자 사이의 결합력이 약해 쉽게 승화한다.

① ㄱ   ② ㄷ   ③ ㄱ, ㄴ   ④ ㄴ, ㄷ   ⑤ ㄱ, ㄴ, ㄷ

- 결정에 양이온이 존재하는 것은 금속 양이온이 들어 있는 금속 결정과 이온 결정이다.

11 ▶ 금속 결합, 이온 결합, 공유 결합 물질의 성질

그림은 임의의 3주기 원소 A와 B로 이루어진 3가지 물질의 구조를 모형으로 나타낸 것이다.

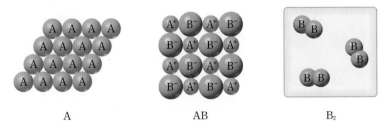

| A | AB | B_2 |

이에 대한 설명으로 옳은 것만을 보기에서 있는 대로 고른 것은? (단, A와 B는 임의의 원소 기호이다.)

> 보기
> ㄱ. 녹는점은 A가 B_2보다 높다.
> ㄴ. 고체 상태의 전기 전도도는 A가 AB보다 크다.
> ㄷ. B와 A의 원자가 전자 수의 차는 6이다.

① ㄱ   ② ㄷ   ③ ㄱ, ㄴ   ④ ㄴ, ㄷ   ⑤ ㄱ, ㄴ, ㄷ

- 양이온과 음이온 사이의 정전기적 인력에 의해 결합한 물질은 이온 결정이고, 금속 원소와 비금속 원소로 이루어진다. 금속은 금속 결합을 이루고, 비금속은 공유 결합으로 분자를 형성한다.

화가들이 사랑한 물감과 이온 결합 물질

연백(white lead(鉛白))은 납을 포함한 흰색 안료로, 납 이온과 탄산 이온이 결합한 탄산 납($PbCO_3$)이 주성분인 물질이다. 은처럼 빛나는 특징이 있는 연백은 실버 화이트(silver white)라고도 하며, 대부분 그림의 바탕칠에 이용되므로 파운데이션 화이트(foundation white)라고도 불린다.

연백은 흰색을 오묘하게 표현할 수 있어 많은 화가들이 사용하였다. 특히 미국의 화가 휘슬러(Whistler, J. A. M., 1834~1903)는 연백을 자주 사용하여 '흰색을 사랑한 화가'로 알려지기도 하였다. 그는 음악과 미술을 사랑한 예술가였으며, 음악에서 하모니를 중시하듯 그림에서도 균형과 조화를 강조하였고, 야상곡, 심포니, 교향곡, 변주 등 음악적인 용어를 제목에 삽입하고, 부제목을

▲ (좌) 흰색 교향곡, (우) 하얀 옷을 입은 소녀

다는 특유의 방식으로 작품 활동을 하였다. 휘슬러의 대표작인 흰색 교향곡 시리즈는 연백이 나타낼 수 있는 투명하고 생생한 느낌을 그대로 전달하는데, 이러한 매력 때문에 휘슬러는 매우 강한 독성이 있는 연백의 위험성을 알면서도 연백을 사용할 수 밖에 없었다. 지속적으로 연백을 사용하여 작품 활동을 이어간 휘슬러는 결국 연백의 납 성분이 체내에 축적됨으로 인해 말년을 고통 속에서 보내야 했다.

휘슬러가 흰색을 사랑한 화가였다면 고흐(Gogh, V. V., 1853~1890)는 노란색을 사랑한 화가였다. 고흐는 노란색 안료를 주로 사용하여 밀밭, 해바라기, 집의 외관, 별빛 등을 표현하였다. 고흐는 물감을 캔버스에 두껍게 바르는 기법을 주로 이용하여 그림을 그렸다고 한다. 그가 사용한 노란색 안료는 크로뮴산 옐로우로, 납 이온과 크로뮴산 이온이 결합한 크로뮴산 납($PbCrO_4$)이 주성분인 물질이다. 연백과 마찬가지로 크로뮴산 옐로우 또한 납 중독의 위험이 있는 물질로, 강한 독성을 지니고 있다. 일화에 의하면 고흐는 그림을 그리면서 노란색 물감을 먹었다고 한다. 고흐의 노란색 사랑은 결국 납 중독으로 이어져 고흐에게 정신적인 고통을 안겨 주었는지도 모른다.

▲ 노란집, 1888년 작품

▲ 까마귀가 나는 밀밭, 1890년 작품

01 ▷ 화학 결합과 전자

그림은 물(H_2O)과 염화 나트륨(NaCl) 용융액의 전기 분해 장치를 나타낸 것이고, 표는 전기 분해 결과 각 전극에서 생성되는 물질에 대한 자료이다.

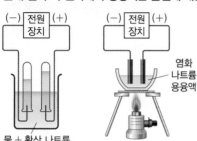

구분 \ 생성물	A_2	Cl_2	B
전극	(+)극	(+)극	(−)극
실온에서의 상태	기체	기체	고체
화학 결합의 종류	−	㉠	−

이에 대한 설명으로 옳은 것만을 보기에서 있는 대로 고른 것은? (단, A와 B는 임의의 원소 기호이다.)

보기
ㄱ. A_2에는 2중 결합이 있다.
ㄴ. ㉠은 공유 결합이다.
ㄷ. 화합물 B_2A는 액체 상태에서 전류가 흐른다.

① ㄱ   ② ㄴ   ③ ㄱ, ㄷ   ④ ㄴ, ㄷ   ⑤ ㄱ, ㄴ, ㄷ

> 전해질을 소량 넣은 물을 전기 분해하면 (+)극에서는 산소 기체가, (−)극에서는 수소 기체가 발생한다. 염화 나트륨 용융액을 전기 분해하면 (+)극에서는 염소 기체가 발생하고, (−)극에서는 금속 나트륨이 생성된다.

02 ▷ 이온 결합과 금속 결합

그림은 물질 (가)와 (나)의 화학 결합 모형과 원자 A~C의 바닥상태 전자 배치를 나타낸 것이다.

- A: $1s^1$
- B: $1s^2 2s^1$
- C: $1s^2 2s^2 2p^5$

(가)   (나)

이에 대한 설명으로 옳은 것만을 보기에서 있는 대로 고른 것은? (단, A~C는 임의의 원소 기호이다.)

보기
ㄱ. B(s)의 화학 결합 모형은 (가)에 해당한다.
ㄴ. A_2의 화학 결합 모형은 (나)에 해당한다.
ㄷ. BA와 BC의 화학 결합 모형은 (가)에 해당한다.

① ㄱ   ② ㄷ   ③ ㄱ, ㄴ   ④ ㄴ, ㄷ   ⑤ ㄱ, ㄴ, ㄷ

> 이온 결합 물질은 금속의 양이온과 비금속의 음이온이 정전기적 인력으로 결합한 물질이다. 또 금속은 금속 양이온과 자유 전자가 정전기적 인력에 의해 결합되어 있다.

03
> 화학 결합 모형

그림은 물질 ABC와 CD가 반응하여 AD와 X가 생성되는 반응에서 반응물과 생성물을 화학 결합 모형으로 나타낸 것이다.

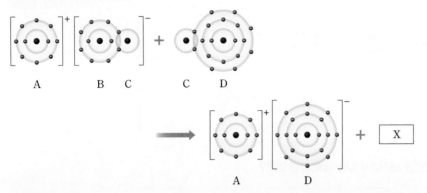

이에 대한 설명으로 옳은 것만을 보기에서 있는 대로 고른 것은? (단, A~D는 임의의 원소 기호이다.)

보기
ㄱ. X에 있는 공유 전자쌍 수는 2이다.
ㄴ. ABC에서 B는 옥텟 규칙을 만족한다.
ㄷ. AD(aq)와 CD(aq)는 모두 전기 전도성이 있다.

① ㄱ   ② ㄴ   ③ ㄱ, ㄷ   ④ ㄴ, ㄷ   ⑤ ㄱ, ㄴ, ㄷ

> 비금속 원소는 전자를 서로 내놓아 전자쌍을 만들고, 이 전자쌍을 공유하여 옥텟 규칙을 만족하는 안정한 전자 배치를 이룬다.

04
> 이온 결합력과 녹는점

표는 4가지 물질 (가)~(라)의 녹는점을 나타낸 것이다. (가)~(라)는 각각 NaF, NaCl, MgO, CaO 중 하나이다.

물질	(가)	(나)	(다)	(라)
녹는점(℃)	801	996	2613	2825

이에 대한 설명으로 옳은 것만을 보기에서 있는 대로 고른 것은?

보기
ㄱ. (가)는 NaCl이다.
ㄴ. (다)가 (나)보다 녹는점이 높은 이유는 (다)가 (나)보다 이온 사이의 거리가 짧기 때문이다.
ㄷ. (라)는 MgO이다.

① ㄱ   ② ㄴ   ③ ㄱ, ㄷ   ④ ㄴ, ㄷ   ⑤ ㄱ, ㄴ, ㄷ

> 이온 결합력은 이온의 전하량이 클수록, 이온 사이의 거리가 짧을수록 커지고, 이온 결합력이 클수록 녹는점과 끓는점이 높다.

05 › 이온 결합의 형성과 에너지

표는 몇 가지 이온의 반지름을, 그림은 이온 결합 물질이 형성될 때 이온 사이의 거리(r)에 따른 에너지 변화를 나타낸 것이다.

이온	반지름 (pm)	이온	반지름 (pm)
K^+	133	Cl^-	181
Mg^{2+}	65	Br^-	195
Ca^{2+}	99	O^{2-}	140

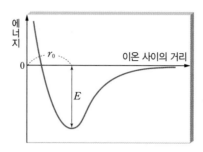

> 이온의 전하량이 클수록, 이온 사이의 거리가 짧을수록 이온 결합력이 커지므로 녹는점이 높다.

이에 대한 설명으로 옳은 것만을 보기에서 있는 대로 고른 것은?

보기
ㄱ. r_0는 CaO이 MgO보다 크다.
ㄴ. E의 크기는 KBr이 KCl보다 크다.
ㄷ. 녹는점은 CaO이 KBr보다 높다.

① ㄱ ② ㄴ ③ ㄱ, ㄷ ④ ㄴ, ㄷ ⑤ ㄱ, ㄴ, ㄷ

06 › 이온 결합과 공유 결합

그림은 물질 AB_2와 C_2의 화학 결합을 모형으로 나타낸 것이다.

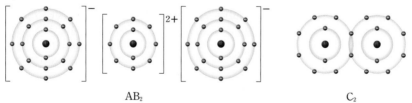

AB_2 C_2

> 이온 결합은 금속 양이온과 비금속 음이온의 정전기적 인력에 의해 형성되는 결합이고, 공유 결합은 비금속 원소의 원자들이 서로 전자를 내놓아 전자쌍을 만들고 이 전자쌍을 공유하여 형성되는 결합이다.

이에 대한 설명으로 옳은 것만을 보기에서 있는 대로 고른 것은? (단, A~C는 임의의 원소 기호이다.)

보기
ㄱ. B_2와 C_2에 들어 있는 공유 전자쌍 수는 같다.
ㄴ. AC_2는 액체 상태에서 전기 전도성이 있다.
ㄷ. 녹는점은 AC_2가 AB_2보다 높다.

① ㄱ ② ㄴ ③ ㄱ, ㄷ ④ ㄴ, ㄷ ⑤ ㄱ, ㄴ, ㄷ

07 ▶ 이온 결합과 공유 결합

그림은 2, 3주기 원소 A~D가 이온 결합 화합물 AD와 BC를 형성할 때, 각 원소의 이온 반지름을 나타낸 것이다. A~D 이온의 전자 배치는 네온(Ne)과 같다.

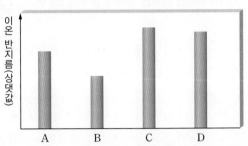

이에 대한 설명으로 옳은 것만을 보기에서 있는 대로 고른 것은? (단, A~D는 임의의 원소 기호이다.)

┌ 보기 ───
│ ㄱ. A(s)에는 자유 전자가 있다.
│ ㄴ. BD_2는 공유 결합 물질이다.
│ ㄷ. 녹는점은 AD(s)가 BC(s)보다 높다.
└───

① ㄱ   ② ㄴ   ③ ㄱ, ㄷ   ④ ㄴ, ㄷ   ⑤ ㄱ, ㄴ, ㄷ

• 이온 결합력은 이온의 전하량이 클수록 세다.

08 ▶ 이온 결합 물질과 공유 결합 물질의 성질

표는 물질 A~D에 대한 자료이다.

물질	녹는점(°C)	끓는점(°C)	전기 전도성	
			고체	액체
A	801	1413	×	○
B	−114	78.8	×	×
C	97.8	882	○	○
D	1670	2250	×	×

A~D에 대한 설명으로 옳은 것만을 보기에서 있는 대로 고른 것은?

┌ 보기 ───
│ ㄱ. A와 C에는 금속 양이온이 존재한다.
│ ㄴ. C에는 자유 전자가 있다.
│ ㄷ. B와 D의 화학 결합의 종류는 같다.
└───

① ㄱ   ② ㄴ   ③ ㄱ, ㄷ   ④ ㄴ, ㄷ   ⑤ ㄱ, ㄴ, ㄷ

• 이온 결합 물질은 고체 상태에서 전기 전도성이 없지만 액체 상태에서 전기 전도성이 있다. 반면, 금속 결정은 고체 상태와 액체 상태에서 모두 전기 전도성이 있다.

01 그림은 Na^+과 Cl^-의 이온 사이의 거리에 따른 에너지 변화를 나타낸 것이다. 점 P_{NaCl}는 에너지 변화 곡선에서 에너지가 최소인 점이다.

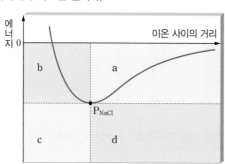

KEY WORDS
(1) 이온 사이의 거리, 에너지, 최소
(2) 이온 사이의 거리, 이온 결합력

(1) 그림의 영역 a~d 중 K^+과 Cl^-이 KCl을 형성할 때 에너지가 최소인 점 P_{KCl}가 속하는 영역을 쓰고, 그 이유를 서술하시오.

(2) 그림의 영역 a~d 중 Mg^{2+}과 O^{2-}이 MgO을 형성할 때 에너지가 최소인 점 P_{MgO}가 속하는 영역을 쓰고, 그 이유를 서술하시오.

02 표는 임의의 원소 A~C로 이루어진 화합물 (가), (나)의 화학식을 나타낸 것이다. Ne과 같은 전자 배치를 이루는 A~C의 안정한 이온은 각각 A^{2+}, B^{2-}, C^-이며, (가)와 (나)에서 옥텟 규칙을 만족한다.

KEY WORDS
• 안정한 이온, 양이온, 금속, 음이온, 비금속, 이온 결합, 공유 결합, 전기적 중성

화합물	(가)	(나)
화학식	A_xC_y	BC_2

(1) x와 y를 구하는 과정을 서술하고, 그 값을 구하시오.

(2) 액체 상태의 (가)와 (나)에 전류를 흘려 주었을 때의 변화를 서술하시오.

03 그림은 분자 HX, HY가 각각 형성될 때 분자 내 원자핵 사이의 거리에 따른 에너지 변화를 나타낸 것이다.

KEY WORDS
• 원자핵 사이의 거리, 원자 반지름, 같은 족, 결합 에너지

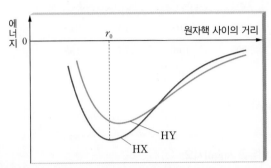

X와 Y의 원자 번호와 HX와 HY에서 원자 사이의 결합력을 각각 비교하고, 그 이유를 서술하시오. (단, X와 Y는 임의의 할로젠 원소이다.)

04 그림은 원소 A~E에 대하여 바닥상태 전자 배치에서 전자가 들어 있는 오비탈 수와 홀전자 수를 나타낸 것이고, 표는 안정한 화합물 (가)~(라)의 화학식을 나타낸 것이다. (단, A~E는 임의의 원소 기호이다.)

KEY WORDS
• 공유 결합 물질, 이온 결합 물질, 화학식

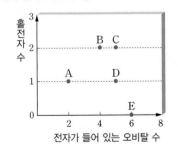

화합물	화학식
(가)	A_xC_y
(나)	CD_2
(다)	BC_2
(라)	ED_2

(1) (가)~(라)를 이온 결합 물질과 공유 결합 물질로 구분하고, 그 이유를 서술하시오.

(2) (가)의 화학식을 쓰시오.

05

표는 몇 가지 이온 결합 물질과 공유 결합 물질에 대한 자료이다.

물질	MgO	CaO	BaO	N_2	O_2	F_2
녹는점(℃)	2800	2572	1923	−210	−219	−218
끓는점(℃)	3600	2850	2000	−196	−183	−188
결합 길이(pm)	㉠	㉡	㉢	110	121	142

(1) 결합 길이 ㉠, ㉡, ㉢을 비교하고, 그 이유를 서술하시오.

(2) N_2, O_2, F_2의 결합 에너지를 비교하고, 그 이유를 서술하시오.

KEY WORDS
(2) • 결합 길이, 결합 에너지

06

그림은 3주기 원소 X~Z의 순차 이온화 에너지를 상댓값으로 나타낸 것이고, 표는 원소 X~Z와 산소(O)로 이루어진 화합물 (가)~(다)에 대한 자료이다. X~Z는 임의의 원소 기호이고, (가)~(다)의 구성 원자는 모두 옥텟 규칙을 만족한다.

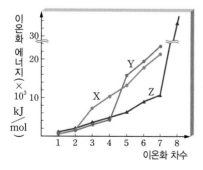

화합물	(가)	(나)	(다)
성분 원소	X, Z	Y, Z	Y, O
화학식의 구성 원자 수	㉠	㉡	3

(1) ㉠과 ㉡을 구하고, 그 과정을 서술하시오.

(2) (가)와 (다)의 녹는점을 비교하고, 그 이유를 서술하시오.

KEY WORDS
• 순차 이온화 에너지, 원자가 전자 수, 화학식, 옥텟 규칙

07 표는 금속 원소 A~D에 대한 자료이다. A~D는 전형 원소이고, C와 D는 같은 주기 원소이다. (단, A~D는 임의의 원소 기호이다.)

구분	A	B	C	D
원자 반지름(pm)	150	190	230	200
원자가 전자 수	1	1	1	2

(1) 금속 A, B, C의 녹는점을 비교하고, 그 이유를 서술하시오.

(2) C와 D의 반응성을 비교하고, 그 이유를 서술하시오.

KEYWORDS
(1) 금속 양이온의 반지름, 정전기적 인력
(2) 이온화 에너지, 양이온

08 그림은 2, 3주기 원소 A~F가 비활성 기체의 전자 배치를 이루는 이온으로 되었을 때의 전자 수에 대한 양성자수 $\left(\dfrac{양성자수}{전자 수}\right)$의 상댓값을 나타낸 것이고, 표는 A~F로 이루어진 화합물 (가)~(마)에 대한 자료이다. A~F는 임의의 원소 기호이고, (가)~(마)를 구성하는 모든 원자 및 이온은 옥텟 규칙을 만족한다.

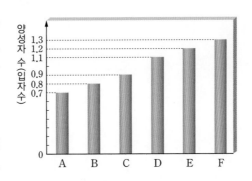

화합물	(가)	(나)	(다)	(라)	(마)
구성 원소	A, C	B, C	C, D	B, E	C, F
화학식의 구성 원자 수	4	3	㉠	2	㉡

(1) ㉠과 ㉡을 구하시오.

(2) (가)와 (라)의 화학 결합의 종류에 대해 서술하시오.

(3) 액체 상태의 (나)와 (다)의 전기 전도성에 대해 서술하시오.

KEYWORDS
• 양성자수, 전자 수, 양이온, 음이온

2

분자의 구조와 성질

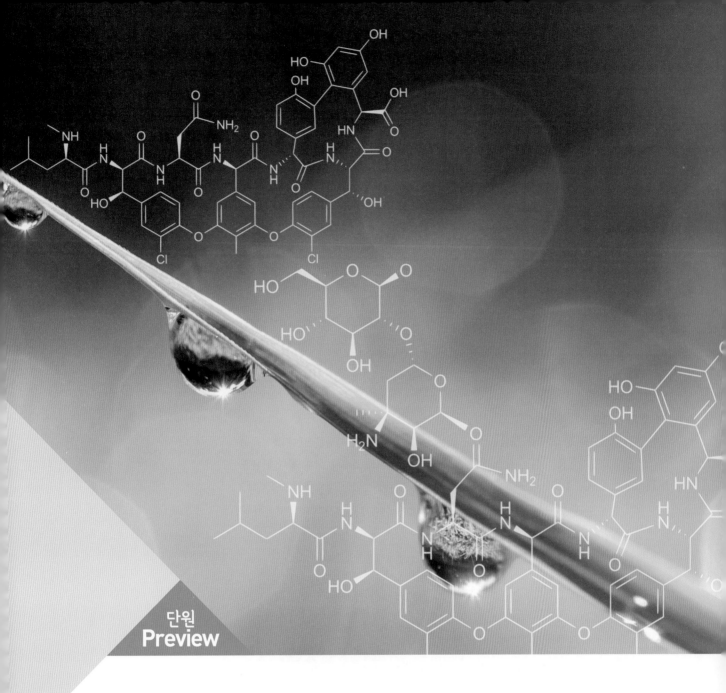

단원
Preview

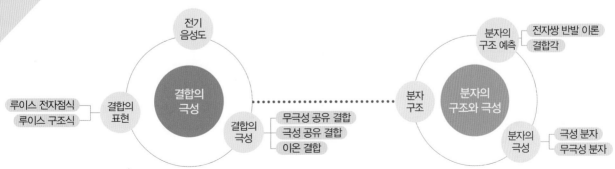

전기
음성도

루이스 전자점식 ─┐
루이스 구조식 ─┘ ─ 결합의
표현

결합의
극성

결합의
극성 ─ 무극성 공유 결합
극성 공유 결합
이온 결합

분자의
구조 예측 ─ 전자쌍 반발 이론
결합각

분자
구조

분자의
구조와 극성

분자의
극성 ─ 극성 분자
무극성 분자

결합의 극성　　　　　　　　　　　　　　　　　　　　　**분자의 구조와 극성**

01 결합의 극성

학습 Point ▶ 전기 음성도 ▶ 쌍극자 모멘트와 결합의 극성 ▶ 루이스 전자점식

전기 음성도

수소 분자(H_2)나 염소 분자(Cl_2)와 같이 같은 종류의 원자가 결합을 형성할 때에는 공유 전자쌍이 어느 한 원자 쪽으로 치우치지 않고, 두 원자가 공평하게 전자쌍을 공유한다. 그러나 염화 수소(HCl)나 플루오린화 수소(HF)와 같이 서로 다른 종류의 원자가 결합을 형성할 때에는 공유 전자쌍이 어느 한 원자 쪽으로 치우친다. 이는 두 원자가 전자쌍을 끌어당기는 정도가 다르기 때문이다.

1. 전기 음성도

(1) **전기 음성도의 정의:** 공유 결합을 하고 있는 원자들이 공유 전자쌍을 끌어당기는 능력을 상대적인 수치로 나타낸 값을 전기 음성도라고 한다. 1932년 미국의 화학자 폴링(Pauling, L. C., 1901~1994)은 공유 전자쌍을 끌어당기는 힘이 가장 큰 플루오린(F)의 전기 음성도를 4.0으로 정하고, 이를 기준으로 다른 원자들의 상대적인 전기 음성도 값을 정하였다.

족\주기	1												13	14	15	16	17	18
1	H 2.1	2																He –
2	Li 1.0	Be 1.5											B 2.0	C 2.5	N 3.0	O 3.5	F 4.0	Ne –
3	Na 0.9	Mg 1.2	3	4	5	6	7	8	9	10	11	12	Al 1.5	Si 1.8	P 2.1	S 2.5	Cl 3.0	Ar –
4	K 0.8	Ca 1.0	Sc 1.3	Ti 1.5	V 1.6	Cr 1.6	Mn 1.5	Fe 1.8	Co 1.9	Ni 1.9	Cu 1.9	Zn 1.6	Ga 1.6	Ge 1.8	As 2.0	Se 2.4	Br 2.8	Kr –
5	Rb 0.8	Sr 1.0	Y 1.2	Zr 1.4	Nb 1.6	Mo 1.8	Tc 1.9	Ru 2.2	Rh 2.2	Pd 2.2	Ag 1.7	Cd 1.7	In 1.7	Sn 1.8	Sb 1.9	Te 2.1	I 2.5	Xe 2.6
6	Cs 0.7	Ba 0.9	La 1.1	Hf 1.3	Ta 1.5	W 1.7	Re 1.9	Os 2.2	Ir 2.2	Pt 2.2	Au 2.4	Hg 1.9	Tl 1.8	Pb 1.8	Bi 1.9	Po 2.0	At 2.2	Rn –
7	Fr 0.7	Ra 0.9	Ac 1.1															

범례: ■ 0.5~0.9 ■ 1.0~1.4 ■ 1.5~1.9 ■ 2.0~2.4 ■ 2.5~2.9 ■ 3.0~3.4 ■ 3.5~3.9 ■ 4.0 이상

▲ **주기율표와 폴링의 전기 음성도**

(2) **전기 음성도의 경향성:** 일반적으로 주기율표에서 대각선 방향으로 위와 오른쪽으로 향할수록 전기 음성도가 증가한다. 즉, 같은 주기에서는 원자 번호가 증가할수록 전기 음성도가 대체로 커지고, 같은 족에서는 원자 번호가 증가할수록 전기 음성도가 대체로 작아지는 경향이 나타난다. 금속 원소들은 전자를 잃기 쉬우므로 전기 음성도가 작고, 비금속 원소들은 전자를 얻기 쉬우므로 전기 음성도가 크다.

전기 음성도의 경향성
전기 음성도가 2.5 이상인 원소들은 주로 주기율표의 오른쪽 위에 있는 비금속 원소들이다. 반대로 전기 음성도가 1.3 이하인 원소들은 주기율표의 왼쪽 아래에 있는 금속 원소들이다. 전기 음성도는 주기율표의 오른쪽 위로 갈수록 대체로 증가하고, 왼쪽 아래로 갈수록 대체로 감소한다.

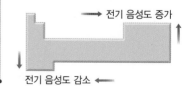

전기 음성도 증가 →
전기 음성도 감소 ←

2. 결합의 극성

두 원자가 전자쌍을 공유하여 결합할 때 두 원자의 전기 음성도 차이에 따라 공유 전자쌍의 치우침이 나타난다.

(1) 극성 공유 결합: 전기 음성도가 서로 다른 원자들이 전자쌍을 공유하여 형성된 결합을 극성 공유 결합이라고 한다. 극성 공유 결합에서는 전자쌍이 한쪽으로 치우쳐 있으므로 전기 음성도가 작아서 공유 전자쌍을 더 적게 공유하는 원자는 부분적인 양전하(δ^+)를 띠고, 전기 음성도가 커서 공유 전자쌍을 더 많이 공유하는 원자는 부분적인 음전하(δ^-)를 띤다. 따라서 극성 공유 결합은 부분적으로 이온성을 가진 공유 결합이라고 할 수 있다. 이러한 극성 공유 결합을 형성하는 분자의 예로는 HCl, NO, CO, HF, NH_3, H_2O, CO_2, BCl_3, BeF_2, CCl_4, C_2H_4 등이 있다.

부분적인 전하(δ^+, δ^-)
극성 공유 결합에서 전자쌍이 한쪽으로 치우쳐서 전하를 띠게 되는 것을 부분적인 전하라고 하며, δ로 표시한다. 전기 음성도가 큰 원자는 부분적인 음전하(δ^-)를 띠고, 전기 음성도가 작은 원자는 부분적인 양전하(δ^+)를 띤다.

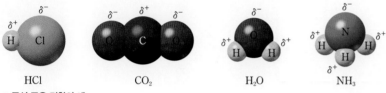

▲ **극성 공유 결합의 예**

(2) 무극성 공유 결합: 전기 음성도가 서로 같은 원자들이 전자쌍을 공유하여 형성된 결합을 무극성 공유 결합이라고 한다. 무극성 공유 결합에서는 두 원자의 전기 음성도 값이 같으므로 두 원자핵 근처에서 전하가 고르게 분포한다. 이러한 무극성 공유 결합을 형성하는 분자의 예로는 H_2, O_2, N_2, Cl_2 등이 있다.

▲ **무극성 공유 결합의 예**

(3) 전기 음성도 차이에 따른 화학 결합의 구분: 대부분의 화학 결합은 전자들이 완전히 이동하는 이온 결합과 전자들을 동등하게 공유하는 무극성 공유 결합의 중간에 존재하는 극성 공유 결합이다. 이 경우 공유 전자쌍은 어느 한 원자에 더 세게 끌려 비대칭인 전자 분포를 갖는다. 전기 음성도의 차이는 금속 원소와 비금속 원소 사이에 이온 결합이 형성되는 이유를 잘 설명해 주며, 어떤 결합의 극성 정도는 결합한 두 원자의 전기 음성도 차이로부터 추정할 수 있다. 즉, 전기 음성도 차이가 매우 큰 원자들은 이온 결합을 형성하지만, 전기 음성도 차이가 비교적 작은 원자들은 극성 공유 결합을 형성하며, 전기 음성도 차이가 없으면 무극성 공유 결합을 형성한다.

이원자 분자의 공유 결합과 이온 결합의 비교

무극성 공유 결합	$X : X$	전기 음성도 차이 = 0
극성 공유 결합	$\delta^+ X : Y \delta^-$	전기 음성도 차이 비교적 작음
이온 결합	M^+ X^-	전기 음성도 차이 큼

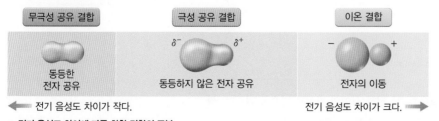

무극성 공유 결합	극성 공유 결합	이온 결합
동등한 전자 공유	동등하지 않은 전자 공유	전자의 이동

◀── 전기 음성도 차이가 작다.　　　　전기 음성도 차이가 크다. ──▶

▲ **전기 음성도 차이에 따른 화학 결합의 구분**

전기 음성도 차이와 결합의 종류

전기 음성도 차이	결합 종류	예
작음(0~0.4)	무극성 공유 결합	Cl_2
보통 (0.4~2.0)	극성 공유 결합	HCl
큼(2.0 이상)	이온 결합	$NaCl$

일반적으로 결합한 두 원자 사이의 전기 음성도 차이가 클수록 결합의 이온성이 커진다. 화학 결합을 구분할 때 결합의 이온성이 50 %보다 크면 이온 결합, 50 %보다 작으면 공유 결합으로 분류된다. 그림은 두 원자 사이의 전기 음성도 차이에 따른 결합의 이온성을 나타낸 것이다. 몇 가지 예외가 있지만 대체로 두 원자의 전기 음성도 차이가 2.0보다 크고 결합의 이온성이 50 %를 넘으면 그 결합은 이온 결합으로 분류되고, 두 원자 사이의 전기 음성도 차이가 2.0보다 작고 결합의 이온성이 50 %보다 작으면 그 결합은 공유 결합으로 분류된다.

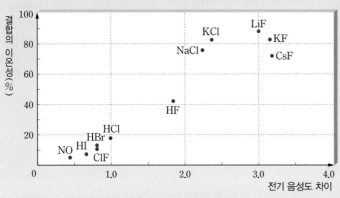

▲ 기체 상태의 이원자 분자의 전기 음성도 차이와 결합의 이온성

결합의 이온성
어느 한 원자에서 다른 원자로 전자가 완전히 이동하면 100 % 이온 결합이다. 그러나 실제로는 이온성이 가장 큰 결합이라도 100 % 이온성을 갖지는 않는다.

2 쌍극자 모멘트

극성 공유 결합을 형성하고 있는 HCl와 같은 이원자 분자는 전자쌍을 균등하게 공유하지 못하므로 분자의 양끝이 부분적인 전하를 띠게 된다. 이때 분자가 나타내는 극성의 정도를 수치로 나타내기도 한다.

1. 쌍극자

한 분자에서 크기가 같고 부호가 반대인 두 전하가 분리되어 있는 것을 쌍극자라고 한다.

2. 쌍극자 모멘트(μ)

쌍극자 모멘트는 크기와 방향을 가지는 벡터량으로, 쌍극자 모멘트의 크기는 두 원자의 전하와 두 전하 사이의 거리를 곱한 값과 같으며, 쌍극자 모멘트의 방향은 (+)전하로부터 (−)전하를 향하는 방향이다. 분자를 이루고 있는 두 원자의 전하가 각각 $+q$, $-q$이고, 두 전하 사이의 거리가 r이라고 할 때, 쌍극자 모멘트(μ)의 크기는 다음과 같다.

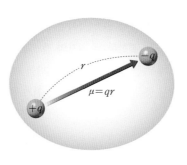

$$\mu = q \times r$$

쌍극자 모멘트는 분리된 전하의 크기가 클수록, 두 전하 사이의 거리가 멀수록 커진다. 쌍극자 모멘트의 단위는 D(디바이)로 나타낼 수 있는데, 1 D$=3.34 \times 10^{-30}$ C·m이다.

쌍극자 모멘트의 표시
전기 음성도가 작은 원자에서 전기 음성도가 큰 원자 쪽으로 화살표의 머리 부분이 향하도록 그린다.

3. 쌍극자 모멘트와 결합의 극성

무극성 공유 결합에서 쌍극자 모멘트는 0이고, 극성 공유 결합에서 쌍극자 모멘트는 0보다 크다. 즉 결합의 극성이 커질수록 쌍극자 모멘트가 커진다.

결합	전기 음성도 차이의 절댓값	쌍극자 모멘트 $(\times 10^{-30}$ C·m)	결합 길이 (pm)	결합 에너지 (kJ/mol)
H−H	0	0	74	436
H−F	1.9	6.37	93	565
H−Cl	0.9	3.60	128	429
H−Br	0.7	2.67	142	363

▲ 전기 음성도 차이에 따른 결합의 쌍극자 모멘트, 결합 길이, 결합 에너지

시야확장 ➕ 쌍극자 모멘트를 이용한 결합의 이온성(%) 계산

극성 분자에서 쌍극자 모멘트 값과 두 원자의 원자핵 사이의 거리를 알면 결합의 이온성을 계산할 수 있다. HF의 원자핵 사이의 거리가 93 pm이고 쌍극자 모멘트가 6.37×10^{-30} C·m이면 HF에서 결합의 이온성은 다음과 같이 계산된다.

$$\mu = 6.37 \times 10^{-30} \text{ C·m} = q \times r = q \times 93 \times 10^{-12} \text{ m} \qquad \therefore q \fallingdotseq 6.8 \times 10^{-20} \text{ C}$$

전자의 전하량은 1.6×10^{-19} C이므로 $q = \dfrac{6.8 \times 10^{-20} \text{ C}}{1.6 \times 10^{-19} \text{ C}} \times e \fallingdotseq 0.43e$이다. 따라서 HF에서 결합의 이온성은 약 43 %로, HF 분자에서 H에 있는 전자의 43 % 정도가 F 쪽으로 이동한 것을 의미한다.

③ 루이스 전자점식

화학 결합에는 원자가 전자가 관여한다. 미국의 화학자 루이스는 화학 결합에 관여하는 원자가 전자를 쉽게 나타내기 위해 원소 기호 주변에 원자가 전자를 점으로 표시하였다.

1. 루이스 전자점식

루이스는 화학 결합을 나타내기 위하여 원자들의 원자가 전자를 점으로 표시하여 나타내는 방법을 이용하였는데, 이것을 **루이스 전자점식**이라고 한다.

(1) **루이스 전자점식의 표시 방법**: 루이스 전자점식을 나타낼 때는 원소 기호 주위에 원자가 전자를 점으로 나타내는데, 5번째 전자부터는 쌍을 이루어 나타낸다. 쌍을 이룬 것을 전자쌍이라 하고, 쌍을 이루지 않고 1개씩 있는 전자를 **홀전자**라고 한다.

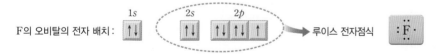

(2) **1~3주기 원소의 루이스 전자점식**

족	1	2	13	14	15	16	17
루이스 전자점식	H·						
	Li·	·Be·	·B·	·C·	·N·	:O·	:F·
	Na·	·Mg·	·Al·	·Si·	·P·	:S·	:Cl·
원자가 전자 수	1	2	3	4	5	6	7

같은 족 원소의 루이스 전자점식
같은 족 원소는 원자가 전자 수가 같으므로 루이스 전자점식이 같다. 내부 전자 껍질이 불완전하게 채워져 있는 전이 원소와 란타넘족, 악티늄족의 원소에 대해서는 루이스 전자점식을 쓸 수 없다.

(3) **공유 결합의 루이스 전자점식:** 공유 전자쌍은 두 원자의 원소 기호 사이에 표시하고, 비공유 전자쌍은 각 원소 기호 주변에 표시한다.

① **공유 전자쌍과 비공유 전자쌍:** 일반적으로 각 원자가 가진 원자가 전자 중에서 쌍을 이루지 않는 전자인 홀전자가 공유 결합을 형성하므로 이 홀전자의 수를 공유 원자가라고 한다. 공유 원자가는 수소와 공유 결합을 형성하는 개수로서, 결합선의 수에 해당한다. 산소 원자의 경우 공유 원자가가 2이다. 따라서 산소 원자는 수소 원자 2개와 공유 결합을 형성하여 H_2O 분자를 만든다. 이때 양쪽 원자가 서로 공유한 전자쌍을 공유 전자쌍이라 하고, 결합에 참여하지 않아 공유하지 않은 전자쌍을 비공유 전자쌍이라고 한다.

$$H\cdot \; + \; \cdot\ddot{O}: \; + \; \cdot H \; \longrightarrow \; H\overset{\cdot\cdot}{O}\!:$$

공유 전자쌍 / 비공유 전자쌍

② 몇 가지 분자의 루이스 전자점식

분자	플루오린 (F_2)	염화 수소 (HCl)	이산화 탄소 (CO_2)	메테인 (CH_4)
루이스 전자점식	$:\!\ddot{F}\!:\!\ddot{F}\!:$	$H\!:\!\ddot{Cl}\!:$	$\ddot{O}\!::\!C\!::\!\ddot{O}$	$H\!:\!\overset{H}{\underset{H}{C}}\!:\!H$

(4) **이온 결합의 루이스 전자점식**

① 이온의 루이스 전자점식

구분	리튬	플루오린	마그네슘	황
원자	$Li\cdot$	$:\!\ddot{F}\!\cdot$	$\cdot Mg\cdot$	$:\!\overset{\cdot\cdot}{\underset{\cdot}{S}}\!\cdot$
이온	$\left[Li\right]^+$	$\left[:\!\ddot{F}\!:\right]^-$	$\left[Mg\right]^{2+}$	$\left[:\!\ddot{S}\!:\right]^{2-}$

② 이온 결합 물질의 루이스 전자점식

분자	플루오린화 리튬 (LiF)	염화 칼륨 (KCl)	산화 마그네슘 (MgO)	산화 리튬 (Li_2O)
루이스 전자점식	$\left[Li\right]^+\left[:\!\ddot{F}\!:\right]^-$	$\left[K\right]^+\left[:\!\ddot{Cl}\!:\right]^-$	$\left[Mg\right]^{2+}\left[:\!\ddot{O}\!:\right]^{2-}$	$\left[Li\right]^+\left[:\!\ddot{O}\!:\right]^{2-}\left[Li\right]^+$

2. 루이스 구조식

공유 전자쌍을 결합선($-$)으로 나타내고, 비공유 전자쌍을 그대로 나타내거나 생략한 식을 루이스 구조식 또는 구조식이라고 한다.

분자	플루오린화 수소(HF)	암모니아(NH_3)
루이스 구조식	$H\!:\!\ddot{F}\!:$ $H\!-\!\ddot{F}\!:$	$H\!:\!\overset{\cdot\cdot}{\underset{H}{N}}\!:\!H$ $H\!-\!\overset{\vert}{\underset{\vert\,H}{N}}\!-\!H$

실전에 대비하는

집중분석

루이스 구조식을 완성하는 방법

H_2, F_2, CH_4, NH_3, H_2O, LiF, KCl 등과 같이 간단한 화합물은 루이스 구조식을 나타내기 쉽지만 SO_2, SO_3, CO_3^{2-}, SO_4^{2-}과 같이 복잡한 다원자 분자나 이온은 루이스 구조식을 나타내는 것이 쉽지 않다. 이러한 경우 다음과 같은 방법으로 구조식을 나타낼 수 있는데, SO_2, ClO_3^-, NH_4^+의 루이스 구조식을 완성해 보자.

단계 1 분자나 이온을 구성하는 모든 원자의 원자가 전자 수의 합을 구한다.

➡ 분자는 각 원자의 원자가 전자 수를 모두 합하여 구하고, 음이온은 각 원자의 원자가 전자 수에 음이온의 전하만큼 더하여 구하며, 양이온은 각 원자의 원자가 전자 수에 양이온의 전하만큼 빼서 구한다.

분자나 이온	SO_2	ClO_3^-	NH_4^+
각 원자의 원자가 전자 수	S: 6, O: 6	Cl: 7, O: 6	N: 5, H: 1
원자가 전자 수의 합	$6+6\times2=18$	$7+6\times3+1=26$ 얻은 전자 수	$5+1\times4-1=8$ 잃은 전자 수

단계 2 분자나 이온의 골격을 정한다.

➡ 화학식으로부터 분자의 골격을 정확하게 결정할 수 있는 방법은 없다. 그 물질의 구조를 알고 있어야 하는 경우가 많으며, 만약 모른다면 다음과 같은 방법을 이용할 수 있다.

- 결합선이 많은 원자를 중심 원자로 배치한다.
- 전기 음성도가 작은 원자를 중심 원자로 배치한다. (단, H는 전기 음성도가 작아도 중심 원자가 될 수 없다.)
- 크기가 큰 원자를 중심 원자로 배치한다.

SO_2	ClO_3^-	NH_4^+
O—S—O	O—Cl—O 위 O 아래	H—N—H (H 위, H 아래)

루이스 구조식에서 결합선의 수 예측

결합선 수
$=\{($수소 원자 수$\times2+$수소를 제외한 원자 수$\times8)-$원자가 전자 수의 합$\}\div2$

예 SO_2: $\dfrac{3\times8-18}{2}=3$

ClO_3^-: $\dfrac{4\times8-26}{2}=3$

NH_4^+: $\dfrac{4\times2+1\times8-8}{2}=4$

단계 3 옥텟 규칙을 만족하도록 주변 원자에 전자를 배치한다.

➡ 결합에 사용한 전자 수와 주변 원자에 배치한 전자 수를 합하여 처음에 구한 원자가 전자 수의 합과 비교한다.

SO_2	ClO_3^-	NH_4^+
· 배치된 전자수: 16	· 배치된 전자수: 24	· 배치된 전자수: 8

단계 ④ 중심 원자가 옥텟 규칙을 만족하도록 남은 전자를 배치한다.

➡ 남은 원자가 전자를 중심 원자에 배치하고, 중심 원자가 옥텟 규칙을 만족하지 않으면 인접 원자의 비공유 전자쌍을 이동하여 옥텟 규칙을 만족하도록 다중 결합을 만든다.

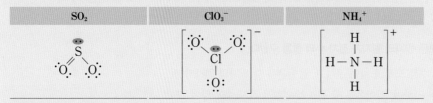

SO_2	ClO_3^-	NH_4^+

단계 ⑤ 각 원자의 형식 전하를 구하여 각 원자 옆에 쓴다.

➡ 형식 전하는 공유 전자쌍을 균등하게 나누어 가졌다고 가정했을 때의 전하를 의미한다.

$$\text{형식 전하} = \text{원자가 전자 수} - \frac{1}{2}(\text{결합 전자 수}) - (\text{결합하지 않은 전자 수})$$

SO_2	ClO_3^-	NH_4^+

형식 전하

• SO_2

$S: 6 - \left(\frac{1}{2} \times 6\right) - 2 = +1$

$O(왼쪽): 6 - \left(\frac{1}{2} \times 4\right) - 4 = 0$

$O(오른쪽): 6 - \left(\frac{1}{2} \times 2\right) - 6 = -1$

• ClO_3^-

$Cl: 7 - \left(\frac{1}{2} \times 6\right) - 2 = +2$

$O: 6 - \left(\frac{1}{2} \times 2\right) - 6 = -1$

• NH_4^+

$N: 5 - \left(\frac{1}{2} \times 8\right) = +1$

$H: 1 - \left(\frac{1}{2} \times 2\right) = 0$

예제

트라이플루오린화 질소(NF_3)의 구조를 루이스 구조식으로 나타내 보자.

정답

$$F-\overset{..}{\underset{|}{N}}-F \qquad \overset{..}{:}\overset{..}{F}-\overset{..}{\underset{|}{N}}-\overset{..}{F}\overset{..}{:}$$

$$\qquad\quad F \qquad\quad 또는 \qquad :\overset{..}{F}:$$

해설 N의 원자가 전자 수는 5, F의 원자가 전자 수는 7이므로 전체 원자가 전자 수의 합은 $5+7\times3=26$이다. 중심 원자를 결합선이 많은 N 원자로 정하고 N 원자와 F 원자 사이에 전자쌍을 1개 그린다. 그리고 주변 원자가 옥텟 규칙을 만족하도록 전자를 배치하고, 남은 원자가 전자를 중심 원자에 배치한다.

유제

> 정답과 해설 **58**쪽

다음은 몇 가지 원소의 전자 배치를 나타낸 것이다.

$H: 1s^1 \qquad C: 1s^2 2s^2 2p^2 \qquad N: 1s^2 2s^2 2p^3 \qquad O: 1s^2 2s^2 2p^4 \qquad F: 1s^2 2s^2 2p^5$

다음 화합물을 루이스 전자점식으로 옳게 나타낸 것만을 보기에서 있는 대로 고른 것은?

보기

ㄱ.
$:\overset{..}{O}::\overset{..}{O}:$

ㄴ.
$$H:\overset{H}{\underset{}{N}}:H$$

ㄷ.
$$\overset{:\overset{..}{F}:}{\underset{:\overset{..}{F}:}{:\overset{..}{F}:C:\overset{..}{F}:}}$$

ㄹ.
$$\overset{H}{\underset{H}{H:C:\overset{..}{O}:H}}$$

① ㄱ, ㄴ　　　② ㄱ, ㄹ　　　③ ㄴ, ㄷ　　　④ ㄱ, ㄴ, ㄷ　　　⑤ ㄱ, ㄷ, ㄹ

심화

루이스 구조식과 공명 구조

루이스 점자점식이나 구조식을 나타낼 때 다중 결합을 포함하는 경우 2가지 이상의 구조가 나타나는 경우가 있다. 이러한 물질은 실제 어떤 결합을 하고 있는지 알아보자.

❶ 루이스 구조식과 공명 구조

루이스 구조식에서 다중 결합을 포함하는 경우 2가지 이상의 구조가 가능한 경우가 있다. 이를테면 SO_2의 루이스 구조식은 그림 (가)와 (나)의 경우가 모두 가능하다.

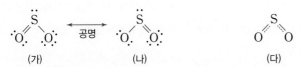

(가)와 (나)의 구조에서 전자쌍은 어떤 원자 사이에만 속해 있는데, 이러한 것을 전자의 편재화 모형이라고 한다. 반면 (다)에서는 전자가 특정 원자가 아니라 분자 전체에 걸쳐 있는 것으로 이를 비편재화 모형이라고 한다. 실제로 분자의 결합 길이를 조사하면 원자와 원자 사이의 결합은 단일 결합과 2중 결합의 중간 정도의 결합으로 모두 동일하다. 이로부터 (가)와 (나)는 실제 분자의 결합을 정확하게 나타내지는 못한다는 것을 알 수 있다. 실제 SO_2에서는 전자가 (가)와 (나)에서와 같이 편재화되어 있지 않고 (다)와 같이 분자 내에서 균등하게 분포한다. SO_2에서와 같이 1개의 루이스 구조식으로 분자 내의 전자 분포를 정확하게 설명하는데 한계가 발생함에 따라 공명이라는 개념을 도입하여 전자의 비편재화를 설명한다.

❷ CO_3^{2-}의 루이스 구조식

• 이용 가능한 전체 원자가 전자 수의 합을 계산한다. ➡ $4+6\times3+2=24$
• 이온의 골격을 정한 후, 결합에 사용하지 않은 원자가 전자로 말단 원자의 옥텟을 완성한다.

• 중심 원자가 옥텟을 만족하지 않는 경우에 인접 원자의 비공유 전자쌍을 이동하여 옥텟을 만족하도록 다중 결합을 형성한다. 이때 (가), (나), (다) 3가지의 공명 구조가 가능하다.

(가)   (나)   (다)

공명 구조

공명 구조는 실제 분자나 이온의 구조가 아니라 단지 이론상으로만 표시된다. 따라서 그러한 구조는 분리될 수 없으며, 실제 분자는 이들 공명 구조의 혼성으로 나타내는 것이 정확하다.

CO_3^{2-}의 공명 구조

$C-O$의 단일 결합 길이는 143 pm이고 $C=O$의 2중 결합 길이는 122 pm이다. 그런데 CO_3^{2-}에서 X선 연구 결과 3개의 모든 $C-O$의 결합 길이는 동일하게 128 pm임이 밝혀졌다. 이것으로부터 CO_3^{2-}은 3가지 구조 중 1가지로 존재하는 것이 아니라 3가지 구조의 평균적인 구조로 존재한다는 것을 알 수 있다.

실제 구조에 대한 기여도가 큰 구조

• 옥텟을 최대로 만드는 구조

CO ➡ $:C≡O:$ $:C=O:$

• 형식 전하 중 ($-$)전하가 전기 음성도가 큰 원자에 부여된 구조

N_2O ➡ $\overset{+1}{:N}≡\overset{-1}{N}-\overset{}{:O}:$

$\overset{-1}{:N}=\overset{+1}{N}=\overset{}{:O}:$

• 형식 전하의 분리가 작은 구조

N_3^- ➡ $\overset{-1}{:N}=\overset{+1}{N}=\overset{-1}{N}:$

$\overset{}{:N}≡\overset{+1}{N}-\overset{-2}{:N}:$

01 결합의 극성

2. 분자의 구조와 성질

① 전기 음성도

1. 전기 음성도 공유 결합을 하고 있는 원자들이 공유 전자쌍을 끌어당기는 능력을 상대적인 수치로 나타낸 값

- 같은 주기: 원자 번호가 커질수록 전기 음성도는 대체로 (❶　　　) 한다.
- 같은 족: 원자 번호가 커질수록 전기 음성도는 대체로 (❷　　　) 한다.

2. 결합의 극성

- (❸　　　) 공유 결합 : 전기 음성도가 서로 다른 원자들이 전자쌍을 공유하여 형성된 결합 ➡ 전기 음성도가 (❹　　　) 원자 쪽으로 공유 전자쌍이 치우쳐 부분적인 양전하(δ^+)와 부분적인 음전하(δ^-)를 띤다.
- (❺　　　) 공유 결합 : 전기 음성도가 서로 같은 원자들이 전자쌍을 공유하여 형성된 결합
- 전기 음성도 차이에 따른 결합의 구분

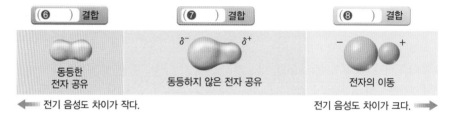

(❻　　　) 결합	(❼　　　) 결합	(❽　　　) 결합
동등한 전자 공유	동등하지 않은 전자 공유	전자의 이동

◀── 전기 음성도 차이가 작다.　　　　　전기 음성도 차이가 크다. ──▶

② 쌍극자 모멘트

1. 쌍극자 모멘트

- 결합의 극성 정도를 나타낸 값이다.
- 크기가 같고 부호가 반대인 두 전하가 결합 길이만큼 떨어져 있을 때 두 전하와 결합 길이를 곱한 벡터량으로 나타낸다.
- 방향은 (+)전하로부터 (−)전하를 향한다.

$$\overset{\delta^+}{H} - \overset{\delta^-}{Cl}$$

2. 쌍극자 모멘트와 결합의 극성 쌍극자 모멘트가 (❾　　　)수록 결합의 이온성이 증가한다.

③ 루이스 전자점식

1. 루이스 전자점식 원소 기호 주위에 (❿　　　)를 점으로 나타낸 식

- (⓫　　　) 전자쌍: 두 원자가 공유한 전자쌍
- (⓬　　　) 전자쌍: 결합에 참여하지 않고 어느 한 원자에만 속해 있는 전자쌍

$$H\cdot \ + \ \cdot\overset{..}{\underset{..}{O}}: \ + \ \cdot H \ \longrightarrow \ H:\overset{..}{\underset{..}{O}}:H$$

→ 공유 전자쌍
→ 비공유 전자쌍

2. 루이스 구조식 공유 전자쌍을 결합선(−)으로 나타내고, 비공유 전자쌍을 그대로 나타내거나 생략한 식을 루이스 구조식 또는 구조식이라고 한다.

분자	플루오린화 수소(HF)	암모니아(NH_3)
루이스 구조식	$H:\overset{..}{\underset{..}{F}}:$　$H-\overset{..}{\underset{..}{F}}:$	$H:\overset{..}{N}:H$　$H-\overset{..}{N}-H$ $\quad H \qquad\qquad \underset{H}{\mid}$

[01~03] 그림은 2가지 분자 X_2와 XY에서 전하의 분포를 모형으로 나타낸 것이다. (단, X와 Y는 임의의 원소 기호이다.)

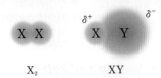

01 X_2와 XY에서 각 분자 내의 결합이 극성 공유 결합인지 무극성 공유 결합인지를 쓰시오.

02 X와 Y의 전기 음성도의 크기를 부등호로 비교하시오.

03 X_2와 XY에서 결합의 쌍극자 모멘트 크기를 부등호로 비교하시오.

[04~06] 표는 몇 가지 원소의 전기 음성도를 나타낸 것이다.

원소	H	C	N	O	F
전기 음성도	2.1	2.5	3.0	3.5	4.0

04 다음 보기의 결합 중 <u>(가)결합의 극성이 가장 큰 것</u>과 <u>(나)결합의 극성이 가장 작은 것</u>을 각각 고르시오.

┌ 보기 ─────────────────
│ ㄱ. C−H   ㄴ. N−H
│ ㄷ. C−O   ㄹ. O−F
└───────────────────────

05 보기에서 <u>(가)극성 공유 결합이 있는 분자</u>와 <u>(나)무극성 공유 결합이 있는 분자</u>를 각각 있는 대로 고르시오.

┌ 보기 ─────────────────
│ ㄱ. N_2 ㄴ. H_2O ㄷ. CH_4
└───────────────────────

06 다음 분자에서 각 결합의 쌍극자 모멘트를 모두 표시하시오.

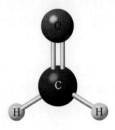

07 다음 화합물을 루이스 전자점식으로 나타내시오.

(1) CO_2

(2) NaCl

08 다음은 임의의 원자 X의 바닥상태 전자 배치를 나타낸 것이다.

┌───────────────────────
│ $1s^2 2s^2 2p^3$
└───────────────────────

X 원자 2개가 전자를 내놓아 전자쌍을 만들고, 그 전자쌍을 공유하여 분자를 형성할 때 공유 전자쌍의 수를 쓰시오.

01 ▷ 전기 음성도
그림은 몇 가지 원소의 전기 음성도를 주기에 따라 나타낸 것으로, 같은 선으로 연결한 원소는 같은 족에 속한다.

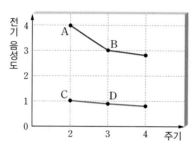

이에 대한 설명으로 옳은 것만을 보기에서 있는 대로 고른 것은? (단, A~D는 임의의 원소 기호이며, 1족 또는 17족 원소이다.)

┌─ 보기 ──────────────────────────────
│ ㄱ. A와 D의 원자가 전자 수 차는 6이다.
│ ㄴ. B와 D가 결합할 때 전자는 D에서 B로 이동한다.
│ ㄷ. A와 B가 결합할 때 A는 부분적인 음전하(δ^-)를 띤다.
└─────────────────────────────────────

① ㄱ　　　② ㄴ　　　③ ㄱ, ㄷ　　　④ ㄴ, ㄷ　　　⑤ ㄱ, ㄴ, ㄷ

• 전기 음성도는 같은 주기에서 원자 번호가 커질수록 대체로 증가하고, 같은 족에서는 원자 번호가 커질수록 대체로 감소한다.

02 ▷ 결합의 극성
그림은 2주기 원소 X, Y와 수소(H)로 이루어진 화합물을 루이스 구조식으로 나타낸 것이다.

$$H-X \equiv X-H \qquad\qquad H-X \equiv Y$$
$$\text{(가)} \qquad\qquad\qquad \text{(나)}$$

이에 대한 설명으로 옳은 것만을 보기에서 있는 대로 고른 것은? (단, X와 Y는 임의의 원소 기호이며, (가)와 (나)에서 X와 Y는 옥텟 규칙을 만족한다.)

┌─ 보기 ──────────────────────────────
│ ㄱ. 원자가 전자 수는 Y가 X보다 크다.
│ ㄴ. (가)와 (나)에는 모두 무극성 공유 결합이 있다.
│ ㄷ. (나)에서 Y 원자는 부분적인 양전하(δ^+)를 띤다.
└─────────────────────────────────────

① ㄱ　　　② ㄴ　　　③ ㄱ, ㄷ　　　④ ㄴ, ㄷ　　　⑤ ㄱ, ㄴ, ㄷ

• 루이스 구조식은 공유 전자쌍을 결합선(—)으로 나타내고, 비공유 전자쌍을 그대로 나타내거나 생략하여 나타낸 것이다.

03 ❯ 전기 음성도와 결합의 극성

표는 이원자 분자 (가)~(다)에 대한 자료를 나타낸 것이다. A~C는 각각 H, F, Cl 중 하나이고, $x>y>0$이다.

분자	(가)	(나)	(다)
구성 원소	A, B	A, C	B, C
부분적인 음전하(δ^-)를 띠는 원자		A	
구성 원소의 전기 음성도 차	x	y	$x-y$

이에 대한 설명으로 옳은 것만을 보기에서 있는 대로 고른 것은? (단, A~C는 임의의 원소 기호이며, 전기 음성도는 Cl>H이다.)

보기
ㄱ. A는 Cl이다.
ㄴ. (가)에서 B는 부분적인 음전하(δ^-)를 띤다.
ㄷ. 결합 길이는 (나)가 (다)보다 길다.

① ㄱ   ② ㄷ   ③ ㄱ, ㄴ   ④ ㄴ, ㄷ   ⑤ ㄱ, ㄴ, ㄷ

• 주어진 원소들의 전기 음성도는 F>Cl>H이다.

04 ❯ 루이스 전자점식

그림은 1, 2주기 원소 W~Z로 이루어진 분자의 루이스 전자점식이다.

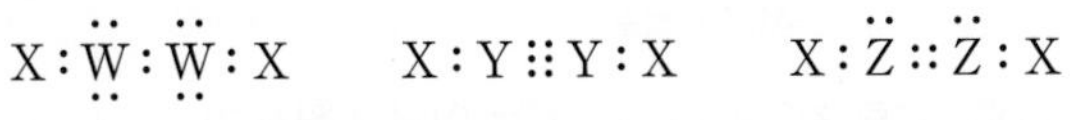

$$X:\ddot{W}:\ddot{W}:X \qquad X:Y:\!:\!:Y:X \qquad X:\ddot{Z}:\!:\ddot{Z}:X$$

이에 대한 설명으로 옳은 것만을 보기에서 있는 대로 고른 것은? (단, W~Z는 임의의 원소 기호이다.)

보기
ㄱ. 공유 전자쌍 수는 Z_2가 W_2보다 크다.
ㄴ. 분자 XYZ에서 비공유 전자쌍 수는 1이다.
ㄷ. YW_2에서 Y는 부분적인 음전하(δ^-)를 띤다.

① ㄱ   ② ㄷ   ③ ㄱ, ㄴ   ④ ㄴ, ㄷ   ⑤ ㄱ, ㄴ, ㄷ

• 루이스 전자점식은 원자의 원자가 전자를 이용하여 결합을 나타낸 것이므로 각 원자 주위의 공유 전자쌍의 절반은 각 원자의 원자가 전자 중 일부이다.

05 › 루이스 전자점식

표는 분자 (가)와 (나)에 대한 자료이다. (가)와 (나)에서 C, O는 옥텟 규칙을 만족한다.

분자	(가)	(나)
구성 원소의 루이스 전자점식	$\cdot \overset{\cdot}{\underset{\cdot}{C}} \cdot$ H$\cdot$	$\overset{\cdot\cdot}{\underset{\cdot\cdot}{O}} \cdot$ H$\cdot$
공유 결합 수	5	3

이에 대한 설명으로 옳은 것만을 보기에서 있는 대로 고른 것은?

보기
ㄱ. (가)에는 무극성 공유 결합이 있다.
ㄴ. (나)에는 비공유 전자쌍이 총 2개 있다.
ㄷ. 분자의 구성 원자 수는 (가)가 (나)보다 크다.

① ㄱ   ② ㄷ   ③ ㄱ, ㄴ   ④ ㄴ, ㄷ   ⑤ ㄱ, ㄴ, ㄷ

• 수소는 다른 원자와 단일 결합만을 형성하므로 분자에 있는 공유 결합 수에서 수소 원자 수를 빼면 2주기 원자 사이의 공유 결합 수가 된다.

06 › 전기 음성도와 결합의 극성

그림은 2주기 원소 A~E의 전기 음성도와 바닥상태 원자의 홀전자 수를 나타낸 것이다.

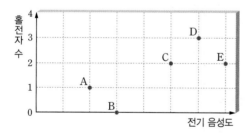

이에 대한 설명으로 옳은 것만을 보기에서 있는 대로 고른 것은? (단, A~E는 임의의 원소 기호이다.)

보기
ㄱ. A_3D는 이온 결합 물질이다.
ㄴ. CE_2에서 $\dfrac{\text{비공유 전자쌍 수}}{\text{공유 전자쌍 수}} = 1$이다.
ㄷ. BCl_2에서 B는 옥텟 규칙을 만족한다.

① ㄱ   ② ㄷ   ③ ㄱ, ㄴ   ④ ㄴ, ㄷ   ⑤ ㄱ, ㄴ, ㄷ

• 같은 주기에서 전기 음성도는 원자 번호가 커질수록 대체로 증가하므로 2주기 원소의 전기 음성도는 Li<Be<B<C<N<O<F이다.

07 › 루이스 전자점식

표는 수소(H)와 2주기 원소 A~D로 이루어진 분자 (가)~(라)에 대한 자료이고, 그림은 분자당 구성 원자 수와 비공유 전자쌍 수를 나타낸 것이다. (가)~(라)에서 2주기 원자는 모두 옥텟 규칙을 만족한다.

분자	구성 원소
(가)	H, A
(나)	H, B
(다)	H, C
(라)	H, D

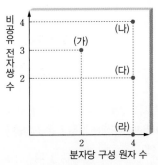

(가)~(라)에 대한 설명으로 옳은 것만을 보기에서 있는 대로 고른 것은? (단, A~D는 임의의 원소 기호이다.)

보기
ㄱ. (가)에서 A는 부분적인 음전하(δ^-)를 띤다.
ㄴ. 무극성 공유 결합이 있는 분자는 3가지이다.
ㄷ. 공유 전자쌍 수는 (라)가 (다)보다 크다.

① ㄱ ② ㄷ ③ ㄱ, ㄴ ④ ㄴ, ㄷ ⑤ ㄱ, ㄴ, ㄷ

> 수소는 원자가 전자 수가 1이므로 다른 원자와 단일 결합만을 형성하고, 비공유 전자쌍이 없다. (가)~(라)에 있는 비공유 전자쌍은 모두 2주기 원소의 원자에 있다.

08 › 전기 음성도

표는 2주기 원소 X~Z의 수소 화합물 (가)~(다)에서 구성 원소의 전기 음성도 차와 분자의 H 원자 수에 대한 비공유 전자쌍 수$\left(\dfrac{\text{비공유 전자쌍 수}}{\text{H 원자 수}}\right)$에 대한 자료이다. (가)~(다)에 포함된 2주기 원소의 원자는 1개이고, 옥텟 규칙을 만족한다.

분자	(가)	(나)	(다)
구성 원자 수	2	4	3
구성 원소의 전기 음성도 차	a	0.9	b
$\dfrac{\text{비공유 전자쌍 수}}{\text{H 원자 수}}$	c	d	1

이에 대한 설명으로 옳은 것만을 보기에서 있는 대로 고른 것은? (단, X~Z는 임의의 원소 기호이다.)

보기
ㄱ. $a > b$이다.
ㄴ. $c \times d = 2$이다.
ㄷ. 공유 전자쌍 수는 (다)가 (나)보다 크다.

① ㄱ ② ㄷ ③ ㄱ, ㄴ ④ ㄴ, ㄷ ⑤ ㄱ, ㄴ, ㄷ

> 2주기 원소의 수소 화합물에서 수소는 다른 원자와 단일 결합만을 형성하고 비공유 전자쌍이 존재하지 않으므로 (가)에서 2주기 원소의 원자에만 비공유 전자쌍이 존재한다.

02 분자의 구조와 극성

학습 Point 전자쌍 반발 이론 〉 분자의 구조 〉 분자의 극성 〉 극성 분자와 무극성 분자의 성질

1 전자쌍 반발 이론

분자에서 중심 원자의 원자가 전자들은 서로 쌍을 이루어 비공유 전자쌍으로 존재하거나 다른 원자와 공유 전자쌍을 이루어 존재한다. 이러한 전자쌍은 모두 같은 전하를 띠고 있어 전자쌍 사이의 반발력이 최소가 되는 배치를 이루려고 한다.

1. 전자쌍 반발 이론

분자에서 중심 원자 주위의 전자쌍들은 정전기적 반발력을 최소화하기 위해 가능한 한 멀리 떨어져 있으려 한다는 이론이다.

(1) **전자쌍의 공간 배치:** 전자쌍들은 정전기적 반발력 때문에 가능한 한 서로 멀리 떨어지려는 방향으로 놓이며, 전자쌍들의 공간 배치와 기하 구조는 전자쌍 수에 의해 결정된다.

전자쌍 수	2	3	4
풍선 모형	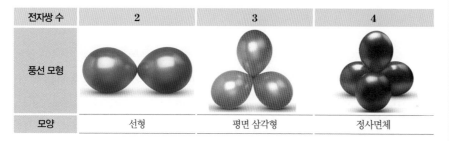		
모양	선형	평면 삼각형	정사면체

위의 전자쌍 배치 모형에서 각각의 풍선이 차지하는 부피는 다른 전자쌍들이 같은 공간을 차지하지 못하도록 하는 반발력을 나타내며, 풍선들을 서로 묶을 때 생기는 배열은 전자쌍이 놓이는 위치를 의미한다.

(2) **전자쌍 사이의 반발력:** 비공유 전자쌍은 공유 전자쌍과는 달리 하나의 핵 주위에만 존재하므로 더 넓은 공간을 차지하고 있다. 따라서 비공유 전자쌍 사이의 반발력은 공유 전자쌍 사이의 반발력보다 크다. 중심 원자에 비공유 전자쌍이 존재하는 경우에는 분자나 다원자 이온의 기하 구조가 영향을 받으며, 결합각이 달라져서 분자의 모양이 공유 전자쌍만 존재하는 경우와는 다르다.

| 비공유 전자쌍 사이의 반발력 | > | 비공유 전자쌍과 공유 전자쌍 사이의 반발력 | > | 공유 전자쌍 사이의 반발력 |

▲ **전자쌍 사이의 반발력 비교**

전자쌍 반발 이론에 따른 전자쌍 배치 모형

중심 원자에 비공유 전자쌍이 없을 때 전자쌍 수에 따라 분자 구조를 예측할 수 있다.

전자쌍 사이의 반발력

비공유 전자쌍은 공유 전자쌍보다 더 넓은 공간을 차지하며, 주변의 전자쌍에 더 큰 반발력을 나타낸다.

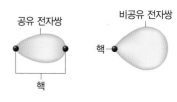

공유 전자쌍   비공유 전자쌍
핵
핵

2. 결합각과 분자의 구조

(1) **결합각**: 분자의 구조는 중심 원자의 핵과 중심 원자에 결합한 원자의 핵을 가상의 선으로 연결하여 나타낼 수 있다. 이때 두 원자핵 사이의 거리를 결합 길이라 하고, 결합한 선이 이루는 각을 결합각이라고 한다. 결합각의 크기는 전자쌍 반발 이론에 의해 결정된다.

▲ **결합각과 결합 길이**

결합각
결합각의 크기는 분자의 모양을 결정하며, 분자의 모양은 분자의 성질에 영향을 미친다.

(2) **중심 원자가 공유 전자쌍만 가진 분자의 구조**: 전자쌍 반발 이론을 적용할 수 있는 가장 간단한 경우는 중심 원자 주위의 모든 전자쌍이 공유 전자쌍이고, 단일 결합을 형성하고 있는 분자이다. 단일 결합만을 포함하는 분자들의 분자 구조와 결합각은 다음과 같다.

분자 모형	180°	120°	109.5°	90° 120°	90° 90°
공유 전자쌍 수	2	3	4	5	6
전자쌍 배열 구조	선형	평면 삼각형	정사면체	삼각쌍뿔	정팔면체
분자 구조	선형	평면 삼각형	정사면체	삼각쌍뿔	정팔면체
결합각	180°	120°	109.5°	90°, 120°	90°
예	BeF_2	BCl_3	CH_4	PCl_5	SF_6

▲ **중심 원자 주위의 공유 전자쌍의 수와 분자 구조**

(3) **중심 원자가 비공유 전자쌍을 가진 분자의 구조**: 분자의 구조와 결합각은 중심 원자가 가진 비공유 전자쌍의 영향을 받는데, 중심 원자가 가진 전자쌍의 총수가 같을 때 비공유 전자쌍이 많을수록 결합각은 작아진다. 그러나 분자의 구조는 비공유 전자쌍을 제외한 나머지 공유 전자쌍에 연결된 원자들만의 위치로 결정한다. 다음과 같이 공유 전자쌍이 3개이고 비공유 전자쌍이 1개인 경우에는 전자쌍 배열 구조는 사면체이지만 분자의 구조는 삼각뿔이며, 공유 전자쌍이 2개이고 비공유 전자쌍이 2개인 경우에는 전자쌍의 배열 구조는 사면체이지만 분자의 구조는 굽은 형이 된다.

전자쌍의 개수와 분자 구조
중심 원자가 5개의 전자쌍에 의해 삼각쌍뿔 구조를 이루는 분자나 6개의 전자쌍에 의해 정팔면체 구조를 이루는 분자의 중심 원자는 옥텟 규칙을 만족할 수 없다. 중심 원자가 3주기 이상의 원소인 경우 비어 있는 d 오비탈에 전자가 더 채워질 수 있으므로 8개 이상의 전자를 가질 수 있는데, 이를 확장된 옥텟이라고 한다.

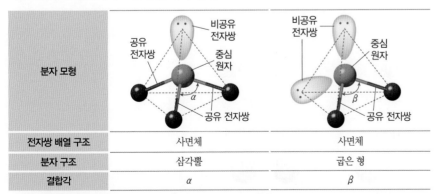

분자 모형		
전자쌍 배열 구조	사면체	사면체
분자 구조	삼각뿔	굽은 형
결합각	α	β

▲ **중심 원자에 비공유 전자쌍이 있는 경우의 분자 구조** 비공유 전자쌍 사이의 반발력이 공유 전자쌍 사이의 반발력이나 공유 전자쌍과 비공유 전자쌍 사이의 반발력보다 크기 때문에 결합각은 $\alpha > \beta$이다.

(4) **중심 원자에 다중 결합이 포함된 분자:** 2중 결합과 3중 결합은 단일 결합보다 결합 길이가 짧고, 결합의 세기가 세다. 그러나 다중 결합에 있는 전자쌍은 두 원자핵 사이에 공유된 것이므로 분자 구조에는 영향을 주지 않는다. 따라서 2중 결합이나 3중 결합이 존재하는 경우에는 단일 결합처럼 취급하여 분자 구조를 결정할 수 있다. 예를 들면 CO_2는 BeF_2과 같이 180° 떨어져서 C=O 결합을 가지고 있으며, CO_2의 분자 구조는 선형이다.

$O=C=O$

▲ CO_2의 분자 구조

탄산 이온(CO_3^{2-})의 구조
탄소 원자가 3개의 결합을 가지며, 공명 구조를 이루고 있는 평면 삼각형 구조이다.

$$\left[\begin{array}{c} :\ddot{O}: \\ | \\ :\ddot{O}-C-\ddot{O}: \\ \ddot{} \end{array}\right]^{2-} \quad 또는 \quad \left[\begin{array}{c} O \\ \| \\ O \cdots C \cdots O \end{array}\right]^{2-}$$

2 분자의 구조

분자 구조는 화학적 성질을 결정하는 중요한 요소로, 분자 구조를 알아내는 방법에는 여러 가지가 있다. 정확한 분자 구조를 정밀한 방법을 통해 알아낼 수도 있지만, 전자쌍 반발 이론을 기본으로 하여 비교적 간단하게 근사적인 분자 구조를 예측할 수도 있다.

1. 입체수

분자의 모양이 어떤 기하학적 구조를 이루는지 알기 위해서는 중심 원자 주위의 공유 전자쌍과 비공유 전자쌍을 모두 고려해야 하기 때문에 중심 원자의 입체수(SN)를 이용하면 편리하다.

SN=중심 원자 주위에 존재하는 전자쌍 수

중심 원자 주위에 있는 전자쌍 수는 루이스 전자점식을 그려서 알아낼 수 있다. 한편, 루이스 전자점식에서 2중 결합이나 3중 결합을 형성하는 경우에는 입체수를 결정할 때 한 개의 전자쌍으로 취급한다. 예를 들어 CO_2와 같이 중심 원자인 탄소 원자에 산소 원자 2개가 2중 결합으로 연결되어 있는 경우에는 SN이 2이다.

2. 이원자 분자와 입체수가 2인 분자의 구조

(1) **이원자 분자:** 모든 이원자 분자는 선형 구조를 이룬다.

분자식	H_2	HCl	Cl_2
루이스 전자점식	H : H	$H : \ddot{Cl} :$	$: \ddot{Cl} : \ddot{Cl} :$
구조식	H−H	H−Cl	Cl−Cl
분자 구조	H—H 선형	H—Cl 선형	Cl—Cl 선형

▲ 몇 가지 이원자 분자의 분자 구조

(2) **입체수가 2인 분자:** BeF_2, $BeCl_2$, CO_2의 루이스 전자점식을 그려 보면 중심 원자의 입체수(SN)가 2이다. SN이 2인 경우에는 전자쌍 사이의 반발을 최소로 하기 위해 180°의 결합각을 가지는 선형 구조를 이룬다. 선형 구조를 이루는 경우 분자 내에 존재하는 모든 원자들은 같은 직선상에 존재한다.

분자식	BeF_2	$BeCl_2$	CO_2
루이스 전자점식	$:\ddot{F}:Be:\ddot{F}:$	$:\ddot{Cl}:Be:\ddot{Cl}:$	$:\ddot{O}::C::\ddot{O}:$
구조식	$F-Be-F$	$Cl-Be-Cl$	$O=C=O$
분자 구조	180° 선형	180° 선형	180° 선형

▲ SN이 2인 몇 가지 분자들의 분자 구조

3. 입체수가 3인 분자의 구조

(1) **중심 원자가 공유 전자쌍만 가진 경우:** BCl_3, HCHO의 루이스 전자점식을 그려 보면 입체수(SN)가 3이다. SN이 3인 경우에는 전자쌍 사이의 반발을 최소로 하기 위해 분자는 평면 삼각형 구조를 이룬다. 만일 중심 원자에 결합된 3개의 원자가 모두 같은 원자인 경우에는 결합각이 120°가 되며, 다른 원자인 경우에는 결합각이 120°에서 조금 벗어난다.

분자식	BCl_3	HCHO
루이스 전자점식	$:\ddot{Cl}:B:\ddot{Cl}:$ $:\ddot{Cl}:$	$:O:$ $::$ $H:C:H$
구조식	$Cl-B-Cl$ $\quad\vert$ $\quad Cl$	O $\parallel$ $H-C-H$
분자 구조	120° 평면 삼각형	122.1° 115.8° 평면 삼각형

▲ SN이 3인 몇 가지 분자들의 분자 구조

BCl_3의 경우에는 중심 원자에 모두 같은 원자만 결합되어 있으므로 결합각이 120°인 평면 삼각형 구조를 이룬다. 그러나 HCHO의 경우에는 탄소(C)와 산소(O) 사이에 전자 밀도가 큰 2중 결합이 존재하므로 반발력이 약간 커져서 결합각 ∠HCO는 120°보다 약간 큰 122.1°가 되고, 결합각 ∠HCH는 120°보다 약간 작은 115.8°가 된다. HCHO의 경우에도 분자 내에 존재하는 모든 원자들은 같은 평면상에 존재한다.

한편, SO_3, CO_3^{2-}, NO_3^-도 루이스 전자점식을 그려 보면 SN이 3이고, 중심 원자에 결합된 원자들이 모두 같으므로 평면 삼각형 구조를 이루며, 결합각이 120°이다.

폼알데하이드(HCHO)의 구조
폼알데하이드의 경우에는 1개의 2중 결합과 2개의 단일 결합이 반발하게 되므로 BCl_3와 같이 평면 삼각형에 가까운 구조를 이룬다. 그런데 C−H 결합에 비해 C=O 2중 결합의 전자 밀도가 높기 때문에 2중 결합과 단일 결합 사이의 반발력이 단일 결합들 사이의 반발력보다 크다. 따라서 H−C=O 결합각은 122.1°로, H−C−H 결합각인 115.8°보다 약간 크다.

$\ddot{O}$
$\parallel$ 122.1°
C
H 115.8° H

(2) **중심 원자가 비공유 전자쌍을 가진 경우:** 중심 원자 주위에 공유 전자쌍만 존재하는 경우에는 분자의 모양이 전자쌍 배열 구조와 같지만, 중심 원자 주위에 비공유 전자쌍이 존재하는 경우에는 비공유 전자쌍이 더 많은 공간을 차지하며 공유 전자쌍을 밀어내기 때문에 분자의 모양은 전자쌍 배열 구조와 달라진다. 예를 들면 O_3, SO_2, NO_2^-은 입체수(SN)가 3이지만, 비공유 전자쌍이 1개씩 존재한다. 따라서 이들 분자 또는 이온의 모양은 굽은 형 구조를 이루며, 결합각은 평면 삼각형 구조보다 작아진다.

전자쌍 배열 구조와 분자 구조
전자쌍 배열 구조는 중심 원자 주위에 있는 전자쌍 수에 의해 결정되지만, 분자 구조는 비공유 전자쌍을 고려하지 않고, 결합된 원자들의 배열만을 고려하여 결정된다.

비공유 전자쌍 수	0	1
분자 모형	120°	
전자쌍 배열 구조	평면 삼각형	평면 삼각형
분자 구조	평면 삼각형	굽은 형
예	SO_3, CO_3^{2-}, NO_3^-	O_3, SO_2, NO_2^-

4. 입체수가 4인 분자의 구조

CH_4, NH_3, H_2O의 경우 루이스 전자점식을 그려 보면 입체수(SN)가 4이다. SN이 4인 경우에는 전자쌍 사이의 반발을 최소로 하기 위해 전자쌍들이 정사면체의 꼭짓점을 향해 위치한다.

분자식	CH_4	NH_3	H_2O
루이스 전자점식	H H:C:H H	H:N:H H	:O:H H
구조식	H H-C-H H	H-N-H H	O-H H
분자 구조	109.5°	107°	104.5°
	정사면체	삼각뿔	굽은 형

▲ SN이 4인 몇 가지 분자들의 분자 구조

(1) **메테인(CH_4)의 분자 구조:** CH_4의 경우 중심 원자인 C 주위에 4개의 공유 전자쌍이 존재하며, 결합된 원자들이 모두 같으므로 정사면체 구조를 이룬다. CH_4에서 4개의 공유 전자쌍 사이의 반발이 최소가 되기 위해서 각각의 H 원자는 정사면체의 꼭짓점을 향해 배치되어야 하므로, H-C-H의 결합각은 109.5°이다.

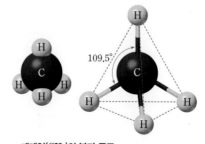

▲ 메테인(CH_4)의 분자 구조

메테인(CH_4)의 분자 구조
SN이 4인 분자 중 CH_4과 같이 비공유 전자쌍이 존재하지 않고 결합된 원자들이 모두 같은 경우에는 정사면체 구조를 이룬다.

(2) **암모니아(NH₃)의 분자 구조:** NH₃의 경우 루이스 전자점식에서 3개의 공유 전자쌍과 1개의 비공유 전자쌍이 존재하는 것을 알 수 있으며, 모든 공유 결합은 단일 결합을 이루고 있는 상태이다. 중심 원자인 N는 3개의 공유 전자쌍과 1개의 비공유 전자쌍을 가지므로 입체수(SN)는 4이고, 전자쌍 배열 구조는 정사면체 구조이다. 결합각 ∠HNH는 비공유 전자쌍의 반발력이 공유 전자쌍의 반발력보다 크기 때문에 정사면체 구조의 결합각인 109.5°보다 조금 작아진 107°이다. 그러나 분자의 구조를 결정할 때에는 비공유 전자쌍을 고려하지 않고 결합된 원자 사이의 구조만을 고려하므로 분자의 구조는 삼각뿔이 된다. CH₄과 NH₃는 분자 내에 존재하는 원자들이 같은 평면상에 존재하지 않는 입체 구조를 이룬다.

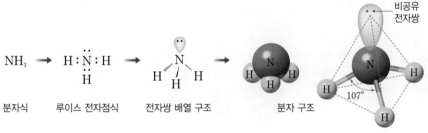

▲ **암모니아(NH₃)의 분자 구조**

(3) **물(H₂O)의 분자 구조:** H₂O의 경우 중심 원자인 O는 2개의 공유 전자쌍과 2개의 비공유 전자쌍을 가지므로 입체수(SN)는 4이고, 전자쌍 배열 구조는 정사면체 구조이다.

결합각 ∠HOH는 비공유 전자쌍의 반발력이 공유 전자쌍의 반발력보다 크며, 비공유 전자쌍이 2개이므로 NH₃에서의 결합각인 107°보다 조금 더 작아진 104.5°이다. 그러나 분자의 구

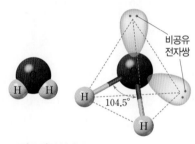

▲ **물(H₂O)의 분자 구조**

조를 결정할 때에는 비공유 전자쌍을 고려하지 않고 결합된 원자 사이의 구조만을 고려하므로 분자의 구조는 굽은 형이 된다. H₂O의 경우는 분자 내에 존재하는 모든 원자들이 같은 평면상에 존재한다.

(4) **입체수가 4인 분자의 구조:** 입체수(SN)가 4인 경우 비공유 전자쌍 수에 따라 분자 구조는 다음과 같다.

비공유 전자쌍 수	0	1	2
분자 모형	109.5°		
전자쌍 배열 구조	정사면체	정사면체	정사면체
분자 구조	정사면체	삼각뿔	굽은 형

▲ **SN이 4인 분자들의 분자 구조**

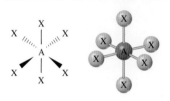

분자 구조 나타내기
3차원 구조를 이루는 분자의 구조는 평면상에 나타내기 위해 다음 기호를 사용한다.

기호		의미
—	실선	종이 평면에 있는 결합
ⅲⅲⅲ	점선 쐐기	종이 평면 뒤로 향하는 결합
▶	두꺼운 쐐기	종이 평면 앞으로 향하는 결합

정팔면체 구조는 다음과 같이 나타낼 수 있다.

몇 가지 수소 화합물의 공유 전자쌍과 비공유 전자쌍의 수

수소 화합물	CH₄	NH₃	H₂O
중심 원자의 총 전자쌍 수	4	4	4
공유 전자쌍 수	4	3	2
비공유 전자쌍 수	0	1	2

5. 분자 구조의 예측

전자쌍 반발 이론을 적용하여 다음과 같이 분자 구조를 예측할 수 있다.

(1) **중심 원자가 1개인 분자:** PCl_3 분자를 예로 들면 다음과 같다.

	분자 구조의 예측 과정	예
1단계	루이스 전자점식을 그린다.	PCl_3에서 전체 원자가 전자 수의 합은 26이다.
2단계	중심 원자 주위에 있는 공유 전자쌍의 수와 비공유 전자쌍의 수를 확인한다.	중심 원자인 P은 4개의 전자쌍을 가지며, 이 중 공유 전자쌍은 3개, 비공유 전자쌍은 1개이다. 비공유 전자쌍
3단계	전자쌍 배열 구조를 결정한 후, 비공유 전자쌍을 제거하고, 결합된 원자 사이의 구조만을 고려하여 분자 구조를 예측한다.	4개의 전자쌍은 정사면체 배열 구조를 이루며, 1개의 비공유 전자쌍이 존재하므로 분자는 삼각뿔 구조를 이룬다.
4단계	비공유 전자쌍의 반발을 고려하여 결합각을 예측한다.	비공유 전자쌍의 반발력이 공유 전자쌍의 반발력보다 크므로 결합각은 109.5°보다 작다.

(2) **중심 원자가 2개 이상인 분자:** 중심 원자가 2개 이상인 분자의 구조를 예측할 때에는 각각의 중심 원자에 대하여 같은 원리를 적용시키면 된다. 예를 들어 아미노산인 글라이신의 분자 구조를 살펴보면, 글라이신은 4개의 중심 원자(질소 원자 1개, 탄소 원자 2개, 산소 원자 1개)가 존재한다. 오른쪽 탄소는 2중 결합이 존재하므로 이를 1개의 전자쌍으로 취급하면 오른쪽 탄소 원자 주위의 전자쌍 총수(SN)는 3이며, 다른 중심 원자는 전자쌍 총수(SN)가 모두 4이다. 비공유 전자쌍을 고려하여 각 중심 원자에 대한 분자 구조를 결정하면 다음과 같다.

원자	전자쌍 총수	공유 전자쌍 수	비공유 전자쌍 수	원자들의 배열
N	4	3	1	삼각뿔
왼쪽 C	4	4	0	사면체
오른쪽 C	3	3	0	평면 삼각형
O	4	2	2	굽은 형

▲ **글라이신의 분자 구조**

전자쌍 수와 분자 구조

전자쌍 수			분자 구조
공유	비공유	전체	
2	0	2	선형
2	1	3	굽은 형
3	0	3	평면 삼각형
4	0	4	정사면체
3	1	4	삼각뿔
2	2	4	굽은 형

③ 분자의 극성

무극성 공유 결합의 쌍극자 모멘트는 0이고, 극성 공유 결합의 쌍극자 모멘트는 0보다 크다. 결합의 쌍극자 모멘트를 이용하여 분자 내에 있는 모든 결합의 쌍극자 모멘트를 고려하면 분자의 극성 정도를 예측할 수 있다.

1. 무극성 분자와 극성 분자

(1) **무극성 분자:** 분자 내에 전하가 고르게 분포하여 부분적인 전하를 띠지 않는 분자로, 분자의 쌍극자 모멘트가 0이다.

(2) **극성 분자:** 분자 내에 전하가 고르게 분포하지 않고 한쪽으로 치우쳐 부분적인 전하를 띠는 분자로, 분자의 쌍극자 모멘트가 0보다 크다.

2. 쌍극자 모멘트와 분자의 극성

(1) **이원자 분자의 극성:** 이원자 분자 중 같은 원자로 이루어진 분자는 무극성 공유 결합으로 이루어져 있으며 분자의 쌍극자 모멘트가 0으로, 모두 무극성 분자이다. 반면 다른 원자로 이루어진 분자는 극성 공유 결합을 형성하므로 모두 분자의 쌍극자 모멘트가 0보다 큰 극성 분자이다.

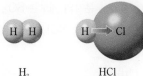

H_2	HCl
▲ 무극성 분자	▲ 극성 분자

무극성 분자의 예로는 H_2, O_2, N_2, Cl_2 등이 있고, 극성 분자의 예로는 HF, HCl, HBr, HI, CO, NO 등이 있다.

(2) **다원자 분자의 극성:** 3개 이상의 원자들이 결합한 경우에는 원자 사이의 결합이 극성 공유 결합이더라도 분자의 구조에 따라 극성 분자가 될 수도 있고, 무극성 분자가 될 수도 있다.

① **분자가 대칭 구조인 경우:** 분자의 3차원 구조가 대칭 구조를 이루는 경우에는 극성 공유 결합들이 서로 상쇄되어 분자 전체는 쌍극자 모멘트의 크기가 0이 되는 무극성 분자가 된다. 예를 들어 선형 구조를 이루는 CO_2 분자는 극성 공유 결합이 서로 반대 방향이므로 결합의 쌍극자 모멘트가 서로 상쇄되어 결합의 쌍극자 모멘트의 합이 0이 되므로 무극성 분자이다. 또한 평면 삼각형 구조를 이루는 BCl_3와 정사면체 구조를 이루는 CH_4 분자도 극성 공유 결합의 쌍극자 모멘트가 서로 상쇄되어 쌍극자 모멘트의 합이 0이 되므로 무극성 분자이다. 이와 같은 무극성 분자의 예로는 CO_2, BCl_3, CH_4, CCl_4, C_6H_6, BeF_2, SO_3, C_2H_2, C_2H_4 등이 있다.

CO_2

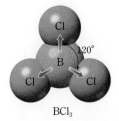

BCl_3

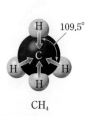

CH_4

▲ **무극성 다원자 분자** 극성 공유 결합을 하고 있지만 대칭 구조를 이루어 결합의 쌍극자 모멘트의 합이 0이 되므로 무극성 분자이다.

분자의 쌍극자 모멘트
분자에서 각 결합의 쌍극자 모멘트의 합을 분자의 쌍극자 모멘트라고 한다. 분자의 쌍극자 모멘트가 클수록 분자의 극성이 커진다.

쌍극자 모멘트의 합
쌍극자 모멘트는 크기와 방향을 가진 벡터량이며, 극성 공유 결합은 전기 음성도가 작은 원자에서 전기 음성도가 큰 원자를 향하는 벡터이다.
2개의 벡터를 평행사변형의 2개의 변으로 하여 평행사변형을 그렸을 때, 벡터의 합은 두 벡터의 출발점에서 평행사변형의 반대편 꼭짓점까지 그린 대각선이 된다.

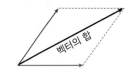

대칭 구조를 이루는 분자의 극성
중심 원자에 5개나 6개의 원자가 결합되어 삼각쌍뿔과 정팔면체의 대칭 구조를 이루는 분자의 경우에는 쌍극자 모멘트가 서로 상쇄되어 쌍극자 모멘트의 합이 0이 되므로 무극성 분자이다.

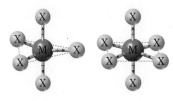

② 분자가 비대칭 구조인 경우: 중심 원자에 결합된 원자들이 모두 같은 종류가 아니거나 중심 원자가 비공유 전자쌍을 가져서 비대칭 구조를 이루는 경우에는 극성 분자가 된다. 예를 들어 $CHCl_3$ 분자는 중심 원자에 결합된 원자들 중 한 원자가 다른 종류이다. 이때 C−H 결합은 C−Cl 결합보다 극성이 작으며, 쌍극자 모멘트는 서로 상쇄되지 않는다. 이와 같이 비대칭 구조를 이루는 분자는 쌍극자 모멘트의 합이 0이 되지 않

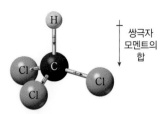

▲ **극성 다원자 분자 − $CHCl_3$** 전기 음성도 차이에 의해 C−H 결합 쌍극자는 C 원자를 향하고, C−Cl 결합 쌍극자는 Cl 원자를 향한다.

아 극성 분자이다. H_2O 분자와 NH_3 분자는 중심 원자에 비공유 전자쌍이 존재하며, 각각 굽은 형과 삼각뿔의 비대칭 분자 구조를 이룬다. H_2O 분자의 경우에는 쌍극자 모멘트의 합이 O 원자를 향하고, NH_3 분자의 경우에는 쌍극자 모멘트의 합이 N 원자를 향하며, 이때 쌍극자 모멘트는 상쇄되지 않는다. 따라서 쌍극자 모멘트의 합이 0이 아니므로 H_2O 분자와 NH_3 분자는 극성 분자이다. 이와 같은 극성 분자의 예로는 SO_2, CH_3Cl, NH_3, H_2O, CH_3COCH_3, CH_2Cl_2, H_2S, O_3, $CHCl_3$, CH_3OH, NCl_3 등이 있다.

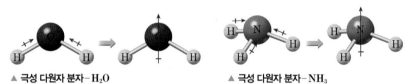

▲ **극성 다원자 분자 − H_2O**　　　　　　　▲ **극성 다원자 분자 − NH_3**

(3) **극성 분자와 무극성 분자를 판단하는 방법:** 2가지 이상의 원소와 3개 이상의 원자로 이루어진 분자가 극성 분자인지 무극성 분자인지를 판단할 때는 분자의 구조와 결합의 극성을 조사하여 쌍극자 모멘트의 합으로 결정해야 한다.

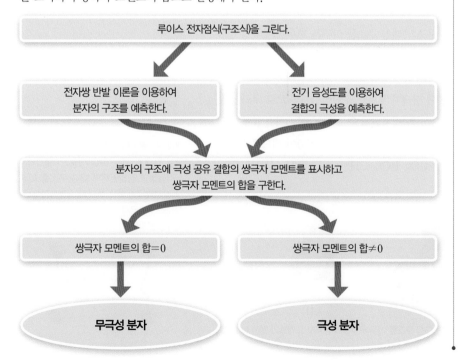

비공유 전자쌍과 분자의 극성

중심 원자에 비공유 전자쌍이 있어도 대칭 구조를 갖는 분자는 쌍극자 모멘트의 합이 0이므로 무극성 분자이다. 따라서 선형 구조인 XeF_2 분자와 평면 사각형 구조인 XeF_4 분자는 무극성 분자이다.

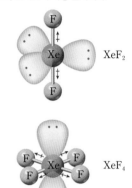

④ 극성 분자와 무극성 분자의 성질

공유 결합 물질 중 극성 분자로 이루어진 물질과 무극성 분자로 이루어진 물질은 분자 사이에 작용하는 힘이 다르기 때문에 물질의 물리적, 화학적 성질이 다르다.

1. 전하를 띤 대전체에 의한 영향

극성 분자인 H_2O에서 O 원자는 부분적인 음전하(δ^-)를 띠고, H 원자는 부분적인 양전하(δ^+)를 띤다. 흐르는 물줄기에 (−)전하를 띠는 대전체를 가까이 하면 H 원자가 대전체 쪽으로 끌리면서 물줄기가 휜다. 반대로 물줄기에 (+)전하를 띠는 대전체를 가까이 하면 O 원자가 대전체 쪽으로 끌리면서 물줄기가 휜다.

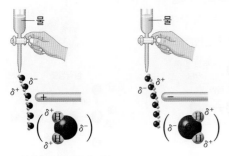

▲ 극성 분자의 전기적 성질

2. 전기장에서의 배열

전기장 속에 기체 상태의 극성 분자를 넣으면 부분적인 양전하(δ^+)를 띤 부분은 전기장의 (−)극 쪽으로 향하고, 부분적인 음전하(δ^-)를 띤 부분은 전기장의 (+)극 쪽으로 향하여 배열된다. 반면 기체 상태의 무극성 분자는 전기장 속에 넣어도 전기장의 영향을 받지 않는다. 이와 같이 전기장에서 분자들이 배열하는 모습은 분자의 쌍극자 모멘트에 따라 다르다.

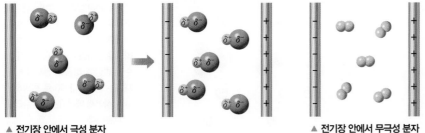

▲ 전기장 안에서 극성 분자　　　　　　▲ 전기장 안에서 무극성 분자

3. 녹는점과 끓는점

분자의 극성 정도는 녹는점이나 끓는점 등의 물질의 물리적 성질에 영향을 준다. 분자량이 비슷할 때 분자의 극성이 큰 물질일수록 녹는점이나 끓는점이 높다. 이는 극성 분자에서 부분적인 양전하(δ^+)를 띤 부분과 부분적인 음전하(δ^-)를 띤 부분 사이에 끌어당기는 힘이 작용하여 극성 분자 사이의 인력이 무극성 분자 사이의 인력보다 크기 때문이다.

4. 용해성

물질의 용해성은 물질의 극성에 따라 달라진다. 극성 분자는 극성 용매에 잘 용해되고, 무극성 분자는 무극성 용매에 잘 용해된다. 예를 들어 물 분자와 에탄올 분자는 극성이고, 기름을 이루는 분자는 무극성이므로 물과 에탄올은 잘 섞이지만 물과 기름은 잘 섞이지 않는다.

극성 분자의 상호 작용

자석의 N극과 S극이 서로 끌어당기듯이 극성 분자의 부분적인 양전하(δ^+)와 부분적인 음전하(δ^-) 사이에는 전기적 인력이 작용한다.

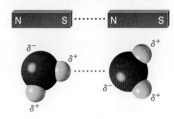

물질의 용해성

극성 용매인 물과 무극성 용매인 사염화 탄소가 들어 있는 시험관에 이온성 물질인 황산 구리(Ⅱ)($CuSO_4$)와 무극성 물질인 아이오딘(I_2)을 각각 넣으면 $CuSO_4$는 물에만 녹아 파란색을 띠고, I_2은 사염화 탄소에만 녹아 보라색을 띤다.

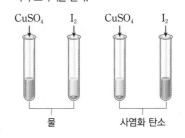

차이를 만드는 심화

입체수(SN)가 5, 6인 분자의 구조

3주기 이상의 원소들은 5개 이상의 원자와 결합하여 분자를 형성할 수 있다. 입체수가 5 또는 6인 분자들은 어떤 형태의 분자 구조를 이루는지 알아보자.

❶ 입체수(SN)가 5인 분자의 구조

(1) **5개의 전자쌍이 모두 공유 전자쌍인 경우:** PCl_5 분자와 같이 중심 원자 주위에 있는 5개의 전자쌍이 모두 공유 전자쌍인 경우 분자는 삼각쌍뿔 구조를 이룬다. 이때 중심 원자는 위와 아래의 삼각뿔에 의해 공유된 삼각형의 가운데에 놓이며, 중심 원자는 꼭짓점에 놓인 5개의 원자와 결합하고 있다. 삼각쌍뿔 구조의 분자에서 평면 삼각형에 있는 수평 방향에 위치한 원자들은 120°의 결합각을 이루지만, 수직 방향에 위치한 원자들은 평면 삼각형과 90°의 결합각을 이루어 동등하지 않은 두 방향의 결합이 존재한다.

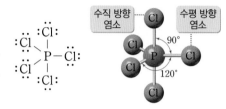

(2) **비공유 전자쌍이 1개인 경우:** SF_4 분자와 같이 중심 원자 주위에 있는 5개의 전자쌍 중 1개가 비공유 전자쌍인 경우에는 비공유 전자쌍과 공유 전자쌍 사이의 반발력이 공유 전자쌍 사이의 반발력보다 크므로 비공유 전자쌍은 공유 전자쌍과의 반발을 최소로 할 수 있는 위치인 수평 방향에 놓는다. 만일 비공유 전자쌍이 수직 방향에 놓인다면 90° 상호 작용하는 공유 전자쌍이 3개가 되지만, 비공유 전자쌍이 수평 방향에 놓인다면 90° 상호 작용하는 공유 전자쌍은 2개가 되므로 비공유 전자쌍은 수평 방향에 놓는다. 따라서 분자 구조는 시소형이 된다.

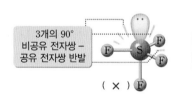

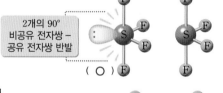

(3) **비공유 전자쌍이 2개인 경우:** BrF_3 분자와 같이 중심 원자 주위에 있는 5개의 전자쌍 중 2개가 비공유 전자쌍인 경우에는 비공유 전자쌍과 공유 전자쌍 사이의 90° 반발을 최소화하기 위해 비공유 전자쌍 2개는 모두 수평 방향에 위치하며, T자형 분자 구조를 이룬다.

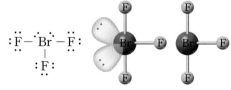

(4) **비공유 전자쌍이 3개인 경우:** XeF_2 분자와 같이 중심 원자 주위에 있는 5개의 전자쌍 중 3개가 비공유 전자쌍인 경우에는 비공유 전자쌍은 모두 수평 방향에 위치하며, 분자 구조는 선형이 된다.

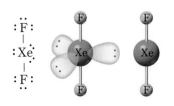

삼각쌍뿔 분자 구조

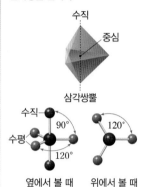

입체수가 5인 분자에서 비공유 전자쌍이 수평 방향에 존재하는 경우

비공유 전자쌍이 존재하는 경우에 비공유 전자쌍은 항상 수평 방향에 존재한다. 이것은 수평 방향에 비공유 전자쌍이 존재하는 경우가 수직 방향에 비공유 전자쌍이 존재하는 경우보다 90°로 반발하는 수가 적어서 에너지면에서 유리하기 때문이다.

확장된 옥텟

P, S 등의 3주기 원소에는 d 오비탈이 존재하므로 8개 이상의 전자를 가질 수 있으며, 이를 확장된 옥텟이라고 한다. PCl_5에서 P은 10개의 전자를 가지고, SF_6에서 S은 12개의 전자를 가진다.

❷ 입체수가 6인 분자의 구조

(1) 6개의 전자쌍이 모두 공유 전자쌍인 경우: SF_6 분자에서와 같이 6개의 전자쌍이 모두 공유 전자쌍인 경우 분자는 정팔면체 구조를 이루며, 각각의 원자는 중심 원자와 90°의 결합각을 이룬다. 정팔면체는 매우 대칭적인 모양으로, 수직 방향과 수평 방향의 자리가 구별되지 않고 6개의 결합이 모두 동일하다.

정팔면체 분자 구조

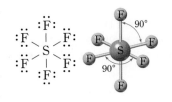

중심

정팔면체

옆에서 볼 때   위에서 볼 때

(2) 비공유 전자쌍이 1개인 경우: BrF_5 분자에서 중심 원자 주위에 있는 6개의 전자쌍 중 1개가 비공유 전자쌍이다. 정팔면체 구조에서 6개의 위치는 모두 동일하므로 비공유 전자쌍은 이들 위치 중 어디에도 놓일 수 있으며, 비공유 전자쌍을 제외하고 결정되는 분자 구조는 사각뿔이 된다.

(3) 비공유 전자쌍이 2개인 경우: XeF_4 분자와 같이 중심 원자 주위에 있는 6개의 전자쌍 중 2개가 비공유 전자쌍인 경우에는 비공유 전자쌍이 서로 반대편에 위치하여 비공유 전자쌍 사이의 반발력을 최소로 하게 되며, 분자 구조는 평면 사각형이 된다.

(4) 중심 원자 주위에 있는 전자쌍의 총수와 비공유 전자쌍 수에 따른 분자 구조

전자쌍 총수	5				6		
공유 전자쌍 수	5	4	3	2	6	5	4
비공유 전자쌍 수	0	1	2	3	0	1	2
분자 구조	삼각쌍뿔	시소형	T자형	선형	정팔면체	사각뿔	평면 사각형
예	$\overset{\displaystyle Cl}{\underset{\displaystyle Cl}{Cl-P-Cl}}$	$\overset{\displaystyle F}{\underset{\displaystyle F}{F-S}}$	$\overset{\displaystyle F}{\underset{\displaystyle F}{Br-F}}$	$\overset{\displaystyle F}{\underset{\displaystyle F}{Xe}}$	$\overset{\displaystyle F}{\underset{\displaystyle F}{F-S-F}}$	$\overset{\displaystyle F}{\underset{\displaystyle F}{F-Br-F}}$	$\overset{\displaystyle F}{\underset{\displaystyle F}{F-Xe-F}}$

심화

분자의 구조를 설명하는 원자가 결합 이론

전자쌍 반발 이론은 분자의 구조를 정성적으로 설명하는 좋은 이론이지만 공유 결합의 본질을 정확하게 설명하지는 못한다. 예를 들면 H_2와 F_2은 모두 단일 결합으로 같지만 결합 길이와 결합 에너지가 다르다. 공유 결합에 대한 루이스 이론은 그 한계가 있다. 이러한 단점을 보완하는 이론이 원자가 결합 이론이다. 이에 대해 알아보자.

❶ 원자가 결합 이론

원자가 결합 이론은 양자 역학에 기반을 둔 원자 오비탈의 개념을 이용한다. 원자가 결합 이론에서는 원자 오비탈의 겹침으로 공유 결합을 설명한다.

H_2 분자의 경우 2개의 $1s$ 오비탈이 겹침으로써 안정한 공유 결합이 형성되며, F_2 분자의 경우는 2개의 $2p$ 오비탈이 겹침으로써 안정한 공유 결합이 형성된다. 이와 같이 각각의 경우 결합에 참여하는 오비탈들이 다르기 때문에 공유 결합 길이와 공유 결합 에너지가 서로 달라지는 것이다.

❷ 시그마(σ) 결합

오비탈들이 정면으로 접근하여 오비탈들의 겹침에 의해 형성되는 결합을 시그마(σ) 결합이라고 한다. σ결합은 원자핵 사이에 전자 밀도가 집중되며, 두 원자핵을 연결하는 축에 원형으로 대칭인 결합이다. 원자들이 접근하여 분자를 형성할 때에는 언제나 σ결합이 이루어진다. 이것은 σ결합이 π결합에 비해 강하고 안정한 결합이기 때문이다. 다음은 σ결합이 형성되는 몇 가지 예를 나타낸 것이다.

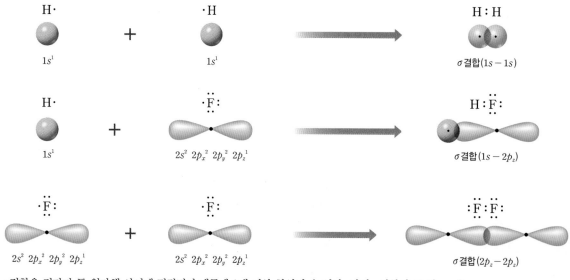

σ결합은 전자가 두 원자핵 사이에 밀집되기 때문에 1개 이상 형성될 수 없다. 만일 σ결합이 또 형성된다면 σ전자들이 두 원자핵 중앙에서 충돌하여 서로 반발하여 불안정해지므로 결합이 형성될 수 없다. 따라서 단일 결합이 이루어질 때에는 σ결합이 형성되고, 2중 결합의 경우에는 1개의 σ결합과 1개의 π결합이 형성되며, 3중 결합의 경우에는 1개의 σ결합과 2개의 π결합이 형성되는 것이다.

결합의 종류	C−C	C=C	C≡C
σ결합	1	1	1
π결합	0	1	2

▲ 결합에 따른 σ결합과 π결합의 개수

❸ 파이(π) 결합

π결합은 σ결합과는 달리 오비탈들이 측면으로 평행하게 접근하여 형성된다. σ전자는 원자핵 사이에 존재하지만 π전자는 두 원자핵 바깥쪽에 존재하게 된다.

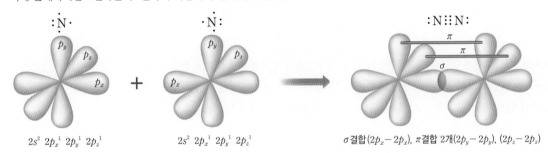

$2s^2\ 2p_x^{\ 1}\ 2p_y^{\ 1}\ 2p_z^{\ 1}$　　　　$2s^2\ 2p_x^{\ 1}\ 2p_y^{\ 1}\ 2p_z^{\ 1}$　　　　σ결합$(2p_x-2p_x)$, π결합 2개$(2p_y-2p_y)$, $(2p_z-2p_z)$

분자 내에 π결합을 가지고 있으면 그 분자는 반응성이 크다. 이것은 π결합이 σ결합에 비해 약하기 때문에 쉽게 끊어질 뿐만 아니라 π전자들은 외부로 노출되어 있어서 공격받기가 쉽기 때문이다. 따라서 에테인(C_2H_6)보다 에틸렌(C_2H_4)의 반응성이 더 크고, 에틸렌(C_2H_4)보다 아세틸렌(C_2H_2)의 반응성이 더 크다. σ결합은 두 원자핵을 연결하는 결합축에 수직으로 자른 단면의 모양이 원형이며, 전자의 밀도가 두 원자핵 사이에 집중되어 있어서 결합이 강하고 분자의 골격을 결정한다. π결합은 두 원자핵을 연결하는 결합축에 수직으로 자른 단면의 모양이 아령형이며, 전자의 밀도가 두 원자핵을 연결하는 결합축의 수직 방향으로 퍼져 있어서 결합이 약하고 분자의 골격에 영향을 주지 않는다.

결합의 종류	σ결합	π결합
결합 방법	두 오비탈이 정면으로 접근하여 형성된다.	두 오비탈이 측면으로 평행하게 접근하여 형성된다.
전자 밀도	원자핵 사이에 전자 밀도가 집중된다.	원자핵 바깥쪽에 전자가 퍼져 있다.
대칭성	두 원자핵을 연결하는 결합축에 수직으로 잘랐을 때 단면이 원형이다.	두 원자핵을 연결하는 결합축에 수직으로 잘랐을 때 단면이 아령형이다.
결합 수	두 원자 사이에 1개만 형성된다.	두 원자 사이에 2개까지 형성된다.
분자의 골격	분자의 골격을 결정한다.	분자의 골격과 관계없다.
결합의 세기	강하다.	약하다.

▲ σ결합과 π결합의 비교

❹ 혼성 오비탈(혼성 궤도 함수)

메테인(CH_4)의 경우 4개의 결합은 모두 동등하며, 이들 결합이 이루는 결합각은 109.5°이다. 그런데 이러한 CH_4의 결합각과 결합의 동등성은 C의 바닥상태나 들뜬상태의 전자 배치만으로는 설명할 수 없다.

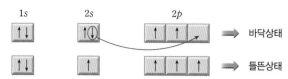

▲ 탄소 원자의 전자 배치

C의 바닥상태 전자 배치로 볼 때에는 홀전자가 2개이므로 H와 결합하면 CH_2와 같은 화합물을 형성해야 하지만 실제로는 CH_4의 화합물을 형성한다. C의 들뜬상태 전자 배치로는 화학식이 CH_4인 것은 설명이 되지만 결합각이 109.5°인 것은 설명할 수 없다.

(1) sp^3 혼성 오비탈: CH_4의 분자 구조와 결합각은 미국의 화학자인 폴링에 의해 설명되었다. 폴링은 CH_4의 구조를 설명하기 위해 혼성 오비탈(혼성 궤도 함수)이라는 새로운 개념을 도입했다. C는 바닥상태에서는 홀전자가 2개이지만 $2s$ 오비탈의 전자 중 1개가 에너지가 높은 $2p_z$ 오비탈로 올라가면 $2s$, $2p_x$, $2p_y$, $2p_z$ 오비탈에 각각 1개씩의 전자가 들어가는 상태가 된다. 그 결과 이들 4개의 오비탈들은 서로 혼성되어 동등한 새로운 4개의 혼성 오비탈을 형성하는데 이를 sp^3 혼성 오비탈이라고 한다.

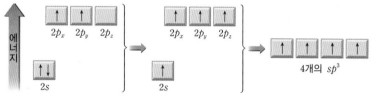

▲ sp^3 혼성 오비탈

안정한 $2s$ 오비탈의 전자가 $2p_z$ 오비탈로 올라가면 에너지가 높아져서 불리하지만, 결과적으로 4개의 H 원자와 결합을 형성할 수 있으므로 충분히 안정화되는 것이다. sp^3 혼성 오비탈이 형성되면 이들 4개의 혼성 오비탈들은 C를 중심으로 하는 정사면체의 꼭짓점을 향하고, 오비탈들 사이의 각도가 CH_4에서의 결합각에 해당하는 109.5°가 된다.

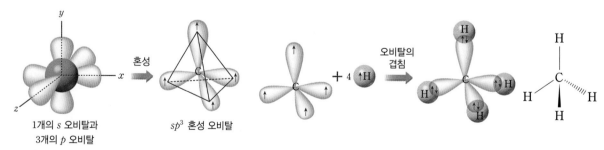

1개의 s 오비탈과
3개의 p 오비탈

sp^3 혼성 오비탈

▲ sp^3 혼성 오비탈의 형성

중심 원자가 sp^3 혼성 오비탈을 가지는 분자나 이온들에는 CH_4, C_2H_6, CCl_4, NH_4^+ 등이 있으며, sp^3 혼성 오비탈이 입체 구조이기 때문에 분자를 구성하는 원자들은 같은 평면상에 존재하지 않는다.

(2) sp^2 혼성 오비탈: CH_4의 경우와 같이 BF_3의 경우에도 결합각이 120°인 것을 설명하기 위해서는 혼성의 개념이 필요하다. 그런데 B의 경우는 원자가 전자가 3개이므로 다음과 같이 3개의 sp^2 혼성 오비탈을 형성한다.

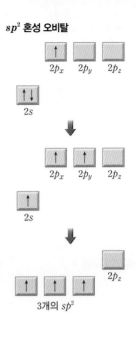

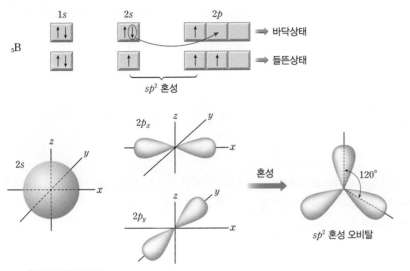

▲ sp^2 **혼성 오비탈의 형성**

sp^2 혼성 오비탈이 형성되면 이들 3개의 혼성 오비탈들은 B를 중심으로 하는 정삼각형의 꼭짓점을 향하고, 오비탈들의 각도가 BF_3의 결합각인 120°가 된다. 이러한 sp^2 혼성 오비탈을 형성하는 분자들에는 BF_3, CH_2CH_2, C_6H_6(벤젠) 등이 있으며, sp^2 혼성 오비탈이 평면 구조이기 때문에 분자를 구성하는 모든 원자들이 같은 평면상에 존재하게 된다.

(3) sp 혼성 오비탈: CH_4, BF_3의 경우와 같이 $BeCl_2$의 경우에도 분자의 구조를 설명하기 위해서는 혼성의 개념이 필요하다. 그런데 Be의 경우는 원자가 전자가 2개이므로 다음과 같이 2개의 sp 혼성 오비탈을 형성한다.

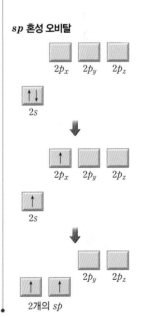

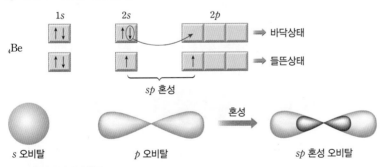

▲ sp **혼성 오비탈의 형성**

sp 혼성 오비탈이 형성되면 이들 2개의 혼성 오비탈들은 180°의 결합각을 가지는 선형 구조가 된다. 이러한 sp 혼성 오비탈을 형성하는 분자들에는 $BeCl_2$, BeF_2, CO_2, C_2H_2 등이 있으며, sp 혼성 오비탈이 선형 구조이기 때문에 분자를 구성하는 모든 원자들이 같은 직선상에 존재하게 된다.

02 분자의 구조와 극성

2. 분자의 구조와 성질

① 전자쌍 반발 이론

1. (❶   ) 분자에서 중심 원자 주위의 전자쌍들은 정전기적 반발력을 최소화하기 위해 가능한 한 멀리 떨어져 있으려 한다는 이론

2. **전자쌍 사이의 반발력** 분자의 구조와 결합각은 중심 원자 주위에 존재하는 비공유 전자쌍의 영향을 받는다.

| 비공유 전자쌍 사이의 반발력 | (❷) | 비공유 전자쌍과 공유 전자쌍 사이의 반발력 | (❸) | 공유 전자쌍 사이의 반발력 |

② 분자의 구조

1. **입체수(SN)** 중심 원자 주위의 공유 전자쌍과 비공유 전자쌍의 수를 모두 합한 값이며, 2중 결합이나 3중 결합을 형성하고 있는 경우에는 한 개의 전자쌍으로 취급하여 입체수를 구한다.

2. **이원자 분자와 입체수가 2인 분자의 구조**

(❹   ) 구조이고, 결합각이 (❺   )이다.

3. **입체수가 3 또는 4인 분자의 구조**

입체수	3		4		
비공유 전자쌍 수	0	1	0	1	2
분자 모형					
분자 구조	평면 삼각형	(❻)	정사면체	(❼)	굽은 형
예	SO_3, CO_3^{2-}, NO_3^-	O_3, SO_2, NO_2^-	CH_4 (결합각 : 109.5°)	NH_3 (결합각 : 107°)	H_2O (결합각 : 104.5°)

③ 분자의 극성

1. **이원자 분자의 극성** H_2와 같이 같은 원자끼리 결합한 무극성 공유 결합의 경우는 (❽   ) 분자이고, HCl과 같이 다른 원자끼리 결합한 극성 공유 결합의 경우는 (❾   ) 분자이다.

2. **다원자 분자의 극성** CO_2와 같이 대칭 구조를 이루는 경우는 (❿   ) 분자이고, H_2O이나 NH_3와 같이 비대칭 구조를 이루는 경우는 (⓫   ) 분자이다.

H_2 HCl CO_2 H_2O

④ 극성 분자와 무극성 분자의 성질

1. **전하를 띤 대전체에 의한 영향** 극성 분자로 이루어진 물질의 가느다란 액체 줄기는 대전체 쪽으로 끌리지만, 무극성 분자로 이루어진 물질의 가느다란 액체 줄기는 대전체에 끌리지 않는다.

2. **전기장에서의 배열** 극성 분자는 전기장 내에서 부분적인 전하를 띤 부분이 각각 반대 전하를 띤 전극 쪽으로 배열되지만, 무극성 분자는 전기장의 영향을 받지 않으므로 전기장 내에서도 무질서하게 배열한다.

3. **용해성** 극성 분자는 (⓬   ) 용매에 잘 용해되고, 무극성 분자는 (⓭   ) 용매에 잘 용해된다.

01 다음은 중심 원자 주위에 있는 전자쌍 수에 따른 전자쌍의 배열 구조를 정리한 것이다. ⊙~ⓒ에 알맞은 말을 각각 쓰시오.

전자쌍 수	2	3	4
전자쌍 배열 구조	⊙	ⓛ	ⓒ

[02~03] 표는 몇 가지 분자에 대한 자료이다.

분자	CO_2	H_2O	NH_3	BCl_3	CH_4
분자 구조	선형	⊙	ⓛ	평면 삼각형	ⓒ
결합각(°)	180°	x	y	120	z

02 ⊙~ⓒ에 알맞은 분자 구조를 각각 쓰시오.

03 x, y, z의 크기를 부등호로 비교하시오.

04 표는 몇 가지 원자의 원자가 전자 수와 전기 음성도를 나타 낸 것이다.

원자	A	B	C	D	E
원자가 전자 수	1	3	4	6	7
전기 음성도	2.1	2.0	2.5	3.5	4.0

A~E로 이루어진 물질 중 무극성 분자인 것만을 보기에서 있는 대로 고르시오. (단, A~E는 임의의 원소 기호이다.)

보기
ㄱ. AE　　　　ㄴ. E_2
ㄷ. BE_3

05 그림은 화합물 (가)~(다)의 구조식을 나타낸 것이다.

```
      H                 H                 H
      |                 |                 |
  H—C—H           Cl—C—Cl           Cl—C—Cl
      |                 |                 |
      H                 H                 Cl
     (가)               (나)               (다)
```

이에 대한 설명으로 옳은 것만을 보기에서 있는 대로 고르시오.

보기
ㄱ. 극성 분자는 1가지이다.
ㄴ. (나)에서 결합각(∠HCCl)은 90°이다.
ㄷ. 물에 대한 용해도는 (다)가 (가)보다 크다.

06 다음은 물질 X에 대한 설명이다.

- 2주기 원소의 수소 화합물이다.
- 중심 원자에 비공유 전자쌍이 있다.
- 결합의 쌍극자 모멘트 합이 0이 아니다.
- 분자를 이루는 모든 원자는 같은 평면상에 존재한다.

다음 중 X의 분자 모형으로 가장 적절한 것은?

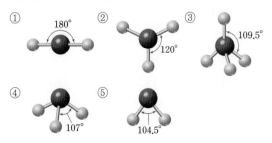

07 다음은 4가지 분자의 분자식이다.

$$H_2O \quad BCl_3 \quad CO_2 \quad CH_2Cl_2$$

이에 대한 설명으로 옳은 것만을 보기에서 있는 대로 고르시오.

보기
ㄱ. 결합의 쌍극자 모멘트 합이 0인 분자는 1가지이다.
ㄴ. 극성 분자에는 모두 중심 원자에 비공유 전자쌍이 존재한다.
ㄷ. $\dfrac{\text{비공유 전자쌍 수}}{\text{공유 전자쌍 수}}=1$인 분자는 2가지이다.

08 표는 원자 A~E의 바닥상태 전자 배치를 나타낸 것이다.

원자	전자 배치	원자	전자 배치
A	$1s^22s^22p^2$	B	$1s^22s^22p^4$
C	$1s^22s^22p^5$	D	$1s^22s^22p^63s^1$
E	$1s^22s^22p^63s^2$		

A~E로 이루어진 화합물에 대한 설명으로 옳은 것은 ○, 옳지 않은 것은 ×를 표시하시오. (단, A~E는 임의의 원소 기호이다.)

(1) AC_4는 결합의 쌍극자 모멘트 합이 0이다. (　　)
(2) BC_2는 선형 구조를 이룬다. (　　)
(3) EB의 녹는점은 DC의 녹는점보다 낮다. (　　)
(4) D_2B는 고체 상태에서 전기가 통하지 않는다. (　　)
(5) AB_2는 무극성 공유 결합으로 이루어져 있다. (　　)

09 그림은 어떤 기체 상태의 분자를 평행판 사이에 넣고 전기장을 걸어 주기 전과 후의 모습을 나타낸 것이다.

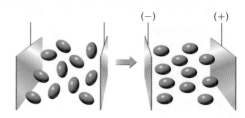

이와 같이 배열할 것으로 예측되는 분자를 있는 대로 고르시오.

$$HF, \ BCl_3, \ CO_2, \ NH_3, \ CS_2, \ CCl_4$$

10 다음은 몇 가지 화합물의 분자식을 나타낸 것이다.

$$BeCl_2 \quad BCl_3 \quad CCl_4 \quad NH_3 \quad H_2O \quad CO_2$$

위 화합물에 대한 설명으로 옳은 것은 ○, 옳지 않은 것은 ×를 표시하시오.

(1) 극성 분자는 2가지이다. (　　)
(2) CO_2는 결합의 쌍극자 모멘트 합이 0이다. (　　)
(3) 분자 구조가 선형인 것은 $BeCl_2$과 CO_2이다. (　　)
(4) 분자 모양이 입체 구조인 것은 BCl_3, CCl_4, NH_3이다. (　　)
(5) BCl_3와 CCl_4는 무극성 공유 결합으로 이루어졌다. (　　)
(6) 중심 원자가 옥텟 규칙을 만족하지 않는 것은 $BeCl_2$과 BCl_3이다. (　　)

01 ▶ 분자의 구조와 결합각

그림은 요소($CO(NH_2)_2$) 분자의 구조식을 나타낸 것이다. 이에 대한 설명으로 옳은 것만을 보기에서 있는 대로 고른 것은?

보기

ㄱ. 평면 구조이다.

ㄴ. 결합각은 $\alpha < \beta$이다.

ㄷ. 전체 비공유 전자쌍 수는 4이다.

① ㄱ   ② ㄷ   ③ ㄱ, ㄴ   ④ ㄴ, ㄷ   ⑤ ㄱ, ㄴ, ㄷ

• 요소 분자의 N 원자에는 각각 1개의 비공유 전자쌍이 존재하며, O 원자에는 2개의 비공유 전자쌍이 존재한다.

02 ▶ 분자의 극성

그림은 2주기 원소 X, Y의 염소 화합물 (가)와 (나)의 구조식을 나타낸 것이다.

$Cl - \overset{\cdot\cdot}{X} \overset{\alpha}{-} Cl$ $Cl - Y \overset{\beta}{-} Cl$
$\qquad | \qquad$ $\qquad |$
$\qquad Cl \qquad$ $\qquad Cl$
(가)   (나)

이에 대한 설명으로 옳은 것만을 보기에서 있는 대로 고른 것은? (단, X와 Y는 임의의 원소 기호이다.)

보기

ㄱ. 전기 음성도는 Y가 X보다 크다.

ㄴ. 결합각은 $\alpha < \beta$이다.

ㄷ. 분자의 쌍극자 모멘트는 (가)가 (나)보다 크다.

① ㄱ   ② ㄴ   ③ ㄱ, ㄷ   ④ ㄴ, ㄷ   ⑤ ㄱ, ㄴ, ㄷ

• 비공유 전자쌍과 공유 전자쌍 사이의 반발력은 공유 전자쌍들 사이의 반발력보다 크다.

03 ▶ 루이스 전자점식과 분자의 극성

그림은 사이안화 수소(HCN)와 에타인(C_2H_2)의 구조를 루이스 전자점식으로 나타낸 것이다. 두 분자의 공통점으로 옳은 것만을 보기에서 있는 대로 고른 것은?

$H:C\vdots\vdots N:$ $H:C\vdots\vdots C:H$
사이안화 수소   에타인

보기

ㄱ. 구성 원자가 모두 같은 직선상에 위치한다.

ㄴ. 분자의 쌍극자 모멘트가 0이다.

ㄷ. 다중 결합이 있다.

① ㄱ   ② ㄴ   ③ ㄱ, ㄷ   ④ ㄴ, ㄷ   ⑤ ㄱ, ㄴ, ㄷ

• 중심 원자에 결합한 원자가 2개인 분자에서 중심 원자가 비공유 전자쌍을 포함하지 않으면 구성 원자는 직선상에 위치한다.

04 > 비공유 전자쌍 수와 분자 구조

표는 2주기 원소 A~E로 이루어진 세 가지 분자에 대한 자료이다.

분자식	AE_x	BD_y	CD_z
분자 구조	㉠	삼각뿔	㉢
중심 원자의 공유 전자쌍 수	4	3	3
분자 내의 비공유 전자쌍 수	4	㉡	9

이에 대한 설명으로 옳은 것만을 보기에서 있는 대로 고른 것은? (단, A~E는 임의의 원소 기호이다.)

보기
ㄱ. ㉠은 선형이다.
ㄴ. ㉡은 10이다.
ㄷ. ㉢은 평면 삼각형이다.

① ㄱ   ② ㄷ   ③ ㄱ, ㄴ   ④ ㄴ, ㄷ   ⑤ ㄱ, ㄴ, ㄷ

> 2주기 원소로 이루어진 분자 중 중심 원자의 공유 전자쌍 수와 분자의 비공유 전자쌍 수가 4로 같은 것은 CO_2이다.

05 > 구성 원자 수와 결합각에 따른 분자 구조

그림은 2주기 원소의 염소 화합물 A~D에서 구성 원자 수와 결합각을 나타낸 것이다.

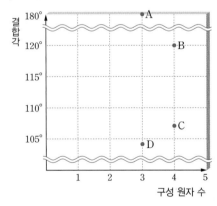

이에 대한 설명으로 옳은 것만을 보기에서 있는 대로 고른 것은?

보기
ㄱ. 분자의 쌍극자 모멘트는 D가 A보다 크다.
ㄴ. 비공유 전자쌍 수는 B가 C보다 크다.
ㄷ. B와 D는 극성 분자이다.

① ㄱ   ② ㄴ   ③ ㄱ, ㄷ   ④ ㄴ, ㄷ   ⑤ ㄱ, ㄴ, ㄷ

> 구성 원자 수가 3이고 결합각이 180°인 분자는 선형 구조를 이루고, 구성 원자 수가 4이고, 결합각이 120°인 분자는 평면 삼각형 구조를 이룬다.

06 > 분자의 극성에 따른 분류

다음은 5가지 분자 HCN, CO_2, CH_4, C_2H_2, BCl_3를 기준 (가)와 (나)로 분류한 벤 다이어그램이다.

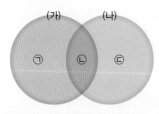

[분류 기준]
(가) 다중 결합이 있다.
(나) 무극성 분자이다.

이에 대한 설명으로 옳은 것만을 보기에서 있는 대로 고른 것은?

보기
ㄱ. ㉠에 속한 분자에는 2중 결합이 있다.
ㄴ. ㉡에 속한 모든 분자의 구성 원자는 모두 같은 직선상에 위치한다.
ㄷ. ㉢에 속한 모든 분자의 중심 원자는 옥텟 규칙을 만족한다.

① ㄱ ② ㄴ ③ ㄱ, ㄷ ④ ㄴ, ㄷ ⑤ ㄱ, ㄴ, ㄷ

HCN에서 C와 N 사이의 결합은 3중 결합이고, C_2H_2에서 C 원자 사이의 결합은 3중 결합이다.

고난도
07 > 분자의 구조와 극성에 따른 분류

그림은 2주기 원소 W~Z의 플루오린 화합물 WF_2, XF_3, YF_3, ZF_4를 기준에 따라 분류한 것이다.

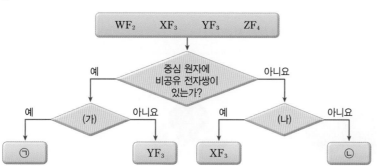

이에 대한 설명으로 옳은 것만을 보기에서 있는 대로 고른 것은? (단, W~Z는 임의의 원소 기호이다.)

보기
ㄱ. (가)에는 '극성 분자인가?'를 적용할 수 있다.
ㄴ. 결합각은 ㉡이 ㉠보다 크다.
ㄷ. 전기 음성도는 X가 Y보다 크다.

① ㄴ ② ㄷ ③ ㄱ, ㄴ ④ ㄴ, ㄷ ⑤ ㄱ, ㄴ, ㄷ

2주기 원소의 플루오린 화합물에는 BeF_2, BF_3, CF_4, NF_3, OF_2 가 있다.

08 ❯ 분자의 구조와 극성에 따른 분류

표는 몇 가지 물질의 화학식과 물질의 분류 기준을 나타낸 것이고, 그림은 (가)~(다)에 따라 각 물질을 분류하기 위한 벤 다이어그램이다.

화학식	분류 기준
HCN, CO_2, BCl_3, H_2O, NH_3	(가) 무극성 분자이다. (나) 다중 결합이 존재한다. (다) 중심 원자가 옥텟 규칙을 만족한다.

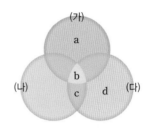

• 무극성 분자는 CO_2, BCl_3이고, 다중 결합이 있는 분자는 HCN, CO_2이다.

a~d에 들어갈 물질의 수로 옳은 것은?

	a	b	c	d
①	1	0	1	2
②	1	1	1	2
③	2	0	1	1
④	2	1	1	2
⑤	2	1	0	3

09 ❯ 분자의 극성

그림은 2주기 원소 A~C로 이루어진 분자 (가)와 (나)에 대한 자료이다.

분자	(가)	(나)
분자식	AB_2	BC_2
전하 분포 모형	![전하분포 (가)] δ^+	![전하분포 (나)] δ^- δ^- δ^-

• 분자에서 부분적인 음전하(δ^-)를 띠는 원자는 부분적인 양전하(δ^+)를 띠는 원자보다 전기 음성도가 크다.

이에 대한 설명으로 옳은 것만을 보기에서 있는 대로 고른 것은? (단, A~C는 임의의 원소 기호이다.)

> **보기**
>
> ㄱ. 전기 음성도는 C가 A보다 크다.
> ㄴ. 분자의 쌍극자 모멘트는 (가)가 (나)보다 크다.
> ㄷ. 중심 원자의 비공유 전자쌍 수는 (나)가 (가)보다 크다.

① ㄱ   ② ㄴ   ③ ㄱ, ㄷ   ④ ㄴ, ㄷ   ⑤ ㄱ, ㄴ, ㄷ

10 > 분자의 쌍극자 모멘트와 분자의 극성

그림은 2주기 원소 X~Z로 이루어진 분자 XZ_4, YZ_2, XYZ_2의 쌍극자 모멘트를 나타낸 것이다. 분자 내 모든 원자는 옥텟 규칙을 만족한다.

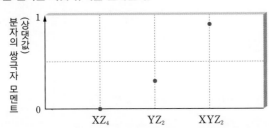

이에 대한 설명으로 옳은 것만을 보기에서 있는 대로 고른 것은? (단, X~Z는 임의의 원소 기호이다.)

보기
ㄱ. XYZ_2에는 2중 결합이 있다.
ㄴ. 결합각은 XYZ_2가 YZ_2보다 크다.
ㄷ. YZ_2에서 Y는 부분적인 음전하(δ^-)를 띤다.

① ㄱ   ② ㄷ   ③ ㄱ, ㄴ   ④ ㄴ, ㄷ   ⑤ ㄱ, ㄴ, ㄷ

• 2주기 원자 X에 결합한 Z 원자가 4개인 분자의 쌍극자 모멘트가 0인 분자는 정사면체 구조를 이룬다.

11 > 분자의 구조와 극성

그림은 분자 (가)~(라)의 구성 원자 수와 분자의 쌍극자 모멘트를 상댓값으로 나타낸 것이다. (가)~(라)는 각각 CH_2Cl_2, CH_2O, BCl_3, CF_4 중 하나이다.

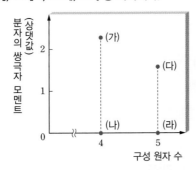

이에 대한 설명으로 옳은 것만을 보기에서 있는 대로 고른 것은?

보기
ㄱ. (가)에는 다중 결합이 있다.
ㄴ. (나)와 (라)에는 무극성 공유 결합이 있다.
ㄷ. (다)에서 각 원자 사이의 결합각은 모두 같다.

① ㄱ   ② ㄷ   ③ ㄱ, ㄴ   ④ ㄴ, ㄷ   ⑤ ㄱ, ㄴ, ㄷ

• 극성 분자의 쌍극자 모멘트는 0보다 크고, 무극성 분자의 쌍극자 모멘트는 0이다.

12 ❯ 분자의 구조와 극성

다음은 원소 $X \sim Z$로 이루어진 분자 (가)~(다)에 대한 자료의 일부이다. $X \sim Z$는 각각 C, O, F 중 하나이다.

- (가)~(다)는 각각 실험식과 분자식이 같다.
- (가)~(다)의 구성 원자는 모두 옥텟 규칙을 만족한다.
- (가)~(다)의 구성 원자 수비

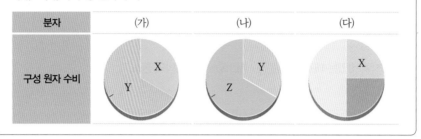

분자	(가)	(나)	(다)
구성 원자 수비	X, Y	Y, Z	X

이에 대한 설명으로 옳은 것만을 보기에서 있는 대로 고른 것은?

보기
ㄱ. 결합각은 (가)가 (다)보다 크다.
ㄴ. (가)와 (다)에는 2중 결합이 있다.
ㄷ. 분자의 쌍극자 모멘트는 (나)가 (가)보다 크다.

① ㄱ   ② ㄷ   ③ ㄱ, ㄴ   ④ ㄴ, ㄷ   ⑤ ㄱ, ㄴ, ㄷ

· 실험식과 분자식이 같으므로 분자식은 (가)가 XY_2, (나)는 YZ_2이다.

13 ❯ 원소의 이온화 에너지 주기성과 분자 구조

그림은 원소 $A \sim C$의 이온화 에너지를 상댓값으로 나타낸 것이고, 표는 $A \sim C$로 이루어진 분자 (가)~(다)에 대한 자료의 일부이다. $A \sim C$는 각각 N, O, F 중 하나이고, (가)~(다)에서 모두 옥텟 규칙을 만족한다.

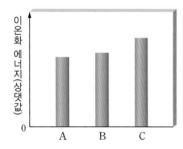

분자	(가)	(나)	(다)
분자식	B_2	A_2C_2	BC_m
비공유 전자쌍 수	x	y	z

이에 대한 설명으로 옳은 것만을 보기에서 있는 대로 고른 것은?

보기
ㄱ. $\dfrac{y+z}{m+x}=4$이다.
ㄴ. (나)에는 무극성 공유 결합이 있다.
ㄷ. (다)의 모든 구성 원자는 같은 평면상에 존재한다.

① ㄱ   ② ㄷ   ③ ㄱ, ㄴ   ④ ㄴ, ㄷ   ⑤ ㄱ, ㄴ, ㄷ

· N, O, F의 이온화 에너지는 F>N>O이다.

물만 데우는 전자레인지

삼각 김밥 2분, 어묵 3분, 냉동 만두 5분. 이 시간은 전자레인지에 음식을 넣고 따뜻하게 데우는 데 걸리는 시간이다. 빙글빙글 돌아가는 전자레인지 안에서는 어떤 일이 일어나는 것일까?

전자레인지는 마이크로파 오븐이라고 하는데, 이는 전자레인지 안에서 마이크로파를 발생시키기 때문에 붙여진 이름이다. 마이크로파는 전자기파 중 파장이 수 cm에서 1 m에 이르는 전자기파이다. 이 마이크로파가 물 분자와 상호작용하여 음식을 데우는데, 이와 같은 방법이 가능한 이유는 물 분자가 극성 분자이기 때문이다.

전자레인지를 작동하여 마이크로파를 음식물에 통과시키면 음식물 내의 물 분자는 진동하는 전기장 안에서 부분적인 양전하(δ^+)와 부분적인 음전하(δ^-)가 서로 반대 방향으로 진동하는 힘을 받는다. 이 결과 물 분자는 계속 빙빙 돌려고 하므로 이때 물 분자 사이의 인력이 끊어진다. 분자 사이의 힘을 적게 받게 된 물 분자들이 빠르게 진동하면서 다른 분자와 충돌하게 되면 분자들은 전체적으로 빨리 움직이게 되어 온도가 높아진다. 이처럼 전자레인지는 음식물 속에 들어 있는 물 분자들이 활발하게 운동하게 해 주는 것이다.

이런 원리로 극성을 띠지 않는 기름은 전자레인지로 데울 수 없다. 그러나 우리가 먹는 대부분의 음식은 전자레인지를 이용하여 데울 수 있는 데, 이는 대부분의 음식에 물이 포함되어 있기 때문이다.

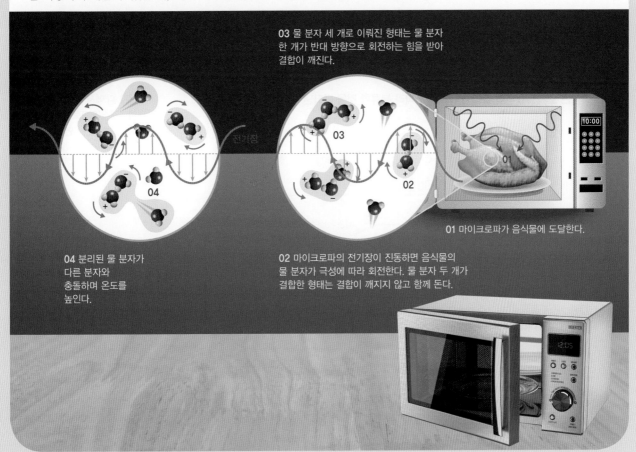

03 물 분자 세 개로 이뤄진 형태는 물 분자 한 개가 반대 방향으로 회전하는 힘을 받아 결합이 깨진다.

01 마이크로파가 음식물에 도달한다.

04 분리된 물 분자가 다른 분자와 충돌하며 온도를 높인다.

02 마이크로파의 전기장이 진동하면 음식물의 물 분자가 극성에 따라 회전한다. 물 분자 두 개가 결합한 형태는 결합이 깨지지 않고 함께 돈다.

01 ❯ 분자의 구조

다음은 분자 (가)~(다)에 대한 자료이다. (가)~(다)는 각각 NH_3, HCN, $HCHO$ 중 하나이다.

- (가)와 (나)는 분자를 구성하는 원자 수가 같다.
- (가)와 (다)는 분자를 구성하는 모든 원자가 같은 평면상에 존재한다.

이에 대한 설명으로 옳은 것만을 보기에서 있는 대로 고른 것은?

보기
ㄱ. (가)에는 다중 결합이 있다.
ㄴ. $\dfrac{\text{비공유 전자쌍 수}}{\text{공유 전자쌍 수}}$ 는 (가)가 (다)보다 크다.
ㄷ. 결합각은 (나)가 (다)보다 크다.

① ㄱ   ② ㄷ   ③ ㄱ, ㄴ   ④ ㄴ, ㄷ   ⑤ ㄱ, ㄴ, ㄷ

• 분자 구조가 선형, 평면 삼각형, 굽은 형인 분자들은 구성 원자가 모두 같은 평면상에 존재한다.

02 ❯ 분자의 구조

그림은 분자 (가)~(다)를 2가지 기준에 따라 분류한 것을 나타낸 것이다.

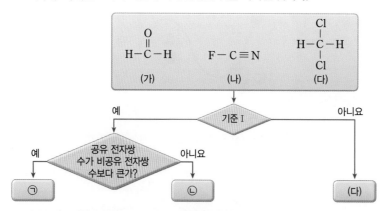

이에 대한 설명으로 옳은 것만을 보기에서 있는 대로 고른 것은?

보기
ㄱ. 기준 Ⅰ에는 '평면 구조인가?'를 적용할 수 있다.
ㄴ. 결합각은 ㉠이 ㉡보다 크다.
ㄷ. 비공유 전자쌍 수는 ㉡이 (다)보다 크다.

① ㄱ   ② ㄴ   ③ ㄱ, ㄷ   ④ ㄴ, ㄷ   ⑤ ㄱ, ㄴ, ㄷ

• 분자 (다)에서 중심 원자에 전자쌍이 4개 있으므로 중심 원자 주위의 각 원자는 사면체의 꼭짓점에 위치한다.

03 > 옥텟 규칙과 분자 구조

그림은 다중 결합을 나타내지 않은 분자 (가)와 (나)의 구조식이다. (가)와 (나)에서 2주기 원소는 모두 옥텟 규칙을 만족한다.

(가)   (나)

이에 대한 설명으로 옳은 것만을 보기에서 있는 대로 고른 것은?

> 보기
> ㄱ. 결합각은 $\alpha > \beta$이다.
> ㄴ. ㉠과 ㉡은 모두 2중 결합이다.
> ㄷ. (나)에서 모든 탄소 원자는 같은 평면상에 위치한다.

① ㄱ   ② ㄷ   ③ ㄱ, ㄴ   ④ ㄴ, ㄷ   ⑤ ㄱ, ㄴ, ㄷ

• 분자 (가)와 (나)에 옥텟 규칙을 만족하도록 다중 결합이나 비공유 전자쌍을 추가하여 그리면 (가)에서 산소 원자와 탄소 원자는 2중 결합을 형성한다.

04 > 쌍극자 모멘트와 분자의 극성

표는 원소 A~D로 이루어진 삼원자 분자 (가)~(다)에 대한 자료이다. A~D는 각각 H, C, O, F 중 하나이다.

분자	(가)	(나)	(다)
구성 원소	A, B	B, C	B, D
중심 원자	A	B	B
쌍극자 모멘트(상댓값)	0	a	b

(가)~(다)에 대한 설명으로 옳은 것만을 보기에서 있는 대로 고른 것은? (단, (나)에서 B는 부부적인 음전하(δ^-)를 띤다.)

> 보기
> ㄱ. a와 b는 모두 0보다 크다.
> ㄴ. (나)의 분자 구조는 굽은 형이다.
> ㄷ. (다)에서 D는 부분적인 양전하(δ^+)를 띤다.

① ㄱ   ② ㄴ   ③ ㄱ, ㄴ   ④ ㄱ, ㄷ   ⑤ ㄴ, ㄷ

• H, C, O, F로 이루어진 삼원자 분자에는 CO_2, H_2O, OF_2가 있다.

05 > 분자의 구조

다음은 3가지 분자 (가)~(다)의 구조식이다. (가)~(다)에서 2주기 원자는 옥텟 규칙을 만족한다.

$$H_2C = CH_2 \qquad H_2N - NH_2 \qquad FN = NF$$

(가)   (나)   (다)

(가)~(다)에 대한 설명으로 옳은 것만을 보기에서 있는 대로 고른 것은?

> 보기
>
> ㄱ. 비공유 전자쌍이 있는 분자는 2가지이다.
>
> ㄴ. (가)의 결합각(∠HCC)은 (다)의 결합각(∠FNN)보다 크다.
>
> ㄷ. (나)에서 구성 원자는 모두 같은 평면에 있다.

① ㄱ   ② ㄴ   ③ ㄱ, ㄴ   ④ ㄴ, ㄷ   ⑤ ㄱ, ㄴ, ㄷ

• (나)와 (다)에서 N 원자에 각각 비공유 전자쌍이 1개씩 있고, (다)에서 F 원자에 각각 비공유 전자쌍이 3개씩 있다.

06 > 전자쌍의 종류와 분자 구조

다음은 원소 A~D로 이루어진 분자의 정보를 카드에 나타낸 것이다. A~D는 각각 수소(H), 탄소(C), 산소(O), 플루오린(F) 중 하나이다.

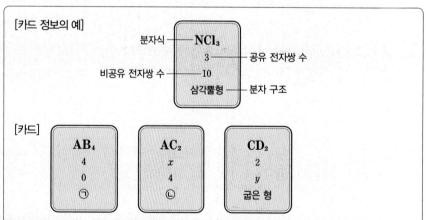

이에 대한 설명으로 옳은 것만을 보기에서 있는 대로 고른 것은?

> 보기
>
> ㄱ. $\dfrac{y}{x} = 2$이다.
>
> ㄴ. 분자의 쌍극자 모멘트는 AC_2가 CD_2보다 크다.
>
> ㄷ. B_2C의 분자 구조는 ⓒ이다.

① ㄱ   ② ㄷ   ③ ㄱ, ㄴ   ④ ㄴ, ㄷ   ⑤ ㄱ, ㄴ, ㄷ

• 중심 원자가 1개이고 공유 전자쌍만 4개인 분자는 정사면체 구조를 이룬다. 중심 원자가 1개이고 공유 전자쌍이 2개이며, 중심 원자에 비공유 전자쌍이 2개인 분자는 굽은 형 구조를 이룬다.

07

> 전자쌍 수와 분자 구조

그림은 분자 (가)~(다)의 $\dfrac{\text{비공유 전자쌍 수}}{\text{공유 전자쌍 수}}$를 나타낸 것이다. (가)~(다)는 각각 NCl_3, CO_2, CH_2F_2 중 하나이다.

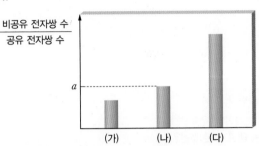

이에 대한 설명으로 옳은 것만을 보기에서 있는 대로 고른 것은?

보기
ㄱ. $a=1.5$이다.
ㄴ. 결합각은 (가)가 (다)보다 크다.
ㄷ. (나)의 쌍극자 모멘트는 0이다.

① ㄱ   ② ㄷ   ③ ㄱ, ㄴ   ④ ㄴ, ㄷ   ⑤ ㄱ, ㄴ, ㄷ

• NCl_3, CO_2, CH_2F_2에서 공유 전자쌍 수는 각각 3, 4, 4이고, 비공유 전자쌍 수는 10, 4, 6이다.

08

> 분자의 구조와 극성

그림은 바닥상태인 2주기 원소의 홀전자 수와 전자가 들어 있는 오비탈 수에 대한 원자가 전자 수의 비$\left(\dfrac{\text{원자가 전자 수}}{\text{전자가 들어 있는 오비탈 수}}\right)$를 나타낸 것이다.

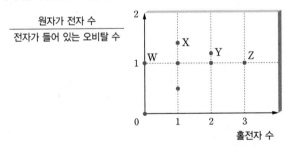

W~Z로 이루어진 분자에 대한 설명으로 옳은 것만을 보기에서 있는 대로 고른 것은? (단, W~Z는 임의의 원소 기호이다.)

보기
ㄱ. WX_2의 쌍극자 모멘트는 0이다.
ㄴ. YX_2의 분자 구조는 선형이다.
ㄷ. ZX_3의 구성 원자는 같은 평면상에 존재한다.

① ㄱ   ② ㄴ   ③ ㄱ, ㄷ   ④ ㄴ, ㄷ   ⑤ ㄱ, ㄴ, ㄷ

• 바닥상태 2주기 원자에서 홀전자 수가 0인 원소는 Be, Ne이고, 홀전자 수가 1인 원소는 Li, B, F이며, 홀전자 수가 2인 원소는 C, O이다.

09 ❯ 분자의 구조와 극성

다음은 플루오린 화합물 (가)~(다)에 대한 자료이다. $X \sim Z$는 각각 C, N, O 중 하나이다.

> • (가)~(다)의 분자식
>
> | 화합물 | (가) | (나) | (다) |
> |---|---|---|---|
> | 분자식 | XF_l | YF_m | ZF_n |
>
> • 중심 원자의 비공유 전자쌍 수는 (다)>(가)>(나)이다.
> • (가)~(다)의 모든 원자는 옥텟 규칙을 만족한다.

• C, N, O가 중심 원자이고, 중심 원자 수가 1인 플루오린 화합물은 CF_4, NF_3, OF_2이다.

이에 대한 설명으로 옳은 것만을 보기에서 있는 대로 고른 것은?

> **보기**
>
> ㄱ. $\dfrac{m+n}{l}=2$이다.
> ㄴ. 분자의 쌍극자 모멘트는 (다)가 (나)보다 크다.
> ㄷ. (가)는 삼각뿔 구조를 이룬다.

① ㄱ   ② ㄱ, ㄴ   ③ ㄱ, ㄷ   ④ ㄴ, ㄷ   ⑤ ㄱ, ㄴ, ㄷ

10 ❯ 분자의 구조와 극성

그림은 중심 원자가 탄소(C)인 4가지 분자를 주어진 기준에 따라 분류한 것이다. (가)~(라)에는 각각 1개의 분자가 속한다.

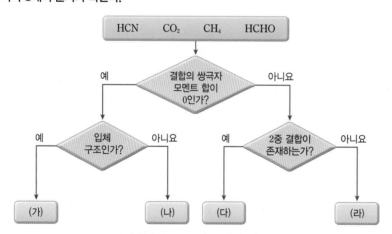

• 주어진 분자 중 결합의 쌍극자 모멘트 합이 0인 무극성 분자는 CO_2와 CH_4이다.

이에 대한 설명으로 옳은 것만을 보기에서 있는 대로 고른 것은?

> **보기**
>
> ㄱ. 결합각은 (나)가 (다)보다 크다.
> ㄴ. $\dfrac{\text{비공유 전자쌍 수}}{\text{공유 전자쌍 수}}$ 는 (나)가 (라)의 4배이다.
> ㄷ. 분자의 구성 원자 수는 (가)가 (라)보다 크다.

① ㄱ   ② ㄷ   ③ ㄱ, ㄴ   ④ ㄴ, ㄷ   ⑤ ㄱ, ㄴ, ㄷ

11 ❯ 분자의 구조와 극성
표는 바닥상태인 2주기 원자 A~E에 대한 자료이다.

원자	A	B	C	D	E
홀전자 수	1	1	2	2	3
전자가 들어 있는 오비탈 수	3	5	5	4	5

A~E로 이루어진 분자에 대한 설명으로 옳은 것만을 보기에서 있는 대로 고른 것은? (단, A ~E는 임의의 원소 기호이다.)

┌ 보기 ────────────────────────────────
ㄱ. 결합각은 AB_3가 EB_3보다 크다.
ㄴ. 분자의 쌍극자 모멘트는 DC_2가 CB_2보다 크다.
ㄷ. 중심 원자의 비공유 전자쌍 수는 EB_3가 CB_2보다 크다.
└────────────────────────────────────

① ㄱ 　　　② ㄴ 　　　③ ㄱ, ㄷ 　　　④ ㄴ, ㄷ 　　　⑤ ㄱ, ㄴ, ㄷ

전자 배치에 부합되는 원자는 A가 붕소(B), B가 플루오린(F), C가 산소(O), D가 탄소(C), E가 질소(N)이다.

12 ❯ 무극성 분자와 극성 분자의 성질
다음은 물질의 용해도를 알아보기 위한 실험이다.

┌─────────────────────────────────────
[실험 과정]
(가) 시험관 Ⅰ~Ⅳ를 준비하여 Ⅰ과 Ⅱ에는 물 20 mL씩을, Ⅲ과 Ⅳ에는 물질 X 20 mL씩을 넣는다.
(나) 시험관 Ⅰ과 Ⅲ에는 $CuCl_2$ 1 g 씩을, Ⅱ와 Ⅳ에는 물질 Y 1 g씩을 넣고 잘 흔든다.

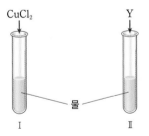 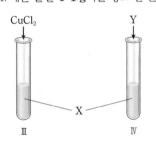

[실험 결과]
• $CuCl_2$는 Ⅰ에서만 용해되었고, 물질 Y는 Ⅳ에서만 용해되었다.
└─────────────────────────────────────

이에 대한 설명으로 옳은 것만을 보기에서 있는 대로 고른 것은?

┌ 보기 ────────────────────────────────
ㄱ. Y는 무극성 분자로 이루어진 물질이다.
ㄴ. 물과 X는 서로 잘 섞인다.
ㄷ. X로는 사염화 탄소(CCl_4)가 적절하다.
└────────────────────────────────────

① ㄱ 　　　② ㄴ 　　　③ ㄱ, ㄷ 　　　④ ㄴ, ㄷ 　　　⑤ ㄱ, ㄴ, ㄷ

극성 분자로 이루어진 물질은 물과 같은 극성 용매에 잘 녹고, 무극성 분자로 이루어진 물질은 벤젠, 사염화 탄소와 같은 무극성 용매에 잘 녹는다.

2. 분자의 구조와 성질

정답과 해설 68쪽

01 그림은 분자 (가)와 (나)를 화학 결합 모형으로 나타낸 것이다. (가)와 (나)의 분자식은 각각 XY_2와 ZX_2이다. (단, X~Z는 임의의 원소 기호이다.)

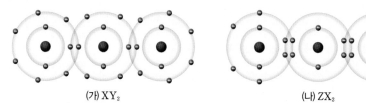

(가) XY_2 (나) ZX_2

KEY WORDS
(1) 전기 음성도
(2) 중심 원자, 공유 전자쌍, 비공유 전자쌍

(1) (가)와 (나)에서 부분적인 양전하(δ^+)를 띠는 원자를 각각 찾고, 그 이유를 서술하시오.

_____

(2) (가)와 (나)의 결합각을 부등호 또는 등호로 비교하고, 분자 구조에 대해 서술하시오.

_____

02 그림은 아미노산인 알라닌의 루이스 구조식이다.

$$
\begin{array}{c}
\quad\quad\quad\text{H} \\
\quad\quad\quad | \\
\text{H}-\overset{\textcircled{\scriptsize ㉠}}{\text{C}}-\text{H}\quad\quad\text{H} \\
\quad\quad\quad | \quad\quad\quad\quad\textcircled{\scriptsize ㉤}| \\
\text{H}-\overset{..}{\text{N}}-\text{C}-\text{C}\overset{\textcircled{\scriptsize ㉢}}{=}\overset{..}{\underset{..}{\text{O}}}: \\
\quad\textcircled{\scriptsize ㉡}|\quad |\quad \textcircled{\scriptsize ㉣}|| \\
\quad\quad\text{H}\quad\text{H}\quad :\overset{}{\underset{}{\text{O}}}:
\end{array}
$$

KEY WORDS
• 중심 원자, 전자쌍, 비공유 전자쌍

결합각 ㉠~㉤ 중 가장 큰 것과 가장 작은 것을 각각 쓰시오.

_____

03 다음은 분자 또는 이온의 화학식이다.

$$BCl_3 \quad CH_3{}^+ \quad NH_3 \quad NH_4{}^+$$

KEY WORDS
• 중심 원자, 공유 전자쌍

(1) 분자 또는 이온의 구조가 평면 삼각형인 것을 모두 고르시오.

_____

(2) 분자 또는 이온의 구조가 정사면체인 것을 모두 고르시오.

_____

04 그림은 4가지 분자를 분류 기준 (가)~(다)에 따라 분류한 것이다.

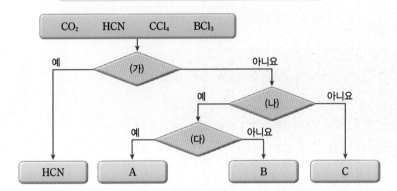

분류 기준 (가)~(다)

• 극성 물질인가?
• 다중 결합이 있는가?
• 모든 구성 원자가 같은 평면상에 존재하는가?

CO_2 HCN CCl_4 BCl_3

예 ← (가) → 아니요

예 ← (나) → 아니요

예 ← (다) → 아니요

HCN   A   B   C

(1) 분류 기준 (가)~(다)를 서술하시오.

(2) A~C의 결합각을 비교하고, 그 이유를 서술하시오.

05 다음은 분자 (가)~(다)에 대한 자료이다.

• (가)~(다)의 분자식

분자	(가)	(나)	(다)
분자식	WX_2Y	YZ_2	WY_2

• W~Z는 각각 H, C, O, F 중 하나이고, 전기 음성도는 X가 가장 작다.
• (가)~(다)의 중심 원자는 옥텟 규칙을 만족한다.

(1) (가)~(다)의 분자 구조를 쓰시오.

(2) (가)~(다)에서 극성 분자를 모두 고르고, 중심 원자의 비공유 전자쌍 수를 언급하여 그 이유를 서술하시오.

06 다음은 2주기 원소 W∼Z에 대한 자료이다. W∼Z는 임의의 원소 기호이다.

KEY WORDS
(1) 홀전자 수, p 오비탈 수
(2) 결합의 극성, 분자의 쌍극자 모멘트

> • 바닥상태 원자 W와 Y의 홀전자 수는 같다.
> • 전자가 들어 있는 p 오비탈 수는 X, Y, Z가 같다.
> • 제1 이온화 에너지는 X가 Z보다 크다.
> • 전자가 모두 채워진 오비탈 수는 Y가 Z보다 크다.

(1) WY_3와 XY_3의 분자 구조를 서술하시오.

_____

(2) Z의 수소 화합물 ZH_n에서 n을 구하고, 이 분자의 쌍극자 모멘트에 대해 서술하시오.

_____

07 표는 원소 A∼D로 이루어진 분자에 대한 자료이다. A∼D는 각각 H, C, N, O 중 하나이고 분자의 구성 원자 수는 4 이하이며 2주기 원소는 모두 옥텟 규칙을 만족한다.

KEY WORDS
• 공유 전자쌍 수, 비공유 전자쌍 수, 굽은 형

분자	(가)	(나)	(다)	(라)
구성 원소	A, B	B, C	C, D	B, C, D
공유 전자쌍 수	3	2	x	4
비공유 전자쌍 수	1	2	4	y
분자 구조	㉠	굽은 형	㉡	㉢

(1) ㉠, ㉡, ㉢을 쓰시오.

_____

(2) x와 y를 구하시오.

_____

08 표는 원자 수가 각각 5 이하인 분자 (가)~(다)에 대한 자료이다. X~Z는 각각 C, N, F 중 하나이고, (가)~(다)에서 모든 원자는 옥텟 규칙을 만족한다.

KEY WORDS
⑴ 비공유 전자쌍이 있는 원자, 중심 원자
⑵ 결합의 쌍극자 모멘트 합, 극성 분자, 무극성 분자

분자	(가)	(나)	(다)
원자 수비	X Y	Y X	Z X
공유 전자쌍 수	4	—	—
비공유 전자쌍 수	8	—	—

⑴ 다중 결합이 있는 분자를 모두 쓰시오.

⑵ (나)와 (다)의 쌍극자 모멘트를 비교하시오.

09 다음은 2주기 원소로 이루어진 분자 (가)~(다)에 대한 자료이다.

KEY WORDS
• 공유 전자쌍, 비공유 전자쌍, 결합각, 분자 구조

- 구성 원자 수는 3 이상이다.
- 중심 원자는 1개이고, 모든 원자는 옥텟 규칙을 만족한다.
- 분자의 구성 원소 수와 결합각 및 전자쌍 수비

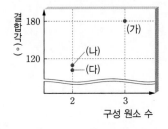

분자	비공유 전자쌍 수 / 공유 전자쌍 수
(가)	1
(나)	3
(다)	4

⑴ (가)에 있는 공유 전자쌍 수를 구하시오.

⑵ (나)의 극성 유무를 서술하시오.

⑶ (다)의 분자 구조를 쓰고, 그 이유를 서술하시오.

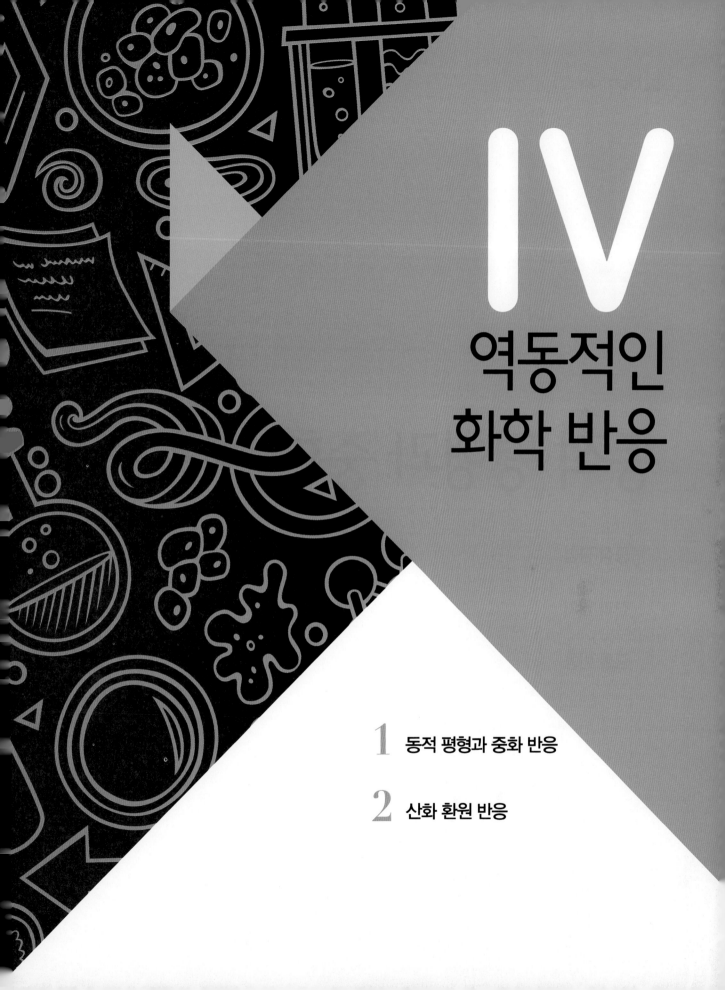

IV

역동적인
화학 반응

1
동적 평형과 중화 반응

단원
Preview

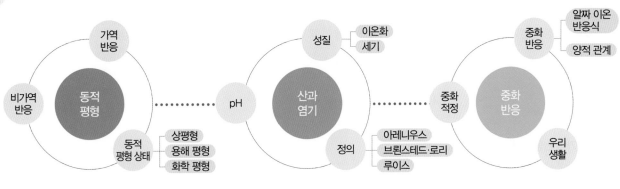

가역
반응

비가역
반응

동적
평형

동적
평형 상태

상평형
용해 평형
화학 평형

pH

성질

이온화
세기

산과
염기

정의

아레니우스
브뢴스테드·로리
루이스

중화
적정

중화
반응

중화
반응

알짜 이온
반응식

양적 관계

우리
생활

동적 평형　　　　　　　　　　**산과 염기**　　　　　　　　　　**중화 반응**

01 동적 평형

학습 Point 가역 반응, 정반응, 역반응 〉 동적 평형 상태 〉 상평형, 용해 평형 〉 화학 평형

1 가역 반응과 비가역 반응

물을 냉동실에 넣어 두면 얼음이 되고, 얼음을 냉동실에서 꺼내 실온에 두면 녹아서 물이 된다. 한편, 물은 수증기로 날아가기도 하고, 수증기가 응결하여 물이 되기도 하는데, 이와 같은 물의 상태 변화처럼 화학 반응에서도 양쪽 방향으로 일어나는 반응이 있다.

1. 가역 반응

(1) **정반응과 역반응:** 화학 반응식에서 반응물(화살표의 왼쪽)이 생성물(화살표의 오른쪽)로 되는 반응을 정반응, 생성물이 반응물로 되는 반응을 역반응이라고 한다.

(2) **가역 반응:** 화학 반응에서 양쪽 방향으로 일어날 수 있는 반응, 즉 정반응과 역반응이 모두 일어날 수 있는 반응을 가역 반응이라고 한다.

① **염화 코발트의 가역 반응:** 염화 코발트($CoCl_2$)는 건조한 상태에서 푸른색을 나타내지만, 수분을 흡수하면 붉은색의 염화 코발트 육수화물($CoCl_2 \cdot 6H_2O$)로 변한다. 붉은색의 염화 코발트 육수화물을 가열하면 물을 잃고 푸른색으로 변한다. 즉, 염화 코발트 육수화물의 생성과 분해는 반응 조건에 따라 모두 일어날 수 있는 가역 반응이다.

> - $CoCl_2 + 6H_2O \longrightarrow CoCl_2 \cdot 6H_2O$
>   푸른색 　　　　　　　　붉은색
>
> - $CoCl_2 \cdot 6H_2O \longrightarrow CoCl_2 + 6H_2O$
>   붉은색 　　　　　　　　푸른색
>
> $$CoCl_2 + 6H_2O \xrightleftharpoons[\text{역반응}]{\text{정반응}} CoCl_2 \cdot 6H_2O$$

② **물의 상태 변화:** 물의 증발과 응축도 정반응과 역반응이 모두 일어날 수 있는 가역 반응이다.

> $$H_2O(l) \xrightleftharpoons[\text{응축}]{\text{증발}} H_2O(g)$$

(3) 가역 반응의 예

① 광합성과 호흡

$$6CO_2(g) + 6H_2O(l) \xrightleftharpoons[\text{호흡}]{\text{광합성}} C_6H_{12}O_6(s) + 6O_2(g)$$

수화물
특정한 수의 물 분자를 포함하고 있는 화합물이다. 특히 이온 결합 화합물의 수화물을 나타낼 때는 수화물에 포함된 물 분자의 수를 화학식 뒤에 써서 나타낸다.

가역 반응의 화학 반응식에서 화살표($\rightleftharpoons$)의 의미
반응물이 생성물로 되는 반응과 생성물이 반응물로 되는 반응이 모두 일어날 수 있음을 뜻한다.

② 석회 동굴과 종유석, 석순의 생성 반응

$$CaCO_3(s) + CO_2(g) + H_2O(l) \underset{\text{종유석, 석순}}{\overset{\text{석회 동굴}}{\rightleftharpoons}} Ca(HCO_3)_2(aq)$$

③ 탄산 칼슘의 분해와 생성

$$CaCO_3(s) \rightleftharpoons CaO(s) + CO_2(g)$$

2. 비가역 반응

(1) **비가역 반응:** 대부분의 화학 반응은 가역 반응이다. 그러나 어떤 화학 반응은 역반응이 거의 무시할 만큼 매우 적게 일어나는데, 이를 비가역 반응이라고 한다.

(2) **비가역 반응의 예**

① 기체 발생 반응

$$Zn(s) + H_2SO_4(aq) \longrightarrow ZnSO_4(aq) + H_2(g)$$

② 앙금 생성 반응

$$AgNO_3(aq) + NaCl(aq) \longrightarrow AgCl(s) + NaNO_3(aq)$$

③ 산과 염기의 중화 반응

$$HCl(aq) + NaOH(aq) \longrightarrow NaCl(aq) + H_2O(l)$$

④ 연소 반응

$$CH_4(g) + 2O_2(g) \longrightarrow CO_2(g) + 2H_2O(l)$$

동적 평형 상태

유리컵에 담긴 물에 충분한 양의 소금을 넣고 저어 주면 소금이 최대한으로 물에 녹은 후, 더 이상 녹지 않고 가라앉아 있는 현상을 볼 수 있다. 이때 소금은 더 이상 녹지도 않고 석출되지도 않는 것처럼 보이는데, 소금물은 소금이 녹는 속도와 석출되는 속도가 같은 동적 평형 상태를 이루고 있다.

1. 동적 평형 상태

(1) **동적 평형 상태:** 가역 반응에서 정반응 속도와 역반응 속도가 같아져서 겉으로 보기에는 반응이 일어나지 않는 것처럼 보이는 상태를 동적 평형 상태라고 한다. 화학 평형 상태는 닫힌계에서만 이루어지며, 평형 상태에서는 반응물과 생성물이 함께 존재한다.

(2) **정반응 속도와 역반응 속도:** 평형 상태에서는 반응이 정지된 것처럼 보이지만 실제로는 정반응과 역반응이 끊임없이 일어나고 있으므로 반응물과 생성물이 함께 존재한다. 이때 반응이 정지된 상태가 아니라 정반응 속도와 역반응 속도가 같으므로 동적 평형 상태가 유지된다.

$$aA + bB \underset{v_2}{\overset{v_1}{\rightleftharpoons}} cC + dD \quad \text{평형 상태: } v_1(\text{정반응 속도}) = v_2(\text{역반응 속도})$$

석회 동굴에서 일어나는 반응

다음 화학 반응식의 정반응이 일어나면 석회 동굴이 생성되고, 역반응이 일어나면 종유석이나 석순이 생성된다.

$$CaCO_3(s) + CO_2(g) + H_2O(l)$$
$$\rightleftharpoons Ca(HCO_3)_2(aq)$$

비가역 반응의 예

· 기체 발생 반응: 구리를 진한 질산과 반응시키면 이산화 질소가 발생한다.

· 앙금 생성 반응: 탄산 나트륨 수용액과 염화 칼슘 수용액을 반응시키면 탄산 칼슘 앙금이 생성된다.

· 중화 반응: 염산과 수산화 나트륨 수용액을 반응시키면 물과 염화 나트륨이 생성된다.

· 연소 반응: 화석 연료가 공기 중의 산소와 반응하여 빛과 열을 내며 탄다.

닫힌계

주위와 에너지는 교환하지만 물질은 교환하지 않는 계

2. 상평형

(1) 증발과 응축

① 증발: 액체 표면에 있는 분자들이 액체 내부에 있는 분자들에 비해 분자 사이의 인력이 작아 액체 표면으로부터 쉽게 떨어져 나와 기체 상태로 변하는 현상이다.

▲ 증발과 응축

② 응축: 증발한 기체 분자가 다시 액체 상태로 변하는 현상이다.

(2) 상평형

① 상평형: 2가지 이상의 상태가 동적 평형을 유지하는 것을 의미한다.

② 밀폐된 용기에서 동적 평형 상태: 그림과 같이 플라스크 속에 액체를 넣고 밀폐시키면 증발한 분자는 밖으로 나가지 못하고 플라스크 속 액체 위의 공간에 존재한다. 이 기체 분자가 액체 표면에 충돌하면 응축되어 다시 액체로 된다. 처음에는 응축 속도보다 증발 속도가 빠르지만 시간이 지날수록 액체 표면 위에 기체 분자 수가 증가하여 응축 속도가 증가한다. 그리고 응축 속도와 증발 속도가 같아지는 동적 평형 상태가 되면 액체의 양과 기체의 양이 일정하게 유지된다.

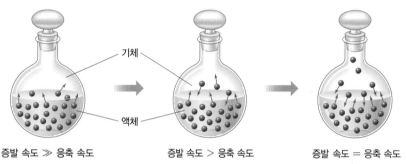

증발 속도 ≫ 응축 속도　　　　증발 속도 > 응축 속도　　　　증발 속도 = 응축 속도

▲ 상평형(동적 평형 상태)

(3) 증기 압력: 일정한 온도에서 밀폐된 용기에 들어 있는 액체와 그 증기가 동적 평형 상태에 있을 때 증기가 나타내는 압력을 증기 압력이라고 한다.

① 분자 간 인력과 증기 압력: 증기 압력은 물질의 종류에 따라 다르며, 일반적으로 액체 분자 사이의 인력이 작을수록 증기 압력이 크다.

② 온도와 증기 압력: 증기 압력은 물질에 가해지는 압력에 의해서 변하지 않고, 온도에 의해서만 변한다. 같은 물질인 경우 온도가 높을수록 분자들의 평균 운동 에너지가 커지므로 액체 분자 사이의 인력을 쉽게 극복하여 증발하기 쉬워 증기 압력이 커진다.

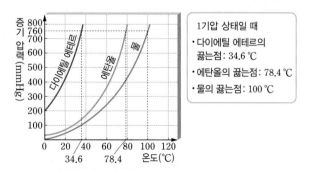

1기압 상태일 때
· 다이에틸 에테르의 끓는점: 34.6 ℃
· 에탄올의 끓는점: 78.4 ℃
· 물의 끓는점: 100 ℃

▲ 여러 가지 액체의 증기 압력 곡선

상태 변화에서의 가역 반응

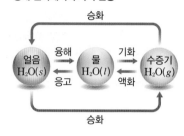

밀폐 용기 속 액체의 증발 속도와 증기의 응축 속도

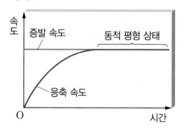

기준 끓는점

액체의 증기 압력이 외부 압력과 같아지는 온도를 끓는점이라 하며, 외부 압력이 1기압(=760 mmHg)일 때의 온도를 기준 끓는점이라고 한다.

물질의 3가지 상태는 온도와 압력에 따라 결정되는데, 온도와 압력에 따른 물질의 상태를 그래프로 나타낸 것을 상평형 그림이라고 한다. 상평형 그림을 보면 온도와 압력에 따른 물질의 상태를 알 수 있다.

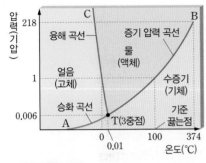

▲ **물의 상평형 그림**

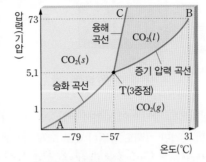

▲ **이산화 탄소의 상평형 그림**

❶ 물과 이산화 탄소의 상평형 그림에서 액체와 기체가 공존하여 평형을 이루는 BT 곡선이 증기 압력 곡선이다.

❷ 물과 이산화 탄소의 상평형 그림에서 고체와 액체가 공존하여 평형을 이루는 곡선인 CT 곡선이 융해 곡선이다.

❸ 물과 이산화 탄소의 상평형 그림에서 고체와 기체가 공존하여 평형을 이루는 AT 곡선이 승화 곡선이다.

❹ 상평형 그림에서 세 곡선이 만나는 지점 T는 고체, 액체, 기체가 모두 함께 존재하는 온도와 압력을 나타낸 것으로, 3중점이라고 한다. 물의 3중점은 0.006기압, 0.01 ℃이고, 이산화 탄소의 3중점은 5.1기압, −57 ℃이다.

3. 용해 평형

(1) 용해와 석출

① 용해: 용매와 용질이 고르게 섞이는 현상으로, 용매와 용질 사이의 인력이 용질과 용질 사이의 인력 및 용매와 용매 사이의 인력보다 크거나 비슷할 때 용해가 잘 일어난다.

② 석출: 용해 과정에서 용해된 분자나 이온의 수가 많아져 이들 중 일부가 다시 결정으로 되는 현상이다.

(2) 용해 평형: 용해 과정에서 용해된 분자나 이온의 수가 많아지면 이들 중에서 일부는 다시 결정으로 석출되기도 한다. 이때 용질이 용해되는 속도와 석출되는 속도가 같아지면 용질이 용매에 더 이상 녹지 않는 것처럼 보이는데, 이와 같은 동적 평형 상태를 용해 평형이라고 한다.

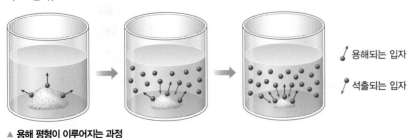

▲ **용해 평형이 이루어지는 과정**

물의 상평형 그림과 끓는점, 어는점

• 물의 상평형 그림에서 BT 곡선으로 높은 산에서 밥을 하면 쌀이 설익는 이유를 설명할 수 있다. 높은 산에서는 대기압이 1기압보다 작아 100 ℃보다 낮은 온도에서 물의 증기 압력이 외부 압력과 같아져 물이 끓게 되므로 쌀이 설익는다.

• 물의 상평형 그림에서 물의 융해 곡선인 CT 곡선의 기울기가 음(−)의 값을 가지기 때문에 외부 압력이 커지면 어는점이 낮아진다.

용해 평형
용해 속도＝석출 속도

$$용매＋용질 \underset{석출}{\overset{용해}{\rightleftharpoons}} 용액$$

(3) 용액의 상태

① **포화 용액**: 어떤 온도에서 일정량의 용매에 용질이 최대한 녹아 있는 용액을 포화 용액이라고 한다. 포화 용액은 용해 평형 상태에 있으므로 포화 용액에서 용해 속도와 석출 속도는 같다.

② **불포화 용액**: 포화 용액보다 용질이 적게 녹아 있어서 용질을 더 녹일 수 있는 상태의 용액으로, 불포화 용액에 용질을 넣으면 용해 속도가 석출 속도보다 빠르기 때문에 용질이 용매에 용해된다.

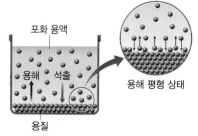

▲ **포화 용액에서의 용해와 석출**

③ **과포화 용액**: 포화 용액보다 용질이 비정상적으로 많이 녹아 있어서 불안정한 상태의 용액으로, 과포화 용액을 흔들어 주거나 약간의 충격만 가해도 용질이 바로 고체 상태로 석출되고, 용액은 안정한 상태의 포화 용액이 된다.

4. 이산화 질소와 사산화 이질소의 화학 평형

적갈색을 띠는 이산화 질소(NO_2)가 서로 결합하여 무색의 사산화 이질소(N_2O_4)를 생성하는 반응은 가역적으로 일어난다.

(1) NO_2와 N_2O_4는 반응 조건에 따라 정반응과 역반응이 모두 일어날 수 있다.

$$\underset{\text{적갈색}}{2NO_2(g)} \rightleftharpoons \underset{\text{무색}}{N_2O_4(g)}$$

(2) 밀폐된 용기에 NO_2만 넣으면 적갈색을 띠지만, NO_2가 서로 결합하여 무색의 N_2O_4를 생성하는 반응이 일어나므로 적갈색이 점점 옅어진다. 반응이 진행되면 N_2O_4가 분해되어 적갈색을 띠는 NO_2를 생성하는 역반응도 일어난다.

(3) 충분한 시간이 지나면 N_2O_4를 생성하는 정반응과 N_2O_4가 분해되는 역반응이 같은 속도로 일어나는 동적 평형에 도달하여 혼합 기체의 색이 변하지 않고 일정하게 유지된다. 즉, 용기 안은 화학 평형 상태에 도달하므로 NO_2와 N_2O_4의 농도가 일정하게 유지된다.

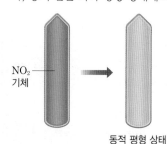

▲ NO_2 기체만 넣고 충분한 시간이 지난 후의 화학 평형 상태

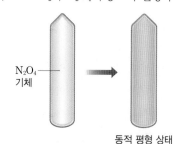

▲ N_2O_4 기체만 넣고 충분한 시간이 지난 후의 화학 평형 상태

5. 평형 상태에서 물질의 농도

가역 반응에서는 반응물이 모두 소모되어 생성물로 변하는 것이 아니라 생성물이 반응물로 변하는 반응도 일어나므로 충분한 시간이 지나면 반응물과 생성물의 농도가 일정하게 유지된다. 즉, 평형 상태에서는 반응물과 생성물이 함께 존재한다.

온도에 따른 이산화 질소와 사산화 이질소의 화학 평형

적갈색 기체인 NO_2를 냉각시키면 무색 기체인 N_2O_4로 되는 반응이 우세하게 진행되어 색이 옅어진다.

$$\underset{\text{적갈색}}{2NO_2(g)} \xrightarrow{\text{냉각}} \underset{\text{무색}}{N_2O_4(g)}$$

무색 기체인 N_2O_4의 온도를 높이면 적갈색 기체인 NO_2로 되는 반응이 우세하게 진행되어 적갈색이 진해진다.

$$\underset{\text{무색}}{N_2O_4(g)} \xrightarrow{\text{가열}} \underset{\text{적갈색}}{2NO_2(g)}$$

반응물, 생성물과 화학 평형

· 밀폐 용기에 NO_2 또는 N_2O_4만 넣거나, NO_2와 N_2O_4를 같이 넣는 경우에도 모두 충분한 시간이 지나면 화학 평형 상태에 도달하여 혼합 기체의 색이 옅은 적갈색으로 유지된다.

· 반응 조건이 같으면 반응이 정반응에서 시작되든지 역반응에서 시작되든지 같은 평형 상태에 도달하게 된다.

화학 평형 상태

화학 반응의 평형 상태에서 정반응 속도와 역반응 속도, 반응물과 생성물의 농도는 어떻게 변화되는지 알아보자.
또, 화학 평형 상태일 때 화학 반응식은 어떻게 해석할 수 있는지 알아보자.

❶ 화학 반응에서의 동적 평형 상태

평형 상태에서는 반응이 정지된 것처럼 보이지만, 실제로는 정반응과 역반응이 끊임없이
일어나고 있으므로 반응물과 생성물이 함께 존재한다. 또, 반응이 정지된 상태가 아니라
정반응 속도와 역반응 속도가 같으므로 동적 평형 상태가 유지된다.

$$a\text{A} + b\text{B} \underset{v_2}{\overset{v_1}{\rightleftharpoons}} c\text{C} + d\text{D} \quad \text{평형 상태: } v_1(\text{정반응 속도})=v_2(\text{역반응 속도})$$

❷ 화학 평형 상태에 도달할 때까지 반응물과 생성물의 농도

화학 평형 상태에서는 온도나 압력을 변화시키지 않으면 반응물의 농도와 생성물의 농도
가 일정하게 유지된다.

⑩ $2\text{HI}(g) \rightleftharpoons \text{H}_2(g) + \text{I}_2(g)$

아이오딘화 수소가 분해되어 수소와 아이오딘이 되는 정반응 속도는 반응 초기에는 빠르
지만, 반응이 진행됨에 따라 아이오딘화 수소의 농도가 묽어지므로 점점 느려진다. 그리
고 아이오딘화 수소가 다시 생성되는 역반응 속도는 반응 초기에는 0에 가깝지만, 반응
이 진행됨에 따라 수소와 아이오딘의 농도가 진해져 점점 빨라진다. 결국 이 가역 반응은
아이오딘화 수소의 분해 속도와 생성 속도가 같아지는 동적 평형 상태에 도달한다.

아이오딘화 수소의 분해 속도와 생성 속도가 같은 화학 평형 상태에서는 수소, 아이오딘,
아이오딘화 수소의 농도가 각각 일정하다. 왜냐하면 화학 평형 상태에서는 반응물이 줄
어드는 만큼 다시 생기고, 생성물이 생기는 만큼 다시 줄어들어 농도의 변화가 일어나지
않기 때문이다.

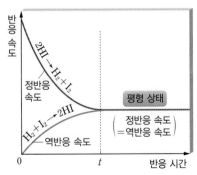

반응 시간에 따른 정반응 속도와 역반응 속도 변화

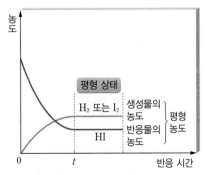

반응 시간에 따른 물질의 농도 변화

▲ $2\text{HI}(g) \rightleftharpoons \text{H}_2(g) + \text{I}_2(g)$ 반응에서의 반응 속도와 물질의 농도 변화

화학 평형 상태와 정류 상태
화학 평형 상태는 닫힌계에서 계
의 온도나 물질의 농도 등이 일정
하게 유지되는 상태를 의미한다.
한편 열린계에서 계의 성질이 일
정하게 유지되는 것을 정류 상태
라고 한다.
예를 들면 뚜껑이 열린 냄비에 담
긴 물이 난로 위에서 끓고 있어 물
의 온도가 일정하게 유지되는 경
우는 정류 상태라고 한다. 이때에
는 물에 열에너지를 계속 공급하
고, 공급되는 열에너지가 물을 수
증기로 상태 변화시키는 데 쓰이
므로 계의 온도가 일정하게 유지
된다.

열린계
주위와 물질, 에너지를 교환하는
계

❸ 화학 반응식과 화학 평형 상태의 관계

평형 상태에서 존재하는 물질의 양은 화학 반응식의 계수와 관계가 있을 것으로 생각하기 쉽다. 그러나 평형 상태에서 존재하는 반응물과 생성물의 양은 화학 반응식의 계수에 의해 정해지는 것이 아니다.

예 $2HI(g) \rightleftharpoons H_2(g) + I_2(g)$

아이오딘화 수소(HI) 분해 반응의 경우 평형 상태에서 HI, H_2, I_2이 각각 2몰, 1몰, 1몰로 존재하거나 2 : 1 : 1의 몰비로 존재한다는 의미가 아니다. 화학 반응식의 계수비는 평형 상태에서 존재하는 반응물과 생성물의 농도비가 아니라, 평형에 도달할 때까지 반응물이 감소한 농도와 생성물이 증가한 농도의 비(반응 몰비)에 해당한다.

❹ 화학 평형 상태에서 물질의 농도

반응 조건이 같으면 반응이 정반응에서 시작되든지 역반응에서 시작되든지 같은 평형 상태에 도달하게 된다.

예 $2NO_2(g) \rightleftharpoons N_2O_4(g)$

위 반응이 평형 상태에 있을 때 반응 조건(압력, 온도)을 변화시키면 $NO_2(g)$와 $N_2O_4(g)$의 존재비가 달라지는 새로운 평형 상태에 도달한다. 그러나 반응 조건이 변하지 않는 한 평형 상태에서 반응물과 생성물의 농도는 항상 일정하게 유지된다.

표는 25 ℃에서 밀폐 용기 속에 $N_2O_4(g)$와 $NO_2(g)$의 처음 농도를 다르게 하여 넣었을 때 평형 상태에서 각 물질의 농도를 나타낸 것이다.

실험	처음 농도(M)		평형 농도(M)	
	[N_2O_4]	[NO_2]	[N_2O_4]	[NO_2]
1	0.0400	0.0000	0.0337	0.0126
2	0.0337	0.0126	0.0337	0.0126
3	0.0000	0.0800	0.0337	0.0126

위 표에서 알 수 있는 것과 같이 온도와 압력이 일정할 때, 용기 속에 $N_2O_4(g)$와 $NO_2(g)$를 다른 농도로 넣은 경우에도 같은 평형 상태에 도달하게 된다.

몰 농도의 단위
몰 농도의 단위는 mol/L 또는 M으로 나타낸다.

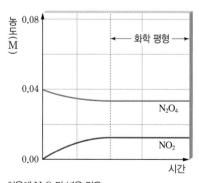

처음에 N_2O_4만 넣은 경우

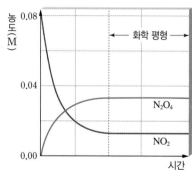

처음에 NO_2만 넣은 경우

▲ 반응 조건이 같을 때 $NO_2(g)$와 $N_2O_4(g)$의 농도 변화와 화학 평형

01 동적 평형

1 가역 반응과 비가역 반응

1. **가역 반응** 화학 반응에서 양쪽 방향으로 일어날 수 있는 반응으로, (❶   )과 역반응이 모두 일어날 수 있는 반응
   ➡ 반응물이 생성물로 되는 반응을 (❷   )이라 하고, 생성물이 반응물로 되는 반응을 (❸   )이라고 한다.

2. **비가역 반응** 역반응이 거의 무시할 만큼 매우 적게 일어나는 반응
   ⓔ 기체 발생 반응, 앙금 생성 반응, 중화 반응, 연소 반응 등

2 동적 평형 상태

1. **동적 평형 상태** 겉보기에는 반응이 일어나지 않는 것처럼 보이지만, 실제로는 정반응과 역반응이 같은 속도로 일어나고 있는 상태

2. **상평형**
   • 증발과 응축: 액체 표면의 분자들이 쉽게 떨어져 나와 기체 상태로 변하는 현상은 (❹   )이고, 증발한 기체 분자가 에너지를 잃고 다시 액체 상태로 변하는 현상은 (❺   )이다.
   • 밀폐된 용기에서의 동적 평형 상태: 액체의 증발 속도와 증기의 (❻   ) 속도가 같아 액체의 양이 일정하게 유지된다.
   • 상평형: 2가지 이상의 상태가 동적 평형을 유지하는 것을 의미한다.

3. **용해 평형**
   • 용해: 용매와 용질이 고르게 섞이는 현상
   • (❼   ): 용해 과정에서 용해된 분자나 이온의 수가 많아져 이들 중 일부가 다시 결정으로 얻어지는 현상
   • 용해 평형: 용질이 용해되는 속도와 (❽   )되는 속도가 같아 겉으로 보기에는 용질이 용매에 더 이상 녹지 않는 것처럼 보이는 동적 평형 상태
   • 용액의 상태
     포화 용액: 어떤 온도에서 일정량의 용매에 용질이 최대한 녹아 있는 용액으로, 용해 평형에 도달한 용액
     불포화 용액: 포화 용액보다 용질이 적게 녹아 있어서 용질을 더 녹일 수 있는 상태의 용액
     과포화 용액: 포화 용액보다 용질이 비정상적으로 많이 녹아 있어서 불안정한 상태의 용액

4. **화학 평형**
   • 사산화 이질소(N_2O_4)의 생성 반응과 분해 반응: 밀폐된 용기에 적갈색의 NO_2를 넣고 충분한 시간이 지나면 N_2O_4를 생성하는 정반응과 N_2O_4가 분해되는 역반응이 같은 속도로 일어나는 동적 평형에 도달하여 혼합 기체의 색이 더 이상 변하지 않고 일정하게 유지된다.
   • 가역 반응에서의 동적 평형 상태: 반응물이 모두 소모되어 생성물로 변하는 것이 아니라 생성물이 반응물로 변하는 역반응도 일어나므로 충분한 시간이 지나면 반응물과 생성물의 농도가 일정하게 유지되는 동적 평형 상태에 도달하게 된다.

01 보기의 반응 중 비가역 반응만을 있는 대로 고르시오.

보기
ㄱ. $H_2O(l) \longrightarrow H_2O(g)$
ㄴ. $2NO_2(g) \longrightarrow N_2O_4(g)$
ㄷ. $N_2(g) + 3H_2(g) \longrightarrow 2NH_3(g)$
ㄹ. $Zn(s) + 2HCl(aq) \longrightarrow ZnCl_2(aq) + H_2(g)$
ㅁ. $HCl(aq) + NaOH(aq)$
$\longrightarrow NaCl(aq) + H_2O(l)$

02 화학 평형 상태에 대한 설명으로 옳은 것만을 보기에서 있는 대로 고르시오.

보기
ㄱ. 정반응 속도와 역반응 속도가 같다.
ㄴ. 반응물과 생성물의 농도가 변하지 않는다.
ㄷ. 순수한 생성물에서 시작하면 평형 상태에 도달할 수 없다.
ㄹ. 반응물과 생성물의 농도비는 화학 반응식의 계수비와 같다.

03 일정한 온도에서 이산화 질소(NO_2)와 사산화 이질소(N_2O_4)는 다음과 같은 반응에 의해 평형 상태에 도달한다.

$$\underset{\text{적갈색}}{2NO_2(g)} \rightleftharpoons \underset{\text{무색}}{N_2O_4(g)}$$

이 평형 상태에 대한 설명으로 옳은 것만을 보기에서 있는 대로 고르시오.

보기
ㄱ. NO_2와 N_2O_4가 2 : 1의 농도비로 존재한다.
ㄴ. 용기 속 기체의 색깔이 일정하게 유지된다.
ㄷ. N_2O_4가 분해되는 속도와 생성되는 속도가 같다.

04 그림은 밀폐 용기 속에 액체를 넣고 일정한 온도에서 충분한 시간이 흐른 후 동적 평형 상태에 도달한 모습을 나타낸 것이다.

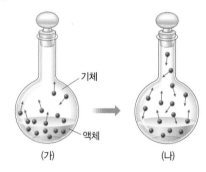

(가)   (나)

(1) (가)와 (나)에서 액체의 증발 속도의 크기를 비교하시오.

(2) (가)에서 증발 속도와 응축 속도의 크기를 비교하시오.

(3) (나)에서 증발 속도와 응축 속도의 크기를 비교하시오.

05 그림은 일정량의 용매에 용질을 녹여 충분한 시간이 흐른 후 동적 평형 상태에 도달한 모습을 나타낸 것이다. (단, 용매의 증발은 일어나지 않는다.)

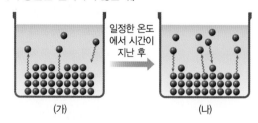

(가)   (나)

(1) (가)에서 용해 속도와 석출 속도의 크기를 비교하시오.

(2) (나)에서 용해 속도와 석출 속도의 크기를 비교하시오.

01 ❯ 가역 반응의 동적 평형

다음은 산소(O_2)와 오존(O_3)의 화학 반응식이다.

$$3O_2(g) \rightleftharpoons 2O_3(g)$$

이 평형 상태에 대한 설명으로 옳은 것만을 보기에서 있는 대로 고른 것은?

보기

ㄱ. O_2와 O_3이 $3 : 2$의 몰비로 존재한다.

ㄴ. O_2와 O_3의 농도가 변하지 않고 일정하다.

ㄷ. O_2의 생성 반응과 O_3의 생성 반응이 더 이상 일어나지 않는다.

① ㄱ   ② ㄴ   ③ ㄱ, ㄷ   ④ ㄴ, ㄷ   ⑤ ㄱ, ㄴ, ㄷ

• 화학 평형 상태에서 반응하는 몰비는 계수비와 같지만, 존재하는 반응물과 생성물의 몰비와는 같지 않다.

02 ❯ 상평형

그림은 일정한 온도에서 수조에 액체 **A**를 넣고 유리종으로 덮은 다음 충분한 시간이 지난 후 액체의 양이 줄어든 채 일정하게 유지된 모습을 나타낸 것이다.

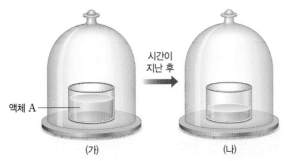

액체 A —   시간이 지난 후

(가)   (나)

이 평형 상태에 대한 설명으로 옳은 것만을 보기에서 있는 대로 고른 것은?

보기

ㄱ. 증기의 압력은 (가)가 (나)보다 크다.

ㄴ. (가)에서 액체의 증발 속도가 증기의 응축 속도보다 크다.

ㄷ. (나)에서 액체의 증발이나 증기의 응축은 일어나지 않는다.

① ㄱ   ② ㄴ   ③ ㄱ, ㄷ   ④ ㄴ, ㄷ   ⑤ ㄱ, ㄴ, ㄷ

• 일정한 온도에서 밀폐된 용기에 들어 있는 액체와 그 증기가 동적 평형 상태에 있을 때 증기가 나타내는 압력이 증기 압력이다.

03 > 가역 반응의 동적 평형

다음은 아세틸렌(C_2H_2)이 수소(H_2)와 반응하여 에테인(C_2H_6)을 생성하는 화학 반응식이다.

$$C_2H_2(g) + 2H_2(g) \rightleftharpoons C_2H_6(g)$$

이에 대한 설명으로 옳은 것만을 보기에서 있는 대로 고른 것은?

┌─ 보기 ─────────────────────────────
ㄱ. 반응 용기에 H_2만 넣어도 평형 상태에 도달한다.
ㄴ. 평형 상태에서 C_2H_2의 농도와 C_2H_6의 농도는 같다.
ㄷ. 평형 상태에서 C_2H_6의 생성 속도와 분해 속도는 같다.
└──────────────────────────────────

① ㄱ   ② ㄷ   ③ ㄱ, ㄴ   ④ ㄴ, ㄷ   ⑤ ㄱ, ㄴ, ㄷ

* 가역 반응에서 정반응 속도와 역반응 속도가 같아져서 겉으로 보기에는 반응이 일어나지 않는 것처럼 보이는 상태를 동적 평형 상태라고 한다.

04 > 용해 평형

다음은 염화 나트륨(NaCl)의 용해 평형을 알아보는 실험 과정이다.

(가) 증류수 100 g이 들어 있는 삼각 플라스크에 염화 나트륨 결정을 충분히 넣고 오래 저어 주었더니 일부의 염화 나트륨이 더 이상 녹지 않고 가라앉았다.

(나) 그림과 같이 유리관을 끼운 고무마개로 과정 (가)의 삼각 플라스크 입구를 막은 다음 염화 수소(HCl) 기체를 통과시켰다.

이에 대한 설명으로 옳은 것만을 보기에서 있는 대로 고른 것은? (단, 온도는 일정하다.)

┌─ 보기 ─────────────────────────────
ㄱ. (가)는 동적 평형 상태이다.
ㄴ. (나)에서 수용액의 pH는 감소한다.
ㄷ. (나)에서 바닥에 가라앉은 염화 나트륨의 양이 많아진다.
└──────────────────────────────────

① ㄱ   ② ㄴ   ③ ㄱ, ㄷ   ④ ㄴ, ㄷ   ⑤ ㄱ, ㄴ, ㄷ

* $NaCl(s) \rightleftharpoons NaCl(aq)$의 동적 평형 상태에 염화 수소(HCl) 기체를 통과시키면 염화 수소가 물에 용해되면서 용해된 NaCl이 석출된다.

05 ＞ 용해 평형

다음은 질량수가 12인 탄소(^{12}C)로 이루어진 이산화 탄소($^{12}CO_2$)의 용해 평형과 포화 수용액을 나타낸 것이다.

$$CO_2(g) \rightleftharpoons CO_2(aq)$$

25 ℃, 1기압
$CO_2(g)$

CO_2 포화
수용액

이에 대한 설명으로 옳은 것만을 보기에서 있는 대로 고른 것은? (단, 포화 수용액은 용해 평형이 이루어진 상태를 의미한다.)

┌ 보기 ─────────────────────────────────
ㄱ. 평형 상태에 도달하기 전에는 CO_2의 용해 속도가 석출 속도보다 크다.
ㄴ. 평형 상태의 수용액에서 CO_2는 더 이상 용해되지 않는다.
ㄷ. 평형 상태에서 $^{13}CO_2$를 주입하면 수용액에서 용해된 $^{13}CO_2$가 존재한다.
└────────────────────────────────────

① ㄱ   ② ㄴ   ③ ㄱ, ㄷ   ④ ㄴ, ㄷ   ⑤ ㄱ, ㄴ, ㄷ

> 용해 평형 상태에서는 용해 속도와 석출 속도가 같지만 평형 상태에 도달하기 전에는 용해 속도가 석출 속도보다 크다.

06 ＞ 화학 평형

다음은 이산화 질소(NO_2)가 반응하여 사산화 이질소(N_2O_4)를 생성하는 화학 반응식이고, 그림은 NO_2를 시험관에 넣고 밀폐시킨 다음 25 ℃ 물이 담긴 비커에 넣은 초기 상태를 나타낸 것이다.

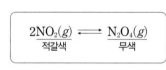

$$\underset{\text{적갈색}}{2NO_2(g)} \rightleftharpoons \underset{\text{무색}}{N_2O_4(g)}$$

NO_2 기체

25 ℃ 물

이에 대한 설명으로 옳은 것만을 보기에서 있는 대로 고른 것은?

┌ 보기 ─────────────────────────────────
ㄱ. 초기에는 정반응 속도가 역반응 속도보다 크다.
ㄴ. 평형 상태에서 NO_2는 존재하지 않는다.
ㄷ. 평형 상태에서 시험관 속 기체의 색은 초기보다 옅어진다.
└────────────────────────────────────

① ㄱ   ② ㄴ   ③ ㄱ, ㄷ   ④ ㄴ, ㄷ   ⑤ ㄱ, ㄴ, ㄷ

> 초기에는 정반응 속도가 역반응 속도보다 빠르지만 동적 평형 상태에서는 같아진다. 이때 반응물과 생성물은 모두 함께 존재한다.

02 산과 염기

학습 Point 산과 염기의 성질, 이온화 〉 산과 염기의 정의 〉 물의 자동 이온화 〉 수소 이온 농도와 pH

 산과 염기의 성질

우리가 요리에 사용하는 식초는 산이고, 속이 쓰릴 때 먹는 제산제는 염기로, 우리 주변에서는 다양한 산과 염기가 사용된다. 실생활 속에서 사용되는 산과 염기는 각각 공통적인 성질이 있다.

1. 산

(1) **산**: 수용액에서 이온화하여 수소 이온(H^+)을 내놓는 물질이다.

예 염산(HCl), 황산(H_2SO_4), 질산(HNO_3), 탄산(H_2CO_3), 아세트산(CH_3COOH) 등

(2) **산의 공통적인 성질(산성)**

① 맛: 산의 묽은 수용액은 신맛이 난다. 식초나 과일이 신맛을 내는 것은 이들이 산을 포함하고 있기 때문이다.

김치

포도

개미

▲ **우리 주변의 산** 김치(락트산), 포도(타타르산), 개미의 분비물(폼산)

② 금속과의 반응: 산은 마그네슘(Mg), 알루미늄(Al), 아연(Zn), 철(Fe) 등과 같이 수소보다 반응성이 큰 금속과 반응하면 수소 기체를 발생한다.

예 $Mg + 2HCl \longrightarrow MgCl_2 + H_2\uparrow$

즉, 금속을 산 수용액에 넣으면 금속이 이온으로 녹아 나오면서 내놓은 전자를 산 수용액에 있는 수소 이온이 받아 수소 기체가 발생한다.

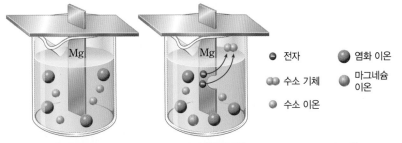

- ⊖ 전자
- 수소 기체
- 수소 이온
- 염화 이온
- 마그네슘 이온

▲ **마그네슘과 묽은 염산의 반응 모형** 묽은 염산에 마그네슘 판을 넣으면 마그네슘 이온(Mg^{2+})이 녹아 나오면서 내놓은 전자를 수소 이온이 받아 수소(H_2) 기체가 발생한다.

우리 주변의 산
식초에는 아세트산, 귤이나 레몬에는 시트르산(구연산), 포도에는 타타르산(주석산), 사과에는 말산, 김치나 요구르트에는 락트산(유산, 젖산)이 들어 있다. 개미에서 나는 시큼한 향은 폼산(개미산) 때문이다.

금속과 산의 반응
구리(Cu), 수은(Hg), 은(Ag), 백금(Pt), 금(Au) 등은 묽은 산과 반응하지 않으므로 수소(H_2) 기체가 발생하지 않는다. 구리, 수은, 은은 진한 질산이나 황산과 반응하여 이산화 질소(NO_2)나 이산화 황(SO_2) 기체를 발생하고, 진한 질산과 진한 염산을 1 : 3의 부피비로 섞은 왕수는 백금이나 금을 녹인다.

탄산 칼슘이 주성분인 물질과 산의 반응
석회석, 대리석, 방해석, 조개껍데기, 달걀껍데기, 주전자 물때 등은 탄산 칼슘이 주성분인 물질이다. 따라서 묽은 염산을 떨어뜨리면 이산화 탄소 기체가 발생한다.

③ 탄산염과의 반응: 산은 탄산염(탄산 칼슘($CaCO_3$), 탄산수소 나트륨($NaHCO_3$) 등)과 반응하여 이산화 탄소 기체를 발생한다.

예 $CaCO_3 + 2HCl \longrightarrow CaCl_2 + H_2O + CO_2\uparrow$

④ 전기 전도성: 산을 물에 녹이면 이온화하여 수소 이온(H^+)을 내놓으므로 수용액에서 전류가 흐른다.

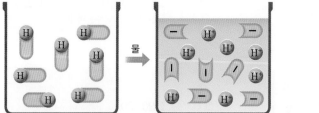

▲ **산의 이온화 모형** 산은 물에 녹아 이온을 내놓으므로 수용액에서 전류가 흐른다. 따라서 산 수용액에 간이 전기 전도계의 전극을 담그면 다이오드(LED)에 불이 들어온다.

⑤ 지시약의 색 변화: 산의 종류에 관계없이 지시약에 의해 다음과 같은 색을 나타낸다.

리트머스 종이	메틸 오렌지 용액	BTB 용액	페놀프탈레인 용액
푸른색 → 붉은색	빨간색	노란색	무색

(3) 산의 이온화

① 산의 공통성과 특이성: 산은 수용액에서 이온화하여 수소 이온(H^+)을 내놓는다. 이때 산의 공통성은 수소 이온(H^+) 때문에 나타나며, 산마다 성질이 조금씩 다른 것(특이성)은 음이온이 서로 다르기 때문이다.

산		수소 이온		음이온
HCl(염산)	$\longrightarrow$	H^+	$+$	Cl^-
H_2SO_4(황산)	$\longrightarrow$	$2H^+$	$+$	SO_4^{2-}
HNO_3(질산)	$\longrightarrow$	H^+	$+$	NO_3^-
H_2CO_3(탄산)	$\longrightarrow$	$2H^+$	$+$	CO_3^{2-}
CH_3COOH(아세트산)	$\longrightarrow$	H^+	$+$	CH_3COO^-
		산의 공통성		산의 특이성

② 산성을 나타내지 않는 물질: 화학식에 수소(H) 원자를 포함하고 있다고 해서 모두 산은 아니다. 산으로 작용하기 위해서는 수용액에서 수소 이온(H^+)이 생성되어야 한다. 메테인(CH_4)과 에테인(C_2H_6)은 화학식에 H를 포함하고 있지만 수용액에서 H^+을 내놓지 않으므로 산성을 나타내지 않는다.

(4) 산의 세기

① 이온화도: 전해질을 물에 녹였을 때 이온화되는 정도를 나타낸 값으로, 이온화도가 클수록 강전해질이고 이온화도가 작을수록 약전해질이다.

염산(HCl(aq))

염화 수소(HCl) 기체를 물에 녹인 용액으로, 진한 염산은 염화 수소가 약 35 % 녹아 있는 수용액이다. 염화 수소는 암모니아(NH_3) 기체와 만나면 염화 암모늄(NH_4Cl)의 흰색 가루를 만드는데, 이 가루는 아주 미세하므로 흰 연기가 피어오르는 것처럼 보인다. 이 반응은 염화 수소와 암모니아의 검출법으로 사용된다.

황산(H_2SO_4)

• 진한 황산: 농도가 98 %로 비휘발성이며, 냄새가 없는 무겁고 점성이 큰 무색 액체이다. 진한 황산은 수분이 거의 없어 이온화하지 못하므로 산성을 거의 나타내지 못한다. 또, 수분을 흡수하는 성질이 있어 건조제로 사용하며, 수소와 산소를 포함하는 분자에서 수소 원자와 산소 원자를 물 분자의 비인 2 : 1로 뽑아내는 탈수 작용을 한다.

▲ **진한 황산의 탈수 작용** 설탕에 진한 황산을 떨어뜨리면 탈수 작용이 일어나 탄소만 남으므로 설탕이 검게 변한다.

• 묽은 황산: 강한 산성을 나타내므로 반응성이 큰 금속과 반응하여 수소 기체를 발생한다. 진한 황산을 묽힐 때는 많은 열이 발생하므로 반드시 다량의 물에 진한 황산을 조금씩 넣어가며 묽혀야 한다.

질산(HNO_3)

진한 질산은 휘발성이 있으며, 열이나 빛에 의해 분해되어 갈색의 이산화 질소(NO_2)를 발생하므로 갈색 병에 넣어 차고 어두운 곳에 보관한다. 금속과 반응하지만 수소 기체를 발생하지는 않는다.

묽은 질산은 금속과 반응하여 수소 기체를 발생하지만 NO나 NO_2도 함께 발생하므로 순수한 수소 기체를 얻을 때는 사용할 수 없다. 또, 진한 질산과 묽은 질산은 모두 강한 산화력이 있어 산과 반응하지 않는 구리와 반응한다.

② **강산과 약산**: 산의 이온화도에 따라 산의 세기를 구분한다. 염산, 황산, 질산과 같은 산은 수용액 중에서 대부분 이온화한다. 반면, 아세트산, 탄산과 같은 산은 수용액에서 대부분 분자 상태로 존재하고 일부만 이온화한다.

- 강산: 수용액에서 대부분 이온화하여 수소 이온(H^+)을 많이 내놓는 산이다.

⑩ 염산(HCl), 황산(H_2SO_4), 질산(HNO_3) 등

- 약산: 수용액에서 일부만 이온화하여 수소 이온(H^+)을 적게 내놓는 산이다.

⑩ 탄산(H_2CO_3), 아세트산(CH_3COOH), 인산(H_3PO_4) 등

 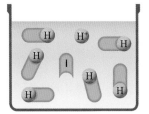

강산의 모형   **약산의 모형**

▲ **강산과 약산의 이온화 모형** 강산은 이온화도가 커서 대부분 이온화하고, 약산은 이온화도가 작아서 일부만 이온화한다. 따라서 수용액에서 강산은 대부분 이온 상태로 존재하고, 약산은 일부만 이온 상태로 존재한다.

시야확장 ➕ 전해질의 이온화도

이온화도는 수용액에서 이온화한 전해질의 입자 수를 녹인 전해질의 총 입자 수로 나눈 값으로, 이온화도가 클수록 강전해질이다. 이온화도가 1에 가까우면 강전해질이고, 0에 가까우면 약전해질이다.

염산의 경우 이온화도가 0.94로 분자 100개가 물에 녹으면 94개 정도가 이온화하지만, 아세트산의 경우는 이온화도가 0.01로 분자 100개가 물에 녹으면 1개 정도만 이온화한다.

$$이온화도(\alpha) = \frac{이온화한\ 입자\ 수}{녹인\ 총\ 입자\ 수}\ (0 < \alpha \leq 1)$$

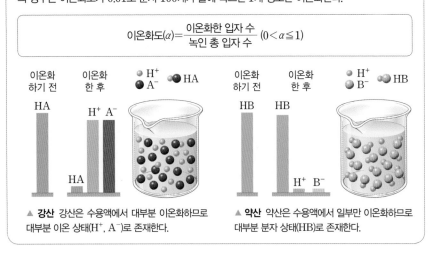

▲ **강산** 강산은 수용액에서 대부분 이온화하므로 대부분 이온 상태(H^+, A^-)로 존재한다.

▲ **약산** 약산은 수용액에서 일부만 이온화하므로 대부분 분자 상태(HB)로 존재한다.

---

③ **산의 세기 확인 방법**: 강산일수록 물에 녹아 이온화가 잘 된다. 즉, 강산일수록 수용액 속 수소 이온의 농도가 크므로 전류의 세기를 측정하거나 금속과 반응하여 기체를 발생하는 정도를 비교하면 산의 세기를 확인할 수 있다.

- 전류의 세기 비교: 같은 몰 농도의 산 수용액에서 전류의 세기를 측정하면 강산일수록 수용액 속에 존재하는 이온의 농도가 크므로 전류의 세기가 강하다.

아세트산(CH_3COOH)
순수한 아세트산은 무색 액체로 자극성 냄새를 내며, 살갗에 닿으면 피부를 상하게 한다. 아세트산의 녹는점은 17 ℃로, 그 이하의 온도에서는 고체 상태로 존재하므로 빙초산이라고 부른다. 아세트산은 물속에서 일부만 이온화하는 약산으로, 식초는 아세트산의 4~6 % 수용액이다.

탄산(H_2CO_3)
이산화 탄소를 물에 녹이면 그 중 일부가 물과 반응하여 생성되는 산으로, 약산이다.

폼산(HCOOH)
벌이나 곤충에 들어 있는 산으로, 17세기 후반 개미를 증류하여 처음으로 얻었으므로 라틴어의 formica(개미)에서 이름을 따서 개미산으로 불리기도 한다.

강산과 약산
분자 내에 수소 원자 수가 많다고 강산인 것은 아니다. 염산(HCl)은 탄산(H_2CO_3)보다 수소 원자 수가 적지만, 염산은 강산이고 탄산은 약산이다. 염산은 수용액에서 대부분 이온화하지만 탄산은 일부만 이온화하여 수용액 속의 수소 이온 수는 염산이 더 많기 때문이다.

▲ **묽은 염산**

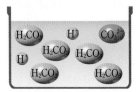

▲ **탄산**

- 금속과의 반응 정도 비교: 같은 몰 농도의 산 수용액에 크기와 질량이 같은 금속을 넣으면 강산일수록 수소 이온의 농도가 크므로 수소 기체가 활발하게 발생한다.

전류의 세기 비교	금속의 반응 정도 비교
같은 농도일 때 강산 수용액에서 전류가 더 세게 흐르므로 전구의 밝기가 더 밝다.	같은 농도일 때 강산 수용액에서 수소 기체가 더 활발하게 발생한다.

2. 염기

(1) 염기: 수용액에서 이온화하여 수산화 이온(OH^-)을 내놓는 물질이다.

예 수산화 나트륨($NaOH$), 수산화 칼륨(KOH), 수산화 칼슘($Ca(OH)_2$), 수산화 마그네슘($Mg(OH)_2$) 등

(2) 염기의 공통적인 성질(염기성)

① **맛:** 염기의 묽은 수용액은 쓴맛이 난다. 비눗물이나 식물을 태운 재, 탄산수소 나트륨($NaHCO_3$)이 쓴맛을 내는 것은 이들이 염기를 포함하고 있기 때문이다.

② **촉감:** 단백질을 녹이는 성질이 있으므로 손으로 염기를 만지면 미끈미끈하다. 이것은 염기가 피부의 단백질을 녹이기 때문이다. 따라서 염기를 맛보거나 만지는 것은 매우 위험하다.

③ **전기 전도성:** 염기는 수용액에서 이온화하여 수산화 이온(OH^-)을 내놓으므로 산 수용액과 마찬가지로 전류가 흐른다.

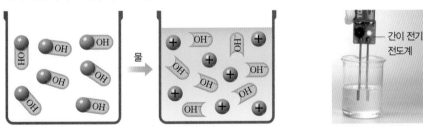

간이 전기 전도계

▲ **염기의 이온화 모형** 염기는 물에 녹아 이온을 내놓으므로 수용액에서 전류가 흐른다. 따라서 염기 수용액에 간이 전기 전도계의 전극을 담그면 다이오드(LED)에 불이 들어온다.

④ **지시약의 색 변화:** 염기의 종류에 관계없이 지시약에 의해 다음과 같은 색을 나타낸다.

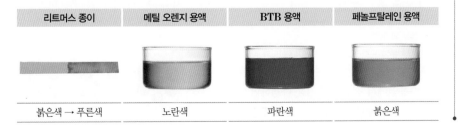

리트머스 종이	메틸 오렌지 용액	BTB 용액	페놀프탈레인 용액
붉은색 → 푸른색	노란색	파란색	붉은색

수산화 나트륨($NaOH$)
흰색의 반투명한 고체로, 공기 중의 수분을 흡수하여 녹는 조해성이 있으며, 공기 중의 이산화 탄소를 흡수하여 탄산 나트륨으로 변한다.
$$2NaOH + CO_2 \longrightarrow Na_2CO_3 + H_2O$$
빨랫비누에는 수산화 나트륨이 포함되어 있으므로 공기 중의 이산화 탄소를 흡수하여 표면에 탄산 나트륨의 흰색 가루가 생긴다.

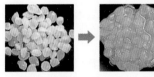

▲ **수산화 나트륨의 조해성** 수산화 나트륨을 공기 중에 꺼내 놓으면 공기 중의 수분을 흡수하여 끈적끈적해진다.

수산화 칼륨(KOH)
수산화 나트륨과 거의 비슷한 성질을 갖는 흰색 고체로, 조해성과 부식성이 매우 강하다. 수산화 나트륨보다 값이 비싸 공업적인 용도로는 많이 쓰이지는 않으나 물비누, 알칼리 건전지, 흡습제 등의 제조에 사용된다.

수산화 칼슘($Ca(OH)_2$)
산화 칼슘(CaO, 생석회)에 물을 가해 얻는 물질로, 소석회라고도 불리는 흰색 가루이다. 수산화 칼슘은 물에 잘 녹지 않지만 물에 용해된 것은 대부분 이온화하기 때문에 강염기이다.
수산화 칼슘이 물에 녹은 포화 수용액을 석회수라고 하며, 석회수는 이산화 탄소와 만나면 탄산 칼슘 앙금을 만들어 뿌옇게 흐려지므로 이산화 탄소의 검출에 사용된다.
$$Ca(OH)_2 + CO_2 \longrightarrow CaCO_3 \downarrow + H_2O$$

(3) 염기의 이온화

① **염기의 공통성과 특이성**: 염기는 수용액에서 이온화하여 수산화 이온(OH^-)을 내놓는다. 이때 염기의 공통성은 수산화 이온(OH^-) 때문에 나타나며, 염기마다 성질이 조금씩 다른 것(특이성)은 양이온(대부분 금속 이온)이 서로 다르기 때문이다.

염기		양이온		수산화 이온
NaOH(수산화 나트륨)	⟶	Na^+	+	OH^-
KOH(수산화 칼륨)	⟶	K^+	+	OH^-
Ca(OH)$_2$(수산화 칼슘)	⟶	Ca^{2+}	+	$2OH^-$
Mg(OH)$_2$(수산화 마그네슘)	⟶	Mg^{2+}	+	$2OH^-$
		염기의 특이성		염기의 공통성

② **염기성을 나타내지 않는 물질**: 화학식에 $-OH$를 포함하고 있다고 해서 모두 염기는 아니다. 염기로 작용하기 위해서는 수용액에서 수산화 이온(OH^-)이 생성되어야 한다. 에탄올(C_2H_5OH)은 화학식에 $-OH$를 포함하고 있지만 수용액에서 OH^-을 내놓지 않으므로 염기가 아니다.

③ **암모니아**: 암모니아(NH_3)는 화학식에 $-OH$를 포함하고 있지 않지만 수용액에서 OH^-의 농도를 증가시키므로 염기이다. 암모니아가 물에 녹은 용액을 암모니아수라고 하는데, 암모니아는 대부분 분자 형태로 존재하고 일부만 물과 반응하여 암모늄 이온(NH_4^+)과 수산화 이온(OH^-)으로 이온화한다.

$$NH_3 + H_2O \longrightarrow NH_4^+ + OH^-$$

(4) 염기의 세기

① **강염기와 약염기**: 물에 녹아 대부분 이온화하는 염기는 강한 염기성을 나타내고, 물에 녹아 일부만 이온화하는 염기는 약한 염기성을 나타낸다. 암모니아는 물에 잘 녹지만 일부만 이온화하여 약한 염기성을 나타내고, 수산화 칼슘은 물에 잘 녹지 않지만 용해된 수산화 칼슘은 대부분 이온화하여 강한 염기성을 나타낸다.

- **강염기**: 수용액에서 대부분 이온화하여 수산화 이온(OH^-)을 많이 내놓는 염기이다.

  예 수산화 나트륨(NaOH), 수산화 칼륨(KOH), 수산화 칼슘(Ca(OH)$_2$) 등

- **약염기**: 수용액에서 일부만 이온화하여 수산화 이온(OH^-)을 적게 내놓는 염기이다.

  예 암모니아(NH_3), 수산화 마그네슘(Mg(OH)$_2$) 등

강염기의 모형

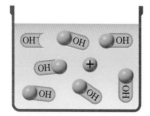

약염기의 모형

▲ **강염기와 약염기의 이온화 모형** 강염기는 이온화도가 커 대부분 이온화하고, 약염기는 이온화도가 작아 일부만 이온화한다. 따라서 수용액에서 강염기는 대부분 이온 상태로 존재하고, 약염기는 일부만 이온 상태로 존재한다.

② **염기의 세기 확인 방법**: 같은 몰 농도의 염기 수용액에서 전류의 세기를 측정하면 강염기일수록 이온화도가 커 수용액 속에 존재하는 이온 수가 많으므로 전류가 강하게 흐른다.

암모니아(NH_3)
- 암모니아는 질소와 수소를 반응시켜 얻는다. 무색의 코를 찌르는 자극성 냄새를 가진 기체로, 물에 매우 잘 녹는다.
- 암모니아는 염화 수소와 만나면 흰 연기처럼 보이는 염화 암모늄(NH_4Cl)의 흰색 가루를 만들므로 염화 수소의 검출에 사용된다.

$$NH_3(g) + HCl(g) \longrightarrow NH_4Cl(s)$$

암모니아 분수
암모니아가 물에 매우 잘 녹는 성질과 염기성에서 나타나는 지시약의 색 변화를 이용하여 암모니아 분수를 만들 수 있다.

암모니아 기체
물이 들어 있는 스포이트
물＋페놀프탈레인 용액

스포이트에 들어 있는 물을 암모니아가 들어 있는 둥근바닥 플라스크에 넣으면 암모니아가 물에 녹으면서 압력이 낮아지므로 비커의 물이 둥근바닥 플라스크로 올라가게 된다. 이 물에 암모니아가 녹으면 염기성을 띠므로 페놀프탈레인 용액을 붉게 변화시킨다.

강염기와 약염기
수산화 나트륨이나 수산화 칼슘은 수용액에서 대부분 이온화하므로 강염기이고, 암모니아는 일부만 이온화하므로 약염기이다.

수산화 나트륨   수산화 칼슘   암모니아

② 산과 염기의 정의

산과 염기의 분류 기준은 시대에 따라 약간씩 달랐으며, 일반적으로 앞 시대의 기준을 조금씩 보완하면서 현재에 이르렀다. 현재까지 받아들여졌던 산과 염기의 정의에는 아레니우스 정의, 브뢴스테드·로리 정의, 루이스 정의 등이 있다.

1. 아레니우스 정의

산과 염기의 기본적인 성질을 처음으로 알아낸 사람은 스웨덴의 화학자인 아레니우스(Arrhenius, S. A., 1859~1927)이다. 아레니우스는 전해질을 사용한 실험을 기초로 하여 산과 염기를 정의하였다. 아레니우스 정의는 가장 오래 이용된 방법으로, 현재도 수용액의 반응에서는 대부분 이 방법으로 산과 염기를 구분한다.

(1) **산**: 수용액에서 수소 이온(H^+)을 내놓을 수 있는 물질로, '산 ⟶ H^+ + 음이온'으로 이온화한다. 아레니우스 산의 예에는 염산(HCl), 황산(H_2SO_4), 질산(HNO_3), 아세트산(CH_3COOH), 탄산(H_2CO_3), 인산(H_3PO_4) 등이 있다.

수소 이온(H^+)은 실제로는 수용액에서 단독으로 존재하지 않는다. 수소 이온은 물 분자와 다음과 같이 배위 공유 결합하여 하이드로늄 이온(H_3O^+)의 형태로 존재한다.

$$H^+ \ + \ :\overset{..}{\underset{..}{O}}:H \ \longrightarrow \ \left[H:\overset{..}{\underset{..}{O}}:H \right]^+$$

배위 공유 결합

▲ **배위 공유 결합으로 생성된 하이드로늄 이온** 물 분자의 산소 원자에 존재하는 비공유 전자쌍을 수소 이온과 공유하면서 결합을 형성하여 하이드로늄 이온을 생성한다.

(2) **염기**: 수용액에서 수산화 이온(OH^-)을 내놓는 물질로, '염기 ⟶ 양이온 + OH^-'으로 이온화한다. 아레니우스 염기의 예에는 수산화 나트륨($NaOH$), 수산화 칼륨(KOH), 수산화 칼슘($Ca(OH)_2$), 수산화 마그네슘($Mg(OH)_2$) 등이 있다.

(3) **아레니우스 정의의 한계**: 아레니우스 정의는 수용액이 아닌 곳에서 일어나는 산 염기 반응을 설명할 수 없고, 수용액에서 H^+이나 OH^-을 내놓지 않는 물질에는 적용할 수 없다. 예를 들어 암모니아(NH_3)는 수용액에서 염기성을 나타내지만 분자 자체에서 OH^-을 생성할 수 없으므로 아레니우스 산 염기 정의에 따르면 염기로 구분될 수 없다. 또, $NH_3(g) + HCl(g) \longrightarrow NH_4Cl(s)$과 같이 기체 상태에서 일어나는 산 염기 반응을 설명할 수 없다.

2. 브뢴스테드·로리 정의

브뢴스테드(Brönsted, J. N., 1879~1947)와 로리(Lowry, T. M., 1874~1936)는 아레니우스 산과 염기 정의의 단점과 한계점을 보완하기 위해 양성자(H^+)를 주고받는 개념을 이용하여 좀 더 넓은 의미의 산 염기 정의를 내렸다.

(1) **브뢴스테드·로리 산 염기 정의** 집중 분석 2권 133~134쪽

- 산: 양성자(H^+)를 내놓는 분자 또는 이온 ➡ 양성자(H^+) 주개
- 염기: 양성자(H^+)를 받아들이는 분자 또는 이온 ➡ 양성자(H^+) 받개

수소 이온(H^+)과 하이드로늄 이온(H_3O^+)
산 염기에 대한 아레니우스 정의에서 산 HA는 수용액에서 다음과 같이 H^+을 내놓는다.
$$HA(aq) \longrightarrow H^+(aq) + A^-(aq)$$
H^+은 반응성이 매우 큰 물질이기 때문에 수용액에서 단독으로 존재할 수 없다. 따라서 용매인 물 분자와 결합하여 하이드로늄 이온(H_3O^+)의 형태로 존재한다.
$$H^+ + H_2O \longrightarrow H_3O^+$$

아레니우스 정의와 암모니아수
암모니아가 물에 녹은 수용액을 암모니아수라고 한다. 암모니아수는 염기성 수용액으로, NH_4^+과 OH^-으로 이온화한다. 아레니우스 정의에 의하면 염기는 수용액에서 OH^-을 내놓는 물질이므로 수산화 암모늄(NH_4OH)에서 OH^-을 내놓는다고 생각하여 암모니아수를 NH_4OH로 표시하기도 하였다. 그러나 수산화 암모늄은 관찰되거나 분리할 수 없어 실제로 존재하는 물질이 아니므로 이는 잘못된 것이다.

수소 이온과 양성자
수소 원자(H)는 양성자 1개와 전자 1개로 이루어져 있다. 수소 원자가 전자 1개를 잃고 생성된 수소 이온(H^+)은 양성자이므로 수소 이온과 양성자는 같다고 할 수 있다.

① 염화 수소와 물의 반응: 염화 수소(HCl)와 물(H₂O)의 반응에서 정반응의 경우에는 염화 수소가 물에게 양성자(H⁺)를 주므로 염화 수소는 산으로 작용하고, 물은 H⁺를 받으므로 염기로 작용한다. 역반응의 경우에는 하이드로늄 이온(H₃O⁺)이 염화 이온(Cl⁻)에게 H⁺를 주므로 하이드로늄 이온은 산으로 작용하고 염화 이온은 H⁺를 받으므로 염기로 작용한다.

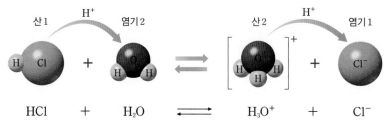

$$HCl + H_2O \rightleftharpoons H_3O^+ + Cl^-$$

▲ **염화 수소(HCl)와 물의 반응**

② 암모니아와 물의 반응: 암모니아(NH₃)와 물(H₂O)의 반응에서 정반응의 경우에는 암모니아가 물에게 양성자(H⁺)를 받으므로 암모니아는 염기로 작용하고, 물은 H⁺를 주므로 산으로 작용한다. 역반응의 경우에는 수산화 이온(OH⁻)이 암모늄 이온(NH₄⁺)에게 H⁺를 받으므로 수산화 이온은 염기로 작용하고, 암모늄 이온은 H⁺를 주므로 산으로 작용한다.

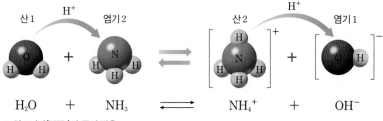

$$H_2O + NH_3 \rightleftharpoons NH_4^+ + OH^-$$

▲ **암모니아(NH₃)와 물의 반응**

(2) **짝산과 짝염기:** H⁺의 이동에 의하여 산과 염기로 되는 한 쌍의 물질을 짝산 – 짝염기라고 한다.

$$짝산 \rightleftharpoons 짝염기 + H^+$$

산이 H⁺를 내놓아 생성된 물질이 그 산의 짝염기이고, 염기가 H⁺를 받아 생성된 물질이 그 염기의 짝산이다.

┌──── (짝산 – 짝염기) ────┐
산 1 + 염기 2 ⇌ 염기 1 + 산 2
└──── (짝산 – 짝염기) ────┘

① 염화 수소와 물의 반응: 염화 수소는 물에게 H⁺를 주고 염화 이온이 되며, 하이드로늄 이온은 염화 이온에게 H⁺를 주고 물이 된다. 이때 HCl의 짝염기는 Cl⁻이고, Cl⁻의 짝산은 HCl이며, H₂O의 짝산은 H₃O⁺이고, H₃O⁺의 짝염기는 H₂O이다.

┌───── (짝산 – 짝염기) ─────┐
HCl + H₂O ⇌ H₃O⁺ + Cl⁻
산 1 염기 2   산 2   염기 1
    └── (짝산 – 짝염기) ──┘

② 암모니아와 물의 반응: 암모니아는 물에게 H^+를 받아 암모늄 이온이 되고, 수산화 이온은 암모늄 이온에게 H^+를 받아 물이 된다. 이때 NH_3의 짝산은 NH_4^+이고, NH_4^+의 짝염기는 NH_3이며, H_2O의 짝염기는 OH^-이고, OH^-의 짝산은 H_2O이다.

$$NH_3 + H_2O \rightleftharpoons NH_4^+ + OH^-$$

염기 1   산 2   산 1   염기 2

(짝산 – 짝염기)

구분	산 1		염기 2		염기 1		산 2
	HF	+	H_2O	$\rightleftharpoons$	F^-	+	H_3O^+
	HNO_3	+	H_2O	$\rightleftharpoons$	NO_3^-	+	H_3O^+
	HCOOH	+	CN^-	$\rightleftharpoons$	$HCOO^-$	+	HCN
반응	NH_4^+	+	CO_3^{2-}	$\rightleftharpoons$	NH_3	+	HCO_3^-
	$H_2PO_4^-$	+	OH^-	$\rightleftharpoons$	HPO_4^{2-}	+	H_2O
	H_2SO_4	+	H_2O	$\rightleftharpoons$	HSO_4^-	+	H_3O^+
	HPO_4^{2-}	+	H_2O	$\rightleftharpoons$	PO_4^{3-}	+	H_3O^+

▲ 몇 가지 산 염기 반응에서 짝산 – 짝염기

(3) **양쪽성 물질**: 염화 수소와 물의 반응에서 물은 염기로 작용하지만, 암모니아와 물의 반응에서 물은 산으로 작용한다. 이와 같이 물은 염기로도 작용하고 산으로도 작용하는데, 물과 같이 한 물질이 산으로 작용하기도 하고, 염기로도 작용하기도 하는 것을 양쪽성 물질이라고 한다. 즉, 양쪽성 물질은 H^+를 내놓을 수도 있고, 받을 수도 있는 물질이다.
⑩ H_2O, HS^-, HCO_3^-, HSO_4^-, $H_2PO_4^-$ 등

(4) **브뢴스테드·로리 정의의 한계**: 브뢴스테드·로리 산 염기 정의는 아레니우스 산 염기 정의에 비해 그 대상 범위가 상당히 확장되었으나 브뢴스테드·로리 정의는 양성자(H^+)의 전달 반응에만 적용이 가능하다. 즉, 브뢴스테드·로리 정의는 아레니우스 정의와는 달리 수용액일 필요는 없지만, 산이 반드시 이온화될 수 있는 수소 원자를 포함하고 있어야 한다는 한계가 있다.
⑩ 원유의 분류 정제 시 이산화 황 제거 장치에서 일어나는 $CaO(s) + SO_2(g) \longrightarrow$ $CaSO_3(s)$ 반응에서 산화 칼슘(CaO)은 염기성 물질이고, 이산화 황(SO_2)은 산성 물질로 중화 반응을 하는데, 이때 두 물질은 수소 이온(H^+)을 포함하지 않아 브뢴스테드·로리 정의로 설명할 수 없다.

3. 루이스 정의

루이스(Lewis, G. N., 1875~1946)는 브뢴스테드·로리 산 염기 정의를 더욱 확장하여 비공유 전자쌍을 이용함으로써 좀 더 넓은 의미의 산 염기 정의를 내렸다.

(1) **루이스 산 염기 정의**

- 산: 다른 물질의 비공유 전자쌍을 받아들이는 물질 ➡ 전자쌍 받개
- 염기: 다른 물질에 비공유 전자쌍을 주는 물질 ➡ 전자쌍 주개

짝산 – 짝염기의 세기 관계
강산의 짝염기는 약염기이고, 강염기의 짝산은 약산이다.

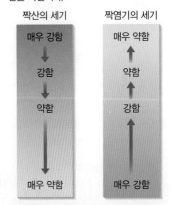

가역 반응의 경우 산의 세기가 강하다는 의미는 H^+를 잘 내놓아 상대적으로 정반응이 역반응보다 우세하다는 의미이다. 따라서 역반응의 입장에서 그 산의 짝염기는 역반응이 우세하게 진행되지 못하므로 염기의 세기는 상대적으로 약한 것이다. 또, 산의 세기가 약하다는 의미는 H^+를 잘 내놓지 못하여 역반응이 정반응에 비해 우세하다는 의미이므로 역반응의 입장에서 그 산의 짝염기의 세기는 상대적으로 강한 것이다.

(2) **특징:** 루이스 산 염기 정의에서 산은 양성자(H^+)를 내놓는 물질뿐만 아니라 비공유 전자쌍을 받을 수 있는 이온이나 분자(Ag^+, BF_3, SO_3 등)까지 확장된다. 또, 염기는 양성자를 받아들일 수 있는 물질뿐만 아니라 다른 이온이나 분자에게 비공유 전자쌍을 주는 물질까지 확장된다.

① **암모늄 이온 생성 반응:** 암모늄 이온(NH_4^+)이 생성될 때 암모니아(NH_3)는 비공유 전자쌍을 주므로 루이스 염기이고, 수소 이온(H^+)은 비공유 전자쌍을 받으므로 루이스 산이다.

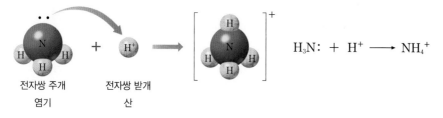

$$H_3N: + H^+ \longrightarrow NH_4^+$$

전자쌍 주개 / 전자쌍 받개
염기 / 산

② **암모니아와 삼플루오린화 붕소의 반응:** 암모니아(NH_3)와 삼플루오린화 붕소(BF_3)의 반응에서 NH_3는 비공유 전자쌍을 주므로 루이스 염기이고, BF_3는 비공유 전자쌍을 받으므로 루이스 산이다. 즉, 루이스 산 염기 반응에서 형성되는 결합은 루이스 염기가 비공유 전자쌍을 루이스 산에게 일방적으로 제공하여 형성되는 배위 공유 결합이다.

$$\begin{matrix} F & & H & & F & H \\ | & & | & & | & | \\ F-B & + & :N-H & \longrightarrow & F-B-N-H \\ | & & | & & | & | \\ F & & H & & F & H \end{matrix}$$

루이스 산 / 비공유 전자쌍 / 루이스 염기

이산화 황 제거 장치에서 일어나는 반응
이산화 황 제거 장치에서는 다음과 같은 반응이 일어난다.
$$CaO(s) + SO_2(g) \longrightarrow CaSO_3(s)$$
이 반응은 루이스 산 염기 반응이다.

루이스 염기 / 루이스 산

3 물의 자동 이온화와 pH

일반적으로 물을 전기 분해할 때 전해질을 소량 넣고 실험한다. 그렇다면 순수한 물은 물 분자(H_2O)들로만 이루어져 있을까? 만약 물이 완전히 물 분자들로만 되어 있다면 전기가 전혀 통하지 않을 것이다. 하지만 정밀하게 측정해 보면 순수한 물도 매우 약하게나마 전기를 통한다. 즉, 물속에는 물 분자들 이외에 물이 이온화하여 형성된 매우 적은 수의 이온이 존재한다.

1. 물의 자동 이온화와 이온화 상수

(1) **물의 자동 이온화:** 브뢴스테드·로리 산 염기 정의에 의하면 물 분자는 산으로도 작용할 수 있고, 염기로도 작용할 수 있다. 이웃한 2개의 물 분자가 각각 산과 염기로 작용하여 양성자(H^+)를 주고받는 반응을 물의 자동 이온화라고 한다.

$$H_2O(l) + H_2O(l) \rightleftharpoons H_3O^+(aq) + OH^-(aq)$$

H_2O + H_2O $\rightleftharpoons$ H_3O^+ + OH^-

▲ 물의 자동 이온화 모형

물의 자동 이온화
· 물의 자동 이온화 반응은 반응 속도가 매우 빠르다. 따라서 각 물질 사이의 전환이 빠르게 일어난다.
· 물의 자동 이온화 반응의 평형은 역반응 쪽으로 매우 치우쳐 있다. 따라서 매우 적은 수의 물 분자만이 이온화하여 H_3O^+과 OH^- 상태로 존재한다. H_3O^+을 H^+으로 나타내기도 한다.

(2) **물의 이온화 상수(K_w):** 물의 자동 이온화 반응의 평형에 대한 평형 상수식은 다음과 같다.

$$K_c = \frac{[H_3O^+][OH^-]}{[H_2O]^2}$$

그런데 $[H_2O]$는 약 55.6 M로 일정하게 유지되므로 위 식은 다음과 같다.

$$K_c[H_2O]^2 = [H_3O^+][OH^-]$$

$K_c[H_2O]^2 = K_w$라 하면 $K_w = [H_3O^+][OH^-]$가 된다.

이때 K_w를 물의 이온화 상수라고 한다. K_w는 25 °C에서 1.0×10^{-14}의 값을 가지며 온도가 높아질수록 커진다. K_w는 온도에 의해서만 영향을 받으므로 순수한 물이나 산 수용액, 염기 수용액에서도 그 값이 변하지 않는다.

온도 (°C)	0	10	20	25	30	40	50	60
K_w	1.1×10^{-15}	2.9×10^{-15}	6.8×10^{-15}	1.0×10^{-14}	1.5×10^{-14}	2.9×10^{-14}	5.5×10^{-14}	9.6×10^{-14}

▲ 온도에 따른 물의 이온화 상수(K_w)

2. 수소 이온 농도

(1) 순수한 물에서 수소 이온 농도: 물 분자의 이온화식에서 생성되는 수소 이온(H^+)과 수산화 이온(OH^-)의 개수비가 1 : 1이다.

$$H_2O(l) \rightleftharpoons H^+(aq) + OH^-(aq)$$

① 물 분자 1개가 자동 이온화하면 H^+과 OH^-이 각각 1개씩 생성되고, 이들이 결합하여 물 분자를 생성할 때도 각각 1개씩 반응하므로, 순수한 물에 존재하는 H^+과 OH^-의 양(mol)과 몰 농도는 항상 같다.

② 25 °C에서 $K_w = [H^+][OH^-] = 1.0 \times 10^{-14}$이므로 순수한 물에 존재하는 H^+과 OH^-의 농도는 $[H^+] = [OH^-] = \sqrt{K_w} = 1.0 \times 10^{-7}$ M이다.

즉, 중성 용액에서 $[H^+] = [OH^-] = 1.0 \times 10^{-7}$ M이다.

(2) 수용액에서 수소 이온 농도

① **산성 용액:** 산성 용액에서도 $K_w = [H^+][OH^-]$의 값은 일정하므로 H^+의 농도가 증가하면 OH^-의 농도는 감소하게 되어 다음과 같은 관계가 성립한다.

➡ $[H^+] > 1.0 \times 10^{-7}$ M $> [OH^-]$

② **염기성 용액:** 염기성 용액에서도 $K_w = [H^+][OH^-]$의 값은 일정하므로 OH^-의 농도가 증가하면 H^+의 농도는 감소하게 되어 다음과 같은 관계가 성립한다.

➡ $[H^+] < 1.0 \times 10^{-7}$ M $< [OH^-]$

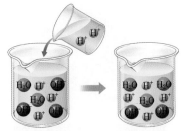

중성($[H^+] = [OH^-]$)   산성($[H^+] > [OH^-]$)

▲ 물에 산성 물질을 넣었을 때의 모형

중성($[H^+] = [OH^-]$)   염기성($[H^+] < [OH^-]$)

▲ 물에 염기성 물질을 넣었을 때의 모형

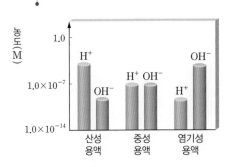

▲ 산성, 중성, 염기성 용액에서 $[H^+]$, $[OH^-]$

화학 평형 법칙과 평형 상수

일정한 온도에서 가역 반응이 평형 상태에 있을 때 반응물의 농도 곱과 생성물의 농도 곱의 비는 항상 일정하다.

$aA + bB \rightleftharpoons cC + dD$의 반응이 평형 상태에 있을 때 평형 상수($K$)는 다음과 같다. ($[A]$, $[B]$, $[C]$, $[D]$: 평형 상태에서 각 물질의 몰 농도)

$$K = \frac{[C]^c[D]^d}{[A]^a[B]^b}$$

물의 몰 농도

몰 농도는 1 L에 녹아 있는 용질의 양(mol)이다. 물의 밀도가 1 g/mL이므로 물 1 L의 질량인 1000 g을 분자량인 18로 나누면 물의 몰 농도는 약 55.6 M이다.

3. 수소 이온 농도 지수(pH)

(1) pH의 정의: 수용액에서 $[H^+]$나 $[OH^-]$는 너무 작은 값이므로 사용하기에 매우 불편하다. 따라서 덴마크의 화학자 쇠렌센은 수소 이온 농도의 척도로 pH를 제안하였다. pH는 수소 이온 농도의 역수의 상용로그 값으로, 수소 이온 농도 지수라고 한다.

$$pH = \log\frac{1}{[H^+]} = -\log[H^+], \quad [H^+] = 10^{-pH}$$

(2) pH와 pOH: 25 ℃에서 $[H^+] = 1.0 \times 10^{-7}$ M이므로 pH는 7이 된다.

$$pH = \log\frac{1}{[H^+]} = -\log[H^+] = -\log(1.0 \times 10^{-7}) = 7$$

pH를 정의한 것과 같이 pOH를 정의하면 다음과 같다.

$$pOH = \log\frac{1}{[OH^-]} = -\log[OH^-]$$

25 ℃ 순수한 물에서 pOH는 다음과 같다.

$$pOH = \log\frac{1}{[OH^-]} = -\log[OH^-] = -\log(1.0 \times 10^{-7}) = 7$$

즉, $[H^+]$가 클수록 pH는 작아지고, $[OH^-]$가 클수록 pOH는 작아진다.
25 ℃에서 $K_w = [H^+][OH^-] = 1.0 \times 10^{-14}$이므로 양변에 $-\log$를 취하면
$(-\log[H^+]) + (-\log[OH^-]) = -\log(1.0 \times 10^{-14})$에서 $pH + pOH = 14$가 된다.
25 ℃에서 산성, 중성, 염기성 용액을 pH와 pOH를 이용하여 나타내면 다음과 같다.

- 산성 용액: pH<7, pOH>7, pH+pOH=14
- 중성 용액: pH=7, pOH=7, pH+pOH=14
- 염기성 용액: pH>7, pOH<7, pH+pOH=14

(3) pH의 측정: 용액의 pH는 pH 시험지나 pH 미터로 측정할 수 있다. pH 시험지는 많은 지시약들을 섞어 만든 만능 지시약을 종이에 적셔서 만든 것으로 pH에 따라 색깔이 다르게 변하기 때문에 용액의 pH를 비교적 정확하게 측정할 수 있다. 보다 정확한 pH 값을 알기 위해서는 pH 미터를 이용한다.

(4) 수용액의 액성과 pH: 산성 용액은 $[H^+]$가 1.0×10^{-7} M보다 크므로 pH가 7보다 작고, 염기성 용액은 $[H^+]$가 1.0×10^{-7} M보다 작으므로 pH가 7보다 크다. 따라서 pH가 작을수록 산성이 강해지고, pH가 커질수록 염기성이 강해진다.

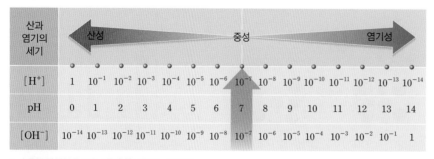

산과 염기의 세기	산성							중성						염기성
$[H^+]$	1	10^{-1}	10^{-2}	10^{-3}	10^{-4}	10^{-5}	10^{-6}	10^{-7}	10^{-8}	10^{-9}	10^{-10}	10^{-11}	10^{-12}	10^{-13}	10^{-14}
pH	0	1	2	3	4	5	6	7	8	9	10	11	12	13	14
$[OH^-]$	10^{-14}	10^{-13}	10^{-12}	10^{-11}	10^{-10}	10^{-9}	10^{-8}	10^{-7}	10^{-6}	10^{-5}	10^{-4}	10^{-3}	10^{-2}	10^{-1}	1

▲ **수용액의 액성과 pH, pOH (단, 온도는 25 ℃)**

쇠렌센(Sörensen, S. P. L., 1868~1939)
덴마크의 생화학자로, 단백질, 특히 그 구성 성분인 아미노산과 효소에 대한 포괄적인 연구로 많은 업적을 남겼다. 또, 산의 세기를 나타내는 척도로 pH를 제안하였다.

수소 이온 농도 지수(pH)

- pH = $-\log[H^+]$이므로 pH가 1씩 감소할 때마다 $[H^+]$는 10배씩 증가한다.
$[H^+] = 1.0 \times 10^{-2}$ M일 때
pH = $-\log(1.0 \times 10^{-2}) = 2$이고,
$[H^+] = 1.0 \times 10^{-1}$ M일 때
pH = $-\log(1.0 \times 10^{-1}) = 1$이다.
반면에 pH가 1씩 감소할 때마다 $[OH^-]$는 $\frac{1}{10}$씩 감소한다.

- pH 1인 용액을 $\frac{1}{100}$로 묽히면 pH 3이 되지만, pH 5인 용액을 $\frac{1}{1000}$로 묽혀도 pH 8이 되지 않는다. 왜냐하면 pH가 7보다 작은 산성 용액을 아무리 묽혀도 중성에 가까워질 뿐 pH가 7보다 큰 염기성 용액이 되는 것은 아니기 때문이다.

pH 미터

pH 시험지

pH 시험지를 수용액에 담갔을 때 변한 색을 pH 시험지 통에 붙어 있는 색상표와 비교하면 수용액의 대략적인 pH를 알 수 있다.

브뢴스테드·로리 산과 염기 찾기

아레니우스 산 염기 정의의 단점과 한계점을 보완하기 위해 브뢴스테드·로리는 양성자(H^+)를 주고받는 개념을 이용하여 좀 더 확장된 산 염기 이론을 내놓았다. 브뢴스테드·로리 산 염기와 각각의 짝산, 짝염기를 찾고, 산과 염기의 세기를 비교해 보자.

주어진 화학 반응에서 양성자(H^+)를 내놓는 분자 또는 이온은 양성자 주개의 역할을 하는 산이고, 양성자(H^+)를 받아들이는 분자 또는 이온은 양성자 받개의 역할을 하는 염기에 해당한다. 이때 가역 반응에서 H^+의 이동에 의해 산과 염기로 되는 한 쌍의 물질을 짝산 — 짝염기라고 한다.

❶ 산 수용액에서 브뢴스테드·로리 산과 염기 찾기

$$CH_3COOH(aq) + H_2O(l) \rightleftharpoons H_3O^+(aq) + CH_3COO^-(aq)$$

(1) **산**: 양성자(H^+)를 내놓는 물질이므로 정반응에서는 CH_3COOH이고, 역반응에서는 H_3O^+이다.

(2) **염기**: 양성자(H^+)를 받아들이는 물질이므로 정반응에서는 H_2O이고, 역반응에서는 CH_3COO^-이다.

$$\overset{H^+}{\overbrace{CH_3COOH(aq) + H_2O(l)}} \rightleftharpoons \overset{H^+}{\overbrace{H_3O^+(aq) + CH_3COO^-(aq)}}$$
산 1 　　　염기 2 　　　　　산 2 　　　염기 1

(3) **짝산 – 짝염기**: 산이 H^+를 내놓아 생성된 물질이 그 산의 짝염기이고, 염기가 H^+를 받아 생성된 물질이 그 염기의 짝산이다.

따라서 정반응의 경우 CH_3COOH의 짝염기는 CH_3COO^-이고, H_2O의 짝산은 H_3O^+이다. 역반응의 경우 CH_3COO^-의 짝산은 CH_3COOH이고, H_3O^+의 짝염기는 H_2O이다.

❷ 염기 수용액에서 브뢴스테드·로리 산과 염기 찾기

$$H_2O(l) + NH_3(g) \rightleftharpoons NH_4^+(aq) + OH^-(aq)$$

(1) **산**: 양성자(H^+)를 내놓는 물질이므로 정반응에서는 H_2O이고, 역반응에서는 NH_4^+이다.

(2) **염기**: 양성자(H^+)를 받아들이는 물질이므로 정반응에서는 NH_3이고, 역반응에서는 OH^-이다.

$$\overset{H^+}{\overbrace{H_2O(l) + NH_3(g)}} \rightleftharpoons \overset{H^+}{\overbrace{NH_4^+(aq) + OH^-(aq)}}$$
산 1 　　염기 2 　　　　산 2 　　염기 1

(3) **짝산 – 짝염기**: 산이 H^+를 내놓아 생성된 물질이 그 산의 짝염기이고, 염기가 H^+를 받아 생성된 물질이 그 염기의 짝산이다.

따라서 정반응의 경우 H_2O의 짝염기는 OH^-이고, NH_3의 짝산은 NH_4^+이다. 역반응의 경우 OH^-의 짝산은 H_2O이고, NH_4^+의 짝염기는 NH_3이다.

예제 ❶ 그림은 염화 수소(HCl)와 물의 반응을 모형으로 나타낸 것이다.

(1) 브뢴스테드·로리 산과 염기를 각각 구분하시오.
(2) 짝산 – 짝염기 관계에 해당하는 것을 연결하시오.

해설 (1) 양성자를 주는 물질이 산이고, 받아들이는 물질이 염기이다.
(2) 양성자를 주고받는 관계에 해당하는 한 쌍의 물질이 짝산 – 짝염기 관계에 있다.

정답 (1) 산: HCl, H_3O^+, 염기: H_2O, Cl^-
(2) HCl과 Cl^-, H_3O^+과 H_2O

예제 ❷ 그림은 암모니아(NH_3)와 물의 반응을 모형으로 나타낸 것이다.

(1) 브뢴스테드·로리 산과 염기를 각각 구분하시오.
(2) 짝산 – 짝염기 관계에 해당하는 것을 연결하시오.

해설 (1) 양성자를 주는 물질이 산이고, 받아들이는 물질이 염기이다.
(2) 양성자를 주고받는 관계에 해당하는 한 쌍의 물질이 짝산 – 짝염기 관계에 있다.

정답 (1) 산: H_2O, NH_4^+, 염기: NH_3, OH^-
(2) H_2O과 OH^-, NH_4^+과 NH_3

③ 산과 염기의 세기 비교

> (가) $HA(aq) + H_2O(l) \rightleftharpoons A^-(aq) + H_3O^+(aq)$ (산의 세기: $HA < H_3O^+$)
> (나) $HB(aq) + H_2O(l) \rightleftharpoons B^-(aq) + H_3O^+(aq)$ (산의 세기: $HB > H_3O^+$)

(1) 브뢴스테드·로리 산 염기: 화학 반응식에서 양성자(H^+)를 내놓는 물질은 산이고, H^+를 받아들이는 물질은 염기이다.

구분	산	염기	짝산 – 짝염기	
(가)	HA, H_3O^+	H_2O, A^-	HA와 A^-	H_3O^+과 H_2O
(나)	HB, H_3O^+	H_2O, B^-	HB와 B^-	H_3O^+과 H_2O

(2) 산과 염기의 세기 비교: 강산의 짝염기는 약염기이고, 약산의 짝염기는 강염기이다.

구분	산의 세기	염기의 세기	짝산 – 짝염기의 세기 비교
(가)	$HA < H_3O^+$	$A^- > H_2O$	HA는 H_3O^+보다 약한 산이므로 그의 짝염기 A^-은 H_2O보다 강한 염기이다.
(나)	$HB > H_3O^+$	$B^- < H_2O$	HB는 H_3O^+보다 강한 산이므로 그의 짝염기 B^-은 H_2O보다 약한 염기이다.

예제

③ 다음은 산 H_2A의 단계별 이온화 반응식을 나타낸 것이다. (단, 산의 세기는 $H_2A > HA^-$이다.)

> 1단계: $H_2A(aq) + H_2O(l) \rightleftharpoons HA^-(aq) + H_3O^+(aq)$
> 2단계: $HA^-(aq) + H_2O(l) \rightleftharpoons A^{2-}(aq) + H_3O^+(aq)$

(1) H_2A와 HA^-의 짝염기가 각각 무엇인지 쓰시오.
(2) (1)의 두 짝염기의 세기를 비교하시오.

해설 (2) 산의 세기가 H_2A가 HA^-보다 크므로 그 짝염기의 세기는 HA^-가 A^{2-}보다 작다.
정답 (1) HA^-, A^{2-} (2) $HA^- < A^{2-}$

유제

> 정답과 해설 73쪽

다음은 산 HF와 HCN의 이온화 반응식을 나타낸 것이다.

> • $HF(aq) + H_2O(l) \rightleftharpoons H_3O^+(aq) + F^-(aq)$
> • $HCN(aq) + H_2O(l) \rightleftharpoons H_3O^+(aq) + CN^-(aq)$

이에 대한 설명으로 옳은 것만을 보기에서 있는 대로 고르시오. (단, 산의 세기는 HF가 HCN보다 크다.)

보기
> ㄱ. HF의 짝염기는 H_2O이다.
> ㄴ. CN^-의 짝산은 HCN이다.
> ㄷ. CN^-은 F^-보다 강한 염기이다.

차이를 만드는 심화

산 염기의 이온화 평형

산과 염기는 수용액에서 이온화하여 정반응 속도와 역반응 속도가 같은 화학 평형을 이룬다. 브뢴스테드·로리 정의에 따르면 산과 염기는 양성자(H^+)를 주고받으며 각각의 평형 상태를 이루게 되는데, 이 평형 상태에 대해 더 자세히 알아보자.

❶ 화학 평형 상태와 평형 상수식

일정한 온도에서 어떤 가역 반응이 평형을 이루고 있을 때, 반응물의 농도 곱에 대한 생성물의 농도 곱의 비는 항상 일정하다. 이를 화학 평형 법칙이라고 한다.

다음과 같은 가역 반응이 평형 상태에 있다.

$$a\text{A} + b\text{B} \rightleftharpoons c\text{C} + d\text{D}$$

평형 상태에서는 정반응 속도와 역반응 속도가 같으므로 반응물과 생성물의 농도가 일정하게 유지된다. 이때 다음과 같이 화학 반응식의 계수를 농도의 지수로 한 생성물의 농도 곱을 반응물의 농도 곱으로 나누어 준 값은 주어진 온도에서 항상 일정하다는 것이 실험적으로 증명되었다.

$$K = \frac{[\text{C}]^c[\text{D}]^d}{[\text{A}]^a[\text{B}]^b} \quad ([\text{A}],\ [\text{B}],\ [\text{C}],\ [\text{D}] : \text{평형 상태에서의 각 물질의 몰 농도})$$

위 식을 평형 상수식이라고 하며, 이때의 일정한 값 K를 평형 상수라고 한다.

❷ 산과 염기의 이온화 평형의 평형 상수

수용액에서 산 HA가 물에 녹아 다음과 같이 이온화 평형을 이루면 이 반응의 평형 상수는 다음과 같이 나타낼 수 있다.

$$\text{HA}(aq) + \text{H}_2\text{O}(l) \rightleftharpoons \text{A}^-(aq) + \text{H}_3\text{O}^+(aq) \quad K = \frac{[\text{H}_3\text{O}^+][\text{A}^-]}{[\text{HA}][\text{H}_2\text{O}]}$$

이때 물은 용매로 사용되었기 때문에 농도가 거의 변하지 않는 상수이다. 물 1 L의 양(mol)이 $\frac{1000\ \text{g}}{18\ \text{g/mol}} \fallingdotseq 55.6\ \text{mol}$이므로 $[\text{H}_2\text{O}] \fallingdotseq 55.6\ \text{mol/L}$이다. 따라서 $K[\text{H}_2\text{O}] = K_a$로 두면 위의 평형 상수식은 다음과 같이 나타낼 수 있다.

$$K_a = K[\text{H}_2\text{O}] = \frac{[\text{H}_3\text{O}^+][\text{A}^-]}{[\text{HA}]}$$

K_a를 산의 이온화 상수라고 하는데, K_a는 다른 평형 상수와 마찬가지로 온도에 의해서만 달라진다. 이온화 상수 K_a는 온도가 일정하면 산의 농도에 관계없이 항상 일정하며, K_a가 크면 강산이고, K_a가 작으면 약산이다.

한편 수용액에서 염기 B가 물에 녹아 다음과 같이 이온화 평형을 이루면 산과 마찬가지로 이 반응의 평형 상수를 나타낼 수 있다.

$$\text{B}(aq) + \text{H}_2\text{O}(l) \rightleftharpoons \text{BH}^+(aq) + \text{OH}^-(aq) \quad K = \frac{[\text{BH}^+][\text{OH}^-]}{[\text{B}][\text{H}_2\text{O}]}$$

평형 상수의 단위

평형 상수에 표현되는 농도 값은 실제로는 각 물질의 농도를 표준 농도(1 M)로 나누어 준 값이므로 평형 상수는 단위가 없다.

물의 농도는 거의 일정하므로 염기의 이온화 상수 K_b는 다음과 같이 나타낼 수 있다.

$$K_b = \frac{[\text{BH}^+][\text{OH}^-]}{[\text{B}]}$$

일정한 온도에서 염기의 이온화 상수 K_b도 염기의 농도에 관계없이 항상 일정하며, K_b가 클수록 강염기이고, K_b가 작을수록 약염기이다.

❸ 산과 염기의 이온화 상수의 관계

수용액에서 산 HA가 물에 녹아 이온화 평형을 이루었을 때 HA의 이온화 상수는 다음과 같이 나타낼 수 있다.

$$\text{HA}(aq) + \text{H}_2\text{O}(l) \rightleftharpoons \text{H}_3\text{O}^+(aq) + \text{A}^-(aq) \cdots ① \quad K_a = \frac{[\text{H}_3\text{O}^+][\text{A}^-]}{[\text{HA}]}$$

이때 HA의 짝염기 A^-도 수용액에서 물과 반응하여 새로운 이온화 평형에 도달하므로 짝염기 A^-의 이온화 상수를 나타내면 다음과 같다.

$$\text{A}^-(aq) + \text{H}_2\text{O}(l) \rightleftharpoons \text{OH}^-(aq) + \text{HA}(aq) \cdots ② \quad K_b = \frac{[\text{OH}^-][\text{HA}]}{[\text{A}^-]}$$

산 HA의 이온화 상수 K_a와 그의 짝염기 A^-의 이온화 상수 K_b의 관계를 알아보기 위해 ①과 ②의 화학 반응식을 더하면 다음과 같다.

$$\text{HA}(aq) + \text{H}_2\text{O}(l) \rightleftharpoons \text{H}_3\text{O}^+(aq) + \text{A}^-(aq) \qquad \cdots ①$$

$$\underline{\text{A}^-(aq) + \text{H}_2\text{O}(l) \rightleftharpoons \text{OH}^-(aq) + \text{HA}(aq) \qquad \cdots ②}$$

$$\text{H}_2\text{O}(l) + \text{H}_2\text{O}(l) \rightleftharpoons \text{H}_3\text{O}^+(aq) + \text{OH}^-(aq) \qquad \cdots ③$$

③은 물의 자동 이온화 반응으로, 이 반응의 평형 상수식은 다음과 같다.

$$K_w = [\text{H}_3\text{O}^+][\text{OH}^-]$$

따라서 ③의 반응은 ①과 ②의 화학 반응식을 합한 것과 같으므로 HA의 이온화 상수 K_a와 그의 짝염기 A^-의 이온화 상수 K_b의 곱은 물의 이온화 상수 K_w와 같음을 알 수 있다.

$$K_a \times K_b = \frac{[\text{H}_3\text{O}^+][\text{A}^-]}{[\text{HA}]} \times \frac{[\text{OH}^-][\text{HA}]}{[\text{A}^-]} = [\text{H}_3\text{O}^+][\text{OH}^-] = K_w$$

25 °C에서 물의 이온화 상수는 1.0×10^{-14}이므로 이를 이용하면 짝염기 A^-의 이온화 상수로 약산 HA의 이온화 상수 K_a를 구할 수 있다. 예를 들어 25 °C에서 산과 염기의 이온화 반응식과 이온화 상수가 다음과 같을 때 HF와 HCN의 산의 세기를 비교할 수 있고, 짝염기인 F^-과 CN^-의 세기도 비교할 수 있다.

(가) $\text{HF}(aq) + \text{H}_2\text{O}(l) \rightleftharpoons \text{H}_3\text{O}^+(aq) + \text{F}^-(aq) \quad K_a = 6.6 \times 10^{-4}$

(나) $\text{CN}^-(aq) + \text{H}_2\text{O}(l) \rightleftharpoons \text{HCN}(aq) + \text{OH}^-(aq) \quad K_b = 1.6 \times 10^{-5}$

(나)에서 CN^-의 짝산인 HCN의 이온화 상수는 $K_a = \dfrac{K_w}{K_b}$이므로 $\dfrac{1.0 \times 10^{-14}}{1.6 \times 10^{-5}} = 6.25 \times 10^{-10}$이다. 따라서 HF의 $K_a(=6.6 \times 10^{-4})$에 비해 작으므로 산의 세기는 HF가 HCN보다 크다. 한편 강산의 짝염기는 약염기이고, 약산의 짝염기는 강염기이므로 염기의 세기는 CN^-이 F^-보다 크다.

K_a와 K_b
- 2개 이상의 화학 반응식을 더하여 전체 반응을 만들었을 때 전체 반응의 평형 상수는 각 반응의 평형 상수의 곱과 같다.
$$K_{전체} = K_1 \times K_2 \times K_3 \cdots$$
- 모든 짝산 – 짝염기에 대해 산의 이온화 상수와 염기의 이온화 상수의 곱은 항상 물의 이온화 상수와 같다.
$$K_a \times K_b = K_w$$

개념 모아 정리하기

02 산과 염기

① 산과 염기의 성질

구분	산	염기
정의	수용액에서 이온화되어 (❶　　　　)을 내놓는 물질이다.	수용액에서 이온화되어 (❺　　　　)을 내놓는 물질이다.
성질	• 수소보다 반응성이 큰 금속과 반응하면 (❷　　　) 기체를, 탄산염과 반응하면 (❸　　　) 기체를 발생한다. • 지시약의 색 변화: 메틸 오렌지 용액 – 빨간색, BTB 용액 – (❹　　　), 페놀프탈레인 용액 – 무색 • 강산은 수용액에서 대부분 이온화되어 수소 이온(H^+)을 많이 내놓고, 약산은 수용액에서 일부만 이온화되어 수소 이온을 적게 내놓는다.	• 단백질을 녹이는 성질이 있어 손으로 염기를 만지면 미끈거린다. • 지시약의 색 변화: 메틸 오렌지 용액 – 노란색, BTB 용액 – (❻　　　), 페놀프탈레인 용액 – 붉은색 • 강염기는 수용액에서 대부분 이온화되어 수산화 이온(OH^-)을 많이 내놓고, 약염기는 수용액에서 일부만 이온화되어 수산화 이온을 적게 내놓는다.

② 산과 염기의 정의

1. 아레니우스 정의

• 산: 수용액에서 (❼　　　)을 내놓는 물질
• 염기: 수용액에서 (❽　　　)을 내놓는 물질

2. 브뢴스테드·로리 정의

• 산: 양성자(H^+)를 내놓는 분자 또는 이온 ➡ 양성자 주개
• 염기: 양성자(H^+)를 받아들이는 분자 또는 이온 ➡ 양성자 받개
• 짝산과 짝염기: 양성자(H^+)의 이동에 의하여 산과 염기가 되는 한 쌍의 물질

　　짝산 $\rightleftharpoons$ 짝염기 + H^+

• (❾　　　) 물질: 양성자(H^+)를 내놓을 수도 있고, 받을 수도 있는 물질

3. 루이스 정의

• 산: 다른 물질의 비공유 전자쌍을 받아들이는 물질 ➡ 전자쌍 받개
• 염기: 다른 물질에 비공유 전자쌍을 주는 물질 ➡ 전자쌍 주개

③ 물의 자동 이온화와 pH

1. 물의 자동 이온화와 물의 이온화 상수

• 물의 자동 이온화: 순수한 물도 극히 일부가 자동 이온화하여 이온화 평형 상태를 이룬다.

　　$H_2O(l) + H_2O(l) \rightleftharpoons H_3O^+(aq) + OH^-(aq)$

• 물의 이온화 상수(K_w): 물의 자동 이온화 반응에 대한 평형 상수로 $K_w = [H_3O^+][OH^-]$이며, 25 ℃에서 1.0×10^{-14}이다.

2. 수소 이온 농도 지수(pH)와 pOH

• $pH = \log\dfrac{1}{[H_3O^+]} = -\log[H_3O^+]$　　　　$pOH = \log\dfrac{1}{[OH^-]} = -\log[OH^-]$

• 25 ℃에서 pH + pOH = (❿　　　)

• 산성 용액: pH < 7, pOH > 7, 중성 용액: pH = pOH = 7, 염기성 용액: pH > 7, pOH < 7

01 산의 공통적인 성질로 옳은 것만을 보기에서 있는 대로 고르시오.

> 보기
>
> ㄱ. 묽은 수용액은 신맛이 난다.
> ㄴ. 산 수용액에 전류를 흘려 주면 전기가 통한다.
> ㄷ. 모든 금속과 반응하여 수소 기체를 발생한다.
> ㄹ. 석회석과 반응하여 이산화 탄소 기체를 발생한다.

02 다음은 2가지 물질의 이온화 반응식을 나타낸 것이다.

> • $HCl(aq) \longrightarrow H^+(aq) + Cl^-(aq)$
> • $H_2SO_4(aq) \longrightarrow 2H^+(aq) + SO_4{}^{2-}(aq)$

이에 대한 설명으로 옳은 것만을 보기에서 있는 대로 고르시오.

> 보기
>
> ㄱ. 두 수용액은 H^+ 때문에 공통성을 가진다.
> ㄴ. HCl는 아레니우스 산, H_2SO_4은 아레니우스 염기이다.
> ㄷ. 두 수용액이 특이성을 갖는 이유는 음이온이 다르기 때문이다.

03 산과 염기에 대한 설명으로 옳은 것만을 보기에서 있는 대로 고르시오.

> 보기
>
> ㄱ. 양성자(H^+)를 줄 수 있는 분자 또는 이온은 산이다.
> ㄴ. 아레니우스 산 염기 정의는 수용액에서만 적용되는 한계가 있다.
> ㄷ. 다른 물질에게 비공유 전자쌍을 내놓는 물질은 염기이다.
> ㄹ. 모든 물질은 산과 염기 중 한 가지로만 작용할 수 있다.

04 아레니우스 산 염기에 대한 설명으로 옳은 것만을 보기에서 있는 대로 고르시오.

> 보기
>
> ㄱ. 산은 양성자를 받는 물질이다.
> ㄴ. HCl, CH_3COOH은 모두 산에 해당한다.
> ㄷ. NH_3가 기체 상태에서 염기로 작용함을 설명할 수 있다.

05 그림은 염화 수소(HCl)와 물의 반응을 모형으로 나타낸 것이다.

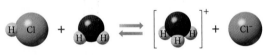

(1) 정반응에서 브뢴스테드·로리 산을 쓰시오.

(2) 역반응에서 브뢴스테드·로리 염기를 쓰시오.

(3) 짝산 − 짝염기에 해당하는 물질의 쌍을 모두 쓰시오.

06 H_2O이 브뢴스테드·로리 산으로 작용하는 것은?

① $3Fe + 4H_2O \longrightarrow Fe_3O_4 + 4H_2$

② $NH_3 + H_2O \longrightarrow NH_4{}^+ + OH^-$

③ $2Na + 2H_2O \longrightarrow 2NaOH + H_2$

④ $HSO_4{}^- + H_2O \longrightarrow SO_4{}^{2-} + H_3O^+$

⑤ $CH_3COOH + H_2O \longrightarrow CH_3COO^- + H_3O^+$

07 다음은 몇 가지 물질의 이온화 반응식을 나타낸 것이다.

> (가) $HCl(g) + H_2O(l) \longrightarrow H_3O^+(aq) + Cl^-(aq)$
>
> (나) $NH_3(g) + H_2O(l) \longrightarrow NH_4^+(aq) + OH^-(aq)$
>
> (다) $H_2CO_3(aq) + H_2O(l)$
> $\longrightarrow H_3O^+(aq) + HCO_3^-(aq)$

이에 대한 설명으로 옳은 것만을 보기에서 있는 대로 고르시오.

> 보기
>
> ㄱ. (가)와 (나)를 통해 H_2O은 양쪽성 물질임을 알 수 있다.
>
> ㄴ. (가)와 (다)에서 H_2O은 브뢴스테드·로리 산이다.
>
> ㄷ. (다)에서 H_2CO_3과 H_3O^+은 짝산 – 짝염기 관계이다.

08 그림은 4가지 물질을 산과 염기의 정의에 따라 구별하는 순서를 나타낸 모식도이다.

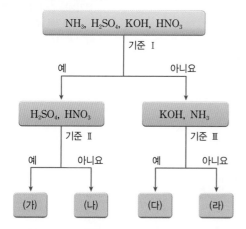

이에 대한 설명으로 옳은 것만을 보기에서 있는 대로 고르시오.

> 보기
>
> ㄱ. 기준 Ⅰ로는 '아레니우스 산이다'가 적합하다.
>
> ㄴ. 기준 Ⅱ가 '브뢴스테드·로리 산이다'라면 (가)에 포함되는 물질은 2가지이다.
>
> ㄷ. 기준 Ⅲ이 '루이스 염기이다'라면 (라)에 포함되는 물질은 1가지이다.

09 그림은 물의 자동 이온화 반응을 모형으로 나타낸 것이다.

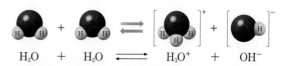

이에 대한 설명으로 옳은 것만을 보기에서 있는 대로 고르시오.

> 보기
>
> ㄱ. H_2O은 브뢴스테드·로리 산 또는 염기이다.
>
> ㄴ. H_2O은 양성자(H^+)를 주거나 받는 물질이다.
>
> ㄷ. 순수한 물에서 H_3O^+과 OH^-의 농도는 같다.

10 용액의 액성과 pH에 대한 설명으로 옳은 것만을 보기에서 있는 대로 고르시오. (단, 용액의 온도는 25 °C이다.)

> 보기
>
> ㄱ. 산성 용액의 pH는 7보다 작다.
>
> ㄴ. 용액 속 H^+ 농도가 클수록 pH는 커진다.
>
> ㄷ. pH 값이 1만큼 작아지면 H^+ 농도는 10배가 된다.

11 그림은 25 °C 수용액 (가)~(다)에 들어 있는 수소 이온(H^+)과 수산화 이온(OH^-)의 농도를 나타낸 것이다.

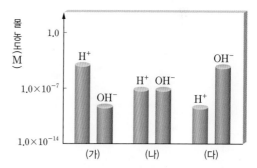

수용액 (가)~(다)에 대한 설명으로 옳은 것만을 보기에서 있는 대로 고르시오. (단, 25 °C에서 물의 이온화 상수는 1.0×10^{-14}이다.)

> 보기
>
> ㄱ. (가)의 pH는 7보다 크다.
>
> ㄴ. (나)의 액성은 중성이다.
>
> ㄷ. (가)~(다)에서 pH와 pOH의 합은 모두 14이다.

01 ▷ 산의 성질
그림은 묽은 황산(H_2SO_4)과 아연(Zn)의 반응을 모형으로 나타낸 것이다.

이에 대한 설명으로 옳은 것만을 보기에서 있는 대로 고른 것은?

보기
ㄱ. 용액의 pH는 감소한다.
ㄴ. 수용액 속 양이온 수는 감소한다.
ㄷ. 묽은 황산 대신 탄산(H_2CO_3)을 사용하면 이산화 탄소 기체가 발생한다.

① ㄱ   ② ㄴ   ③ ㄱ, ㄷ   ④ ㄴ, ㄷ   ⑤ ㄱ, ㄴ, ㄷ

묽은 산과 금속 아연이 반응하면 수소 기체가 발생한다.

02 ▷ 산과 염기의 성질
다음은 증류수, 같은 농도의 아세트산 수용액과 수산화 나트륨 수용액을 이용한 실험이다.

(가) 각 용액에 BTB 용액을 떨어뜨린다.
(나) 각 용액에 마그네슘 리본을 넣고 기포 발생 여부를 확인한다.
(다) 각 용액에서 전류가 흐르는 정도를 비교한다.

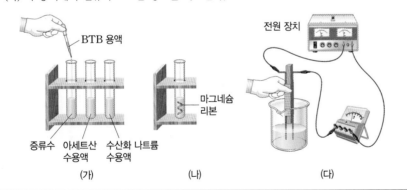

이에 대한 설명으로 옳은 것만을 보기에서 있는 대로 고른 것은?

보기
ㄱ. (가)에서 세 용액의 액성을 구별할 수 있다.
ㄴ. (나)에서 기포가 발생하는 용액은 2가지이다.
ㄷ. (다)에서 전류의 세기는 수산화 나트륨 수용액이 가장 크다.

① ㄱ   ② ㄴ   ③ ㄱ, ㄷ   ④ ㄴ, ㄷ   ⑤ ㄱ, ㄴ, ㄷ

증류수는 중성, 아세트산 수용액은 산성, 수산화 나트륨 수용액은 염기성을 띤다. 산과 염기의 세기가 강할수록 수용액에 흐르는 전류의 세기가 크다.

03
> 브뢴스테드·로리 산 염기

그림은 암모니아(NH_3)와 염화 수소(HCl)가 반응하여 암모늄 이온(NH_4^+)과 염화 이온(Cl^-)이 생성되는 반응을 모형으로 나타낸 것이다.

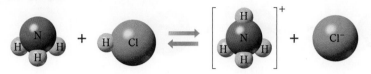

이에 대한 설명으로 옳은 것만을 보기에서 있는 대로 고른 것은?

보기
- ㄱ. HCl는 양성자를 받는다.
- ㄴ. NH_3의 짝산은 NH_4^+이다.
- ㄷ. HCl는 브뢴스테드·로리 염기이다.

① ㄱ   ② ㄴ   ③ ㄱ, ㄷ   ④ ㄴ, ㄷ   ⑤ ㄱ, ㄴ, ㄷ

> • 브뢴스테드·로리 산은 양성자(H^+)를 주는 물질이고, 염기는 양성자를 받는 물질이다.

04
> 산과 염기의 정의

다음은 몇 가지 산과 염기의 화학 반응식이다.

- $HCl(aq) + \underline{\bigcirc NH_3(g)} \longrightarrow NH_4^+(aq) + Cl^-(aq)$
- $CO_3^{2-}(aq) + \underline{\bigcirc H_2O(l)} \longrightarrow HCO_3^-(aq) + OH^-(aq)$
- $HCOOH(aq) + \underline{\bigcirc H_2O(l)} \longrightarrow HCOO^-(aq) + H_3O^+(aq)$

㉠~㉢에 대한 설명으로 옳은 것만을 보기에서 있는 대로 고른 것은?

보기
- ㄱ. 브뢴스테드·로리 염기로 작용하는 것은 ㉠과 ㉡이다.
- ㄴ. ㉡과 ㉢에서 H_2O은 양쪽성 물질임을 알 수 있다.
- ㄷ. ㉠은 루이스 산으로 작용한다.

① ㄱ   ② ㄴ   ③ ㄱ, ㄷ   ④ ㄴ, ㄷ   ⑤ ㄱ, ㄴ, ㄷ

> • 양성자(H^+)를 내놓는 물질은 브뢴스테드·로리 산이고, 양성자를 받아들이는 물질은 브뢴스테드·로리 염기이다.

05 ❯ 산과 염기의 이온화 평형

그림은 수용액에서 염화 수소(HCl)와 암모니아(NH_3)의 이온화 반응을 각각 모형으로 나타낸 것이다.

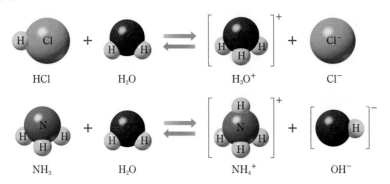

이에 대한 설명으로 옳은 것만을 보기에서 있는 대로 고른 것은?

보기
ㄱ. H_2O은 산과 염기로 모두 작용한다.
ㄴ. 수용액의 pH는 $HCl(aq)$이 $NH_3(aq)$보다 크다.
ㄷ. HCl와 Cl^-, NH_3와 NH_4^+은 모두 짝산 – 짝염기 관계이다.

① ㄱ   ② ㄴ   ③ ㄱ, ㄷ   ④ ㄴ, ㄷ   ⑤ ㄱ, ㄴ, ㄷ

- 브뢴스테드·로리 산 염기에서 양성자(H^+)를 주고받는 한 쌍의 물질을 짝산 – 짝염기라고 한다.

06 ❯ 산의 3가지 정의

그림은 3가지 산을 주어진 기준에 따라 분류한 것이다.

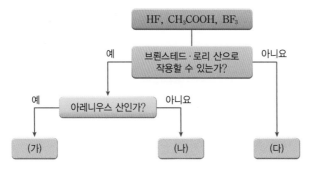

이에 대한 설명으로 옳은 것만을 보기에서 있는 대로 고른 것은?

보기
ㄱ. (가)에 해당하는 물질은 물과 반응할 때 루이스 산으로 작용한다.
ㄴ. (나)에 해당하는 물질은 2가지이다.
ㄷ. (다)에 해당하는 물질은 NH_3와 반응할 때 루이스 염기로 작용한다.

① ㄱ   ② ㄴ   ③ ㄱ, ㄷ   ④ ㄴ, ㄷ   ⑤ ㄱ, ㄴ, ㄷ

- 아레니우스 산은 수용액에서 수소 이온(H^+)을 내놓는 물질이고, 브뢴스테드·로리 산은 양성자(H^+)를 주는 물질이며, 루이스 산은 비공유 전자쌍을 받는 물질이다.

07 > 우리 주변 물질의 pH

그림은 25 °C에서 우리 주변에 있는 몇 가지 물질의 **pH**를 나타낸 것이다.

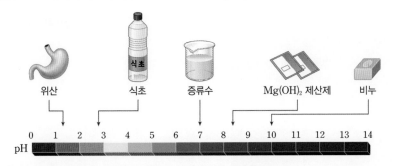

위산　　　식초　　　증류수　　　Mg(OH)₂ 제산제　　　비누

이에 대한 설명으로 옳은 것만을 보기에서 있는 대로 고른 것은?

보기

ㄱ. 식초를 계속 묽히면 pH는 7보다 커진다.

ㄴ. 제산제와 비누의 H_3O^+ 농도는 1.0×10^{-7} M보다 작다.

ㄷ. 증류수에 위산을 넣으면 증류수는 브뢴스테드·로리 염기로 작용한다.

① ㄱ　　　　② ㄷ　　　　③ ㄱ, ㄴ　　　　④ ㄴ, ㄷ　　　　⑤ ㄱ, ㄴ, ㄷ

08 > 산의 이온화 평형과 pH

그림은 25 °C에서 어떤 산 HA 수용액 1 L에 들어 있는 입자를 모형으로 나타낸 것이다. ●■와 ■는 각각 이온화되지 않은 산과 음이온이고, 입자 1개는 **0.001몰**이다.

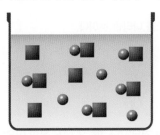

이에 대한 설명으로 옳은 것만을 보기에서 있는 대로 고른 것은? (단, **log3**은 **0.48**이다.)

보기

ㄱ. ●■는 아레니우스 산이다.

ㄴ. 수용액의 pH는 2.52이다.

ㄷ. ■ + H_2O ⇌ ●■ + OH^-에서 ■는 브뢴스테드·로리 염기로 작용한다.

① ㄱ　　　　② ㄴ　　　　③ ㄱ, ㄷ　　　　④ ㄴ, ㄷ　　　　⑤ ㄱ, ㄴ, ㄷ

25 °C에서 pH가 7보다 작으면 산성, 7이면 중성, 7보다 크면 염기성 물질이다.

●■에서 ●는 수소 이온(H^+)이고, ■는 산의 음이온에 해당한다. 수용액 속 수소 이온(H^+)의 몰 농도는 0.003 M이다.

02 산과 염기 〈 **143**

09 ▷ pH와 pOH의 관계

그림은 25 °C 수용액 속의 H_3O^+ 농도($[H_3O^+]$)와 OH^- 농도($[OH^-]$)의 관계를 모식화하여 나타낸 것이다.

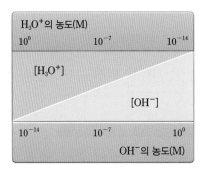

이에 대한 설명으로 옳지 <u>않은</u> 것은?

① $pH + pOH = 14$이다.

② 중성 용액의 pH는 7이다.

③ $[H_3O^+]$와 $[OH^-]$의 곱은 1.0×10^{-14}이다.

④ 수용액의 산성이 강할수록 pH가 작아진다.

⑤ 염기성 수용액에서 $[H_3O^+]$는 1.0×10^{-7} M보다 크다.

- 25 °C 수용액에서 $[H_3O^+][OH^-]$ $= 1.0 \times 10^{-14}$이므로 $[H_3O^+]$가 커질수록 $[OH^-]$는 작아진다.

10 ▷ 수용액에서의 pH와 pOH

표는 25 °C 수용액 (가)~(라)의 H_3O^+ 또는 OH^-의 농도를 나타낸 것이다.

수용액	(가)	(나)	(다)	(라)
$[H_3O^+]$(M)	5.0×10^{-8}	1.0×10^{-3}	—	—
$[OH^-]$(M)	—	—	1.0×10^{-7}	1.0×10^{-12}

이에 대한 설명으로 옳은 것만을 보기에서 있는 대로 고른 것은? (단, 25 °C에서 물의 이온화 상수는 1.0×10^{-14}이며, $\log 2$는 0.3이다.)

> **보기**
> ㄱ. (가)의 pH는 7.3이다.
> ㄴ. (다)의 액성은 중성이다.
> ㄷ. (나)의 pH와 (라)의 pH는 같다.

① ㄱ   ② ㄷ   ③ ㄱ, ㄴ   ④ ㄴ, ㄷ   ⑤ ㄱ, ㄴ, ㄷ

- $pH = \log \dfrac{1}{[H_3O^+]} = -\log[H_3O^+]$,

  $pOH = \log \dfrac{1}{[OH^-]} = -\log[OH^-]$

11 ▶ 산의 이온화 평형

그림은 1몰의 산 HX와 산 HY를 각각 1 L의 물에 녹였을 때, 수용액에 들어 있는 수소 이온과 이온화되지 않은 분자의 수를 백분율로 나타낸 것이다.

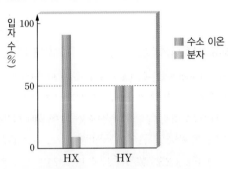

이에 대한 설명으로 옳은 것만을 보기에서 있는 대로 고른 것은?

보기
ㄱ. 수용액의 산성은 HX가 HY보다 강하다.
ㄴ. 수용액의 pH는 HX가 HY보다 크다.
ㄷ. HX와 HY의 짝산은 각각 X^-과 Y^-이다.

① ㄱ   ② ㄴ   ③ ㄱ, ㄷ   ④ ㄴ, ㄷ   ⑤ ㄱ, ㄴ, ㄷ

• HX와 HY를 물에 녹였을 때 이온화되어 생성된 수소 이온의 수가 많고 분자 수가 적을수록 산의 세기가 크다. 또, 농도가 같을 때 산의 세기가 클수록 수용액의 pH는 작다.

고난도
12 ▶ 염기의 이온화 평형

그림은 25 °C에서 두 염기 수용액 1 L에 들어 있는 입자를 모형으로 나타낸 것이다. 이온화된 입자 모형 1개는 0.001몰이다.

(가)   (나)

이에 대한 설명으로 옳은 것만을 보기에서 있는 대로 고른 것은? (단, 25 °C에서 물의 이온화 상수는 1.0×10^{-14}이고, log 2는 0.3이다.)

보기
ㄱ. (가)의 pH는 12.3이다.
ㄴ. 염기성의 세기는 (가)가 (나)보다 크다.
ㄷ. (나)에서 $[OH^-]$는 1.0×10^{-7} M보다 크고, $[H_3O^+]$는 1.0×10^{-7} M보다 작다.

① ㄱ   ② ㄴ   ③ ㄱ, ㄷ   ④ ㄴ, ㄷ   ⑤ ㄱ, ㄴ, ㄷ

• (가)에서 $[OH^-]$는 0.005 M이고, (나)에서 $[OH^-]$는 0.002 M이다. 25 °C에서 염기 수용액의 pH는 7보다 크고, pOH는 7보다 작다.

03 중화 반응

 중화 반응

사람의 위에서는 음식물을 소화하기 위해 염산이 분비되는데, 이 염산은 장까지는 도달하지 않는다. 왜냐하면 십이지장에서 약염기성 물질이 분비되어 음식물에 섞인 염산과 중화 반응이 일어나기 때문이다.

1. 중화 반응

(1) **중화 반응:** 산과 염기를 반응시키면 산의 수소 이온(H^+)과 염기의 수산화 이온(OH^-)이 반응하여 물(H_2O)을 만들고, 염기의 양이온과 산의 음이온이 반응하여 염을 생성하는 반응이 일어나는데 이를 중화 반응이라 하며, 이때 발생하는 열을 중화열이라고 한다.

① **염:** 염기의 양이온과 산의 음이온이 반응하여 생성되는 물질이다. 물에 녹는 염은 물을 증발시켜서 얻을 수 있고, 물에 녹지 않는 염(불용성 염)은 앙금을 만들므로 거름종이로 걸러서 얻을 수 있다.

② **중화열:** 중화 반응이 일어날 때 발생하는 열로, 중화 반응이 많이 일어날수록 발생하는 중화열이 크다.

$$산 + 염기 \longrightarrow 염 + 물 + 열$$

예 묽은 염산(HCl)과 수산화 나트륨(NaOH) 수용액이 중화 반응하면 염인 염화 나트륨(NaCl)과 물(H_2O)이 생성된다.

$$\begin{array}{ccccc} HCl(aq) + NaOH(aq) & \longrightarrow & NaCl(aq) + H_2O(l) \\ 산 \qquad\quad 염기 & & 염 \qquad\quad 물 \end{array}$$

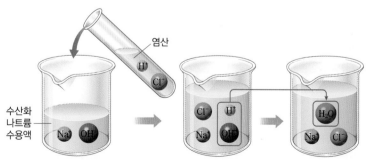

염산

수산화
나트륨
수용액

▲ **염산과 수산화 나트륨 수용액의 중화 반응 모형**

중화 반응에서 하이드로늄 이온(H_3O^+)의 표시
중화 반응에서 H_3O^+을 간단히 수소 이온(H^+)으로 나타낸다.

(2) **중화 반응의 알짜 이온 반응식**: 중화 반응은 산의 수소 이온(H^+)과 염기의 수산화 이온(OH^-)이 1 : 1의 몰비로 반응하여 물이 생성되는 반응이며, 염기의 양이온과 산의 음이온은 중화 반응에 직접 참여하지 않는다. 따라서 실제 반응에 참여한 이온만으로 나타낸 알짜 이온 반응식은 다음과 같다.

$$H^+(aq) + OH^-(aq) \longrightarrow H_2O(l)$$

(3) **구경꾼 이온**: 중화 반응에서 반응에 참여하지 않은 염기의 양이온과 산의 음이온을 구경꾼 이온이라고 한다.

⑩ 묽은 염산과 수산화 나트륨 수용액의 중화 반응에서 구경꾼 이온은 염화 이온(Cl^-)과 나트륨 이온(Na^+)이다.

(4) **중화 반응의 이온 모형**: 중화 반응이 일어나면 산의 수소 이온과 염기의 수산화 이온이 반응하여 물을 생성하고, 반응하지 않은 이온들은 혼합 용액 속에 그대로 존재한다.

⑩ 일정량의 묽은 염산에 수산화 나트륨 수용액을 가할 때 처음에는 수용액 속에 H^+만 있으므로 용액은 산성을 띠며, 중화 반응이 진행되어 용액 속의 H^+이 가해 주는 OH^-과 모두 반응하여 없어지면 중성이 된다. 그리고 과량의 수산화 나트륨 수용액을 가하면 OH^-만 존재하므로 염기성을 띤다.

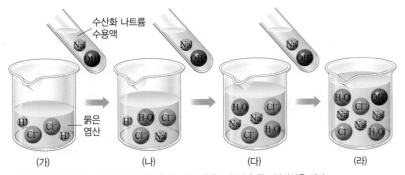

▲ **중화 반응의 이온 수 변화 모형** (가)와 (나)는 산성, (다)는 중성, (라)는 염기성을 띤다.

중화 반응과 평형 상수
· 강산과 강염기의 중화 반응은 물의 자동 이온화 반응의 역반응이기 때문에 중화 반응의 평형 상수(K_n)는 물의 이온화 상수(K_w)의 역수이다.

$$H^+ + OH^- \longrightarrow H_2O$$

$$K_n = \frac{1}{K_w} = 1.0 \times 10^{14} \ (25\ ℃)$$

· 중화 반응의 평형 상수는 매우 큰데, 이는 강산과 강염기의 중화 반응이 거의 100 % 정반응 쪽으로 진행된다는 것을 뜻한다.

시선 집중 ★ **중화 반응의 이온 수 변화 그래프**   **집중 분석** 2권 158~159쪽

일정량의 묽은 염산에 수산화 나트륨 수용액을 조금씩 넣을 때 이온 수 변화 그래프는 다음과 같다.

모형	(가)	(나)	(다)	(라)	이온 수 변화
H^+ 수	2	1	0	0	OH^-과 반응하므로 점점 감소하다가 완전히 중화된 이후 존재하지 않음
Cl^- 수	2	2	2	2	구경꾼 이온이므로 처음에 넣어 준 양 그대로 일정
Na^+ 수	0	1	2	3	구경꾼 이온이므로 넣어 주는 대로 계속 증가
OH^- 수	0	0	0	1	H^+과 반응하므로 처음에는 존재하지 않다가 완전히 중화된 이후부터 증가
전체 이온 수	4	4	4	6	처음에는 일정하다가 완전히 중화된 이후부터 증가
생성된 H_2O 수	0	1	2	2	반응하는 H^+과 OH^-의 수에 비례하여 증가하다가 완전히 중화된 이후부터 일정

▲ 이온 수 변화 그래프

2. 중화 반응의 양적 관계

(1) 중화 반응 시 혼합 용액의 액성

① 중화 반응에서는 산에서 이온화된 수소 이온(H^+)과 염기에서 이온화된 수산화 이온(OH^-)이 결합하여 물(H_2O)을 생성한다. 이때 중화 반응의 알짜 이온 반응식에서 H^+과 OH^-의 계수비가 1 : 1이므로 중화 반응이 완결되려면 혼합한 H^+의 양(mol)과 OH^-의 양(mol)이 같아야 한다.

② 혼합하는 H^+의 양(mol)이 OH^-의 양(mol)보다 많으면 H^+이 남게 되므로 산성 용액, OH^-의 양(mol)이 H^+의 양(mol)보다 많으면 OH^-이 남게 되므로 염기성 용액이 된다.

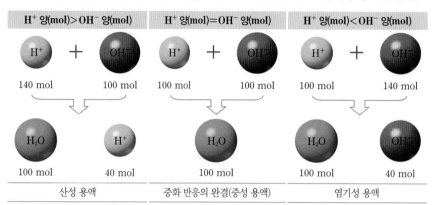

▲ **중화 반응의 양적 관계** 중화 반응의 완결 조건: 산의 H^+ 양(mol)=염기의 OH^- 양(mol)

(2) 산과 염기의 가수: 산 또는 염기 1 mol이 내놓을 수 있는 H^+이나 OH^-의 양(mol)은 산과 염기의 가수에 따라 달라진다.

산	이온화 반응식	내놓을 수 있는 H^+의 양(mol)
1가 산	$HCl \longrightarrow H^+ + Cl^-$ $CH_3COOH \longrightarrow CH_3COO^- + H^+$	1
2가 산	$H_2SO_4 \longrightarrow 2H^+ + SO_4^{2-}$ $H_2CO_3 \longrightarrow 2H^+ + CO_3^{2-}$	2
3가 산	$H_3PO_4 \longrightarrow 3H^+ + PO_4^{3-}$	3

염기	이온화 반응식	내놓을 수 있는 OH^-의 양(mol)
1가 염기	$NaOH \longrightarrow Na^+ + OH^-$ $NH_3 + H_2O \longrightarrow NH_4^+ + OH^-$	1
2가 염기	$Ba(OH)_2 \longrightarrow Ba^{2+} + 2OH^-$ $Ca(OH)_2 \longrightarrow Ca^{2+} + 2OH^-$	2
3가 염기	$Al(OH)_3 \longrightarrow Al^{3+} + 3OH^-$	3

▲ **몇 가지 산과 염기 1 mol이 내놓을 수 있는 H^+ 또는 OH^-의 양(mol)**

(3) 중화 반응의 양적 관계

① 산의 가수 n, 몰 농도 M인 경우: 산 V mL 속에 포함된 H^+의 양(mol)$=\dfrac{nMV}{1000}$

② 염기의 가수 n', 몰 농도 M'인 경우: 염기 V' mL 속에 포함된 OH^-의 양(mol)
$=\dfrac{n'M'V'}{1000}$

산의 가수
산 1 mol이 내놓을 수 있는 H^+의 양(mol)을 산의 가수라고 한다.

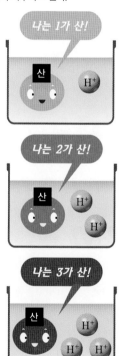

염기의 가수
염기 1 mol이 내놓을 수 있는 OH^-의 양(mol)을 염기의 가수라고 한다.

③ 중화 반응의 양적 관계: 중화 반응은 산의 H^+ 양(mol)과 염기의 OH^- 양(mol)이 같아야 완결되므로 중화 반응이 완결될 때는 다음과 같은 관계식이 성립한다.

$$nMV = n'M'V'$$

(n, n': 산, 염기의 가수, M, M': 산, 염기의 몰 농도, V, V': 산, 염기의 부피)

④ 산이나 염기를 수용액으로 넣지 않고 직접 용질로 넣은 경우: n'가 염기 w g을 중화시키는 데 몰 농도 M인 n가 산 V mL가 소모되었다면 다음과 같은 관계식이 성립한다.

산 V mL 속에 포함된 H^+의 양(mol) $= \dfrac{nMV}{1000}$

염기 w g 속에 포함된 OH^-의 양(mol) $= n' \times \dfrac{w}{화학식량}$

$$\therefore \frac{nMV}{1000} = n' \times \frac{w}{화학식량}$$

예제

1. 0.1 M 염산(HCl(aq)) 100 mL가 완전히 중화되는 데 필요한 0.2 M 수산화 나트륨(NaOH) 수용액의 부피를 구하시오.

해설 중화 반응의 양적 관계($nMV = n'M'V'$)를 이용하여 NaOH(aq)의 부피(x)를 구한다.
1×0.1 M $\times 0.1$ L $= 1 \times 0.2$ M $\times x$, $x = 0.05$ L $= 50$ mL   **정답** 50 mL

2. 농도를 모르는 수산화 바륨(Ba(OH)$_2$) 수용액 40 mL를 완전히 중화시키는 데 0.1 M 염산 (HCl(aq)) 20 mL가 사용되었을 때 Ba(OH)$_2$(aq)의 몰 농도를 구하시오.

해설 중화 반응의 양적 관계($nMV = n'M'V'$)를 이용하여 Ba(OH)$_2$(aq)의 몰 농도(x)를 구한다.
1×0.1 M $\times 0.02$ L $= 2 \times x \times 0.04$ L, $x = 0.025$ M   **정답** 0.025 M

3. 수산화 나트륨(NaOH) 2 g이 완전히 중화되는 데 필요한 1.0 M 염산(HCl(aq))의 부피를 구하시오. (단, NaOH의 화학식량은 40.0이다.)

해설 중화 반응의 양적 관계($nMV = n'M'V'$)에 따라 NaOH 2 g의 양(mol)인 $1 \times \dfrac{2}{40}$ mol은 산의 양(mol)
인 $1 \times 1.0 \times \dfrac{V}{1000}$와 같아야 한다. 따라서 $V = 50$ mL이다.   **정답** 50 mL

---

3. 지시약의 원리

(1) **지시약:** 수용액의 액성에 따라 색이 변하여 중화 반응이 일어나는 것을 눈으로 직접 확인할 수 있게 해 주는 물질이다. 지시약은 그 자체가 약한 산성 또는 약한 염기성을 띠며, 물질이 지시약으로 이용되기 위해서는 산성형과 그 짝염기형의 색이 서로 달라야 한다.

(2) **원리:** 어떤 지시약의 산성형을 HIn, 그 짝염기형을 In^-이라 하면 수용액에서 산 염기 평형은 다음과 같다.

$HIn(aq) + H_2O(l) \rightleftharpoons H_3O^+(aq) + In^-(aq)$

이때 산성 용액에서는 지시약이 주로 산성형인 HIn 형태로 존재하게 되고, 염기성 용액에서는 주로 염기성형인 In^-의 형태로 존재하게 된다. 따라서 HIn과 In^-의 색이 서로 다른 물질이 지시약으로 이용될 수 있다.

페놀프탈레인

산 염기 중화 반응에서 가장 많이 이용되는 지시약으로, 산성과 중성에서는 무색이고, 염기성에서는 붉은색을 띤다. 페놀프탈레인의 이온화 평형을 나타내면 다음과 같다. 페놀프탈레인의 산성형은 무색이고, 염기성형은 붉은색이다.

페놀프탈레인은 오각형 고리 부분이 끊어지면서 붉은색을 띠는 물질로 변한다.

시야**확장** ➕ **화학 평형의 이동**

❶ **르샤틀리에 원리:** 어떤 반응이 평형 상태에 있을 때, 농도, 온도, 압력 등의 조건이 변하지 않으면 평형이 계속 유지된다. 그러나 평형 상태로 있다가 농도, 온도, 압력 등의 조건이 변하면 평형이 더 이상 유지되지 못하고, 정반응이나 역반응 쪽으로 반응이 어느 정도 진행된 후 새로운 평형 상태에 도달하게 된다.

1884년 프랑스의 화학자 르샤틀리에는 "평형 상태에 있는 반응계에 어떤 변화가 생기면 그 변화를 완화시키려는 방향으로 평형이 이동한다."는 '르샤틀리에 원리'를 발표하였다. 즉, 반응물이나 생성물의 농도를 증가시키면 그 물질의 농도를 감소시키려는 방향으로 반응이 진행되고, 반대로 농도를 감소시키면 그 물질의 농도를 증가시키려는 방향으로 반응이 진행된다.

❷ **지시약의 색 변화:** 산성 용액에서는 H_3O^+이 풍부하므로 지시약을 산성 용액에 넣으면 르샤틀리에 원리에 의해 평형이 역반응 쪽으로 이동하여 지시약이 주로 산성형인 HIn 형태로 존재하고, 염기성 용액에서는 OH^-이 풍부하므로 지시약을 염기성 용액에 넣으면 OH^-에 의해 H_3O^+이 중화되므로 평형이 정반응 쪽으로 이동하여 지시약이 주로 짝염기형인 In^-의 형태로 존재한다.

4. 지시약의 선택

(1) **액성에 따른 지시약의 선택:** 일반적으로 중화 반응에서 산성 용액을 확인하기 위한 지시약으로는 메틸 오렌지 용액을 많이 사용하며, 염기성 용액을 확인하기 위한 지시약으로는 페놀프탈레인 용액을 많이 사용한다.

구분	리트머스 용액	메틸 오렌지 용액	BTB 용액	페놀프탈레인 용액
산성	빨간색	빨간색	노란색	무색
중성	보라색	노란색	초록색	무색
염기성	파란색	노란색	파란색	붉은색

액성에 따른 리트머스 종이의 색 변화
리트머스 종이의 경우 산성에서는 푸른색 → 붉은색으로 변하고, 중성에서는 변화가 없으며, 염기성에서는 붉은색 → 푸른색으로 변한다.

산성	푸른색 리트머스 종이 / 푸른색 → 붉은색
중성	변화 없음
염기성	붉은색 리트머스 종이 / 붉은색 → 푸른색

(2) **여러 가지 지시약의 변색 범위:** 지시약은 종류에 따라 다양한 색을 나타낸다. 지시약의 색이 변하는 pH의 범위를 변색 범위라고 하는데, 지시약의 종류에 따라 변색 범위가 서로 다르므로 가장 적당한 지시약을 선택하는 것이 중요하다.

지시약 \ pH	산성 ← 중성 → 염기성 (0 1 2 3 4 5 6 7 8 9 10 11 12 13 14)	변색 범위
메틸 오렌지 용액	빨간색 (주황색) 노란색	3.1~4.4
리트머스 용액	빨간색 (보라색) 파란색	4.3~8.0
브로모티몰 블루 (BTB) 용액	노란색 (초록색) 파란색	6.2~7.6
페놀프탈레인 용액	무색 (분홍색) 붉은색	8.2~10.0

② 중화 적정

산을 염기로 중화시키거나 염기를 산으로 중화시킬 때 완전히 중화된 지점을 찾는 방법에는 어떤 것이 있을까? 일반적으로 지시약의 색 변화를 관찰하거나 혼합 용액의 최고 온도 또는 전류의 세기를 측정하면 완전히 중화된 지점을 알아낼 수 있다.

1. 중화 적정

(1) **중화 적정**: 중화 반응이 완결되려면 반응하는 H^+의 양(mol)과 OH^-의 양(mol)이 같아야 한다. 이를 이용하여 농도를 이미 알고 있는 산 또는 염기의 수용액으로 농도를 모르는 염기 또는 산 수용액의 농도를 알아내는 실험적 방법을 중화 적정이라고 한다.

(2) **중화 적정에 쓰이는 실험 기구**

① **부피 플라스크**: 정확한 농도의 표준 용액을 만드는 데 사용한다.

② **피펫**: 정확한 부피의 용액을 옮길 때 사용한다. 이때 피펫 필러를 이용하여 원하는 용액의 부피만큼 취할 수도 있다.

③ **뷰렛**: 중화 적정에 쓰인 표준 용액의 부피를 측정하는 데 사용한다. 뷰렛을 처음 사용할 경우 뷰렛에 담긴 용액을 조금 흘려 보내 뷰렛의 꼭지 아랫부분에도 용액이 채워지도록 한 다음 사용한다.

④ **비커 또는 삼각 플라스크**: 농도를 모르는 용액을 넣고, 뷰렛에 담긴 표준 용액을 떨어뜨려 반응시키는 용기로 사용한다.

⑤ **자석과 자석 젓개**: 산과 염기 수용액을 혼합할 때 사용한다. 용액이 담긴 삼각 플라스크에 자석을 넣고 자석 젓개 위에 올려놓은 다음 자석 젓개를 작동시켜 혼합시킨다.

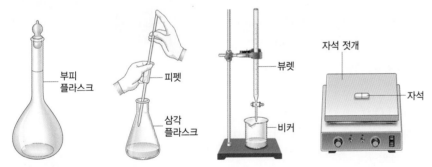

부피 플라스크 · 피펫 · 삼각 플라스크 · 뷰렛 · 비커 · 자석 젓개 · 자석

▲ 중화 적정에 쓰이는 실험 기구들

(3) **중화 적정에 쓰이는 용어**

① **표준 용액**: 산과 염기의 중화 적정 실험에서 농도를 이미 알고 있는 용액을 표준 용액이라고 한다. 농도를 모르는 염기 수용액의 농도를 알아내기 위해서는 표준 용액으로 산 수용액을 사용하고, 농도를 모르는 산 수용액의 농도를 알아내기 위해서는 표준 용액으로 염기 수용액을 사용한다.

② **중화점**: 산과 염기가 완전히 중화되는 지점이다.

③ **종말점**: 산과 염기의 중화 적정 실험에서 실험자가 중화점이라고 판단하여 적정을 멈추는 지점이다.

④ **당량점**: 산의 H^+ 양(mol)과 염기의 OH^- 양(mol)이 같아지는 지점이다.

중화점, 당량점, 종말점
중화점과 당량점은 산의 H^+ 양(mol)과 염기의 OH^- 양(mol)이 같아 산과 염기가 완전히 중화되는 지점을 의미하며, 보통 같은 의미로 쓰이고 있다. 그러나 종말점은 실험자가 중화점이나 당량점이라고 판단하여 적정을 멈추는 지점으로, 중화점이나 당량점과는 구별하여 쓰이고 있으며, 중화점과 종말점의 차이가 실험 오차에 해당한다.

(4) 수산화 나트륨 수용액으로 묽은 염산을 중화 적정하는 실험 과정 탐구 2권 156~157쪽

① 부피 플라스크를 이용하여 정확한 농도의 수산화 나트륨 표준 용액을 만든다.

② 피펫으로 농도를 모르는 묽은 염산 일정량을 정확하게 취하여 삼각 플라스크에 넣고 페놀프탈레인 용액 1~2방울을 넣는다.

③ 수산화 나트륨 표준 용액을 뷰렛에 넣고, 삼각 플라스크 속 염산에 표준 용액을 조금씩 떨어뜨리면서 중화 적정을 한다. 이때 삼각 플라스크 속 용액을 약 10초 동안 흔들어도 옅은 분홍색을 띠면 적정을 멈춘다.

④ 과정 ①~③을 3번 수행하여 적정에 소모된 수산화 나트륨 수용액의 부피를 구한 후 평균값을 계산한다.

⑤ 수산화 나트륨 수용액의 농도, 부피와 묽은 염산의 부피를 중화 반응의 양적 관계 공식 ($nMV = n'M'V'$)에 대입하여 농도를 모르는 묽은 염산의 농도를 계산한다.

▲ 중화 적정 기구의 조작

2. 중화점의 확인

(1) 지시약의 이용: 산과 염기의 중화 반응에서 중화점을 확인하는 가장 간편한 방법은 지시약의 색 변화를 이용하는 것이다.

① 강산을 강염기로, 또는 강염기를 강산으로 중화시킬 때: 메틸 오렌지 용액이나 페놀프탈레인 용액을 사용한다.

예 $NaOH(aq) + HCl(aq) \longrightarrow NaCl(aq) + H_2O(l)$

② 약산을 강염기로, 또는 강염기를 약산으로 중화시킬 때: 중화점의 액성이 염기성이므로 염기성에서 색깔이 변하는 페놀프탈레인 용액을 사용한다.

예 $CH_3COOH(aq) + NaOH(aq) \longrightarrow CH_3COONa(aq) + H_2O(l)$

③ 강산을 약염기로, 또는 약염기를 강산으로 중화시킬 때: 중화점의 액성이 산성이므로 산성에서 색깔이 변하는 메틸 오렌지 용액을 사용한다.

예 $NH_3(aq) + HCl(aq) \longrightarrow NH_4Cl(aq)$

④ 약염기를 약산으로, 또는 약산을 약염기로 중화시킬 때: 지시약으로는 중화점을 찾을 수 없고, pH 미터를 사용하거나 정밀한 전류계로 전류를 측정하여 중화점을 찾는다.

예 $NH_3(aq) + CH_3COOH(aq) \longrightarrow CH_3COONH_4(aq)$

(2) 중화열의 이용: 중화 반응이 일어날 때 반응하는 수소 이온(H^+)과 수산화 이온(OH^-)의 양이 최대인 중화점에서 열(Q)이 가장 많이 발생하므로 혼합 용액의 온도를 측정하여 중화점을 확인할 수 있다.

페놀프탈레인 용액을 이용한 중화 적정

일정량의 묽은 염산에 소량의 페놀프탈레인 용액을 가한 후, 뷰렛에 담긴 표준 용액인 수산화 나트륨 수용액을 조금씩 넣는다.

중화점 근처에서 붉은색이 나타나며, 이 용액을 흔들면 붉은색이 사라진다.

용액을 흔들어도 약 10초 동안 붉은색이 사라지지 않으면 중화 적정을 멈춘다.

중화 반응하는 산과 염기에 따른 중화점의 pH와 사용할 수 있는 지시약

중화 반응하는 산과 염기	중화점의 pH	사용할 수 있는 지시약
강산+강염기	pH=7	메틸 오렌지 페놀프탈레인
약산+강염기	pH>7	페놀프탈레인
강산+약염기	pH<7	메틸 오렌지
약산+약염기	pH=7	없음

$$H^+(aq) + OH^-(aq) \longrightarrow H_2O(l) + Q(\text{중화열})$$

일정량의 산(염기) 수용액을 염기(산) 수용액으로 중화시킬 때 온도가 점점 올라가다가 중화점에서 최고 온도를 나타내고, 그 이후에는 중화 반응이 일어나지 않고 온도가 낮은 용액이 첨가되므로 온도가 점점 내려간다. 따라서 혼합 용액의 온도가 최고일 때가 중화점이다.

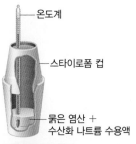

▲ 중화열 측정 장치

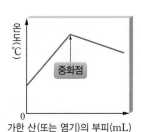

▲ 중화 적정의 온도 변화

(3) **전류의 세기 변화 이용:** 중화 반응이 일어날 때 용액 속에 존재하는 이온의 종류와 농도가 변하므로 전류의 세기도 변한다. 강산과 강염기의 중화 반응에서 혼합 용액에 흐르는 전류의 세기가 가장 작을 때가 중화점이다.

🔵 일정량의 수산화 나트륨 수용액에 묽은 염산을 가할 때 중화점까지는 전체 이온 수가 일정하지만 수용액의 부피가 증가하여 이온의 농도가 감소하므로 전류의 세기가 중화점에서 가장 약하다. 중화점 이후에는 산을 가할수록 이온 농도가 증가하므로 전류의 세기가 다시 강해진다.

중화열
산의 H^+ 1몰과 염기의 OH^- 1몰이 반응하여 $H_2O(l)$ 1몰이 생성될 때 발생하는 열량으로, 그 크기는 산과 염기의 종류에 관계없이 항상 일정하다. 이것은 산과 염기의 종류가 달라져도 중화 반응의 알짜 이온 반응식이 같기 때문이다.

중화 반응과 전류의 세기
일정량의 수산화 나트륨 수용액($NaOH(aq)$)에 묽은 염산($HCl(aq)$)을 가하면서 전류의 세기를 측정하면 전류의 세기가 점점 약해지다가 중화점에서 가장 약하고, 중화점 이후 염산을 가할수록 다시 강해진다.

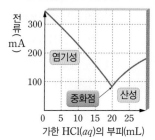

시야확장 ➕ 산과 염기의 종류에 따른 중화점의 pH

❶ **염의 가수 분해:** 염이 수용액에서 이온화할 때 생성되는 이온 중 일부가 물과 반응하여 수소 이온(H^+)이나 수산화 이온(OH^-)을 생성하는 반응을 염의 가수 분해라고 한다.

❷ **중화 반응에서 산과 염기의 종류에 따른 중화점의 pH**
· 강산과 강염기가 반응하여 생성된 염: 강산과 강염기가 중화 반응하여 생성된 염은 물에 녹아 이온화되기는 하지만 가수 분해되지는 않는다. 따라서 정염의 수용액은 중성이고, 산성염의 수용액은 산성, 염기성염의 수용액은 염기성을 나타낸다.
　🔵 정염의 수용액: $NaCl \longrightarrow Na^+ + Cl^-$ (중성)
　산성염의 수용액: $NaHSO_4 \longrightarrow Na^+ + H^+ + SO_4^{2-}$ (산성)
　염기성염의 수용액: $Ca(OH)Cl \longrightarrow Ca^{2+} + OH^- + Cl^-$ (염기성)
· 강산과 약염기가 반응하여 생성된 염: 가수 분해되어 산성을 나타낸다.
　🔵 염화 암모늄(NH_4Cl)의 이온화: $NH_4Cl \longrightarrow NH_4^+ + Cl^-$
　가수 분해: $NH_4^+ + H_2O \longrightarrow NH_3 + H_3O^+$ ➡ 산성을 나타낸다.
· 약산과 강염기가 반응하여 생성된 염: 가수 분해되어 염기성을 나타낸다.
　🔵 탄산수소 나트륨($NaHCO_3$)의 이온화: $NaHCO_3 \longrightarrow Na^+ + HCO_3^-$
　가수 분해: $HCO_3^- + H_2O \longrightarrow H_2CO_3 + OH^-$ ➡ 염기성을 나타낸다.
· 약산과 약염기가 반응하여 생성된 염: 가수 분해되어 중성에 가까운 용액이 된다.
　🔵 아세트산 암모늄(CH_3COONH_4)의 이온화: $CH_3COONH_4 \longrightarrow CH_3COO^- + NH_4^+$
　가수 분해: $CH_3COO^- + H_2O \longrightarrow CH_3COOH + OH^-$
　　　　　　$\underline{NH_4^+ + H_2O \longrightarrow NH_3 + H_3O^+}$
　　　　$CH_3COO^- + NH_4^+ + 2H_2O \longrightarrow CH_3COOH + OH^- + NH_3 + H_3O^+$
　➡ CH_3COOH과 NH_3는 산과 염기의 세기가 비슷하므로 중성에 가까운 용액이 된다.

정염, 산성염, 염기성염
· 정염(중성염): 산의 수소 이온이 완전히 금속 이온으로 치환된 염을 정염이라고 한다.
　🔵 $NaCl$, Na_2CO_3, $BaSO_4$
· 산성염: 산의 수소 이온이 일부 남아 있는 염을 수소염 또는 산성염이라고 한다.
　🔵 $NaHSO_4$, $NaHCO_3$, Na_2HPO_4
· 염기성염: 염기의 수산화 이온이 일부 남아 있는 염을 염기성염이라고 한다.
　🔵 $Ca(OH)Cl$, $Mg(OH)Cl$

3. 중화 적정 곡선

산과 염기의 중화 적정에서 가해 준 염기 또는 산 수용액의 부피에 따른 용액의 pH 변화를 나타낸 그래프를 중화 적정 곡선이라고 한다.

(1) 강산을 강염기로 적정(묽은 염산+수산화 나트륨 수용액)

$$HCl(aq) + NaOH(aq) \longrightarrow NaCl(aq) + H_2O(l)$$

강산을 강염기로 적정하면 중화점에서 pH가 급격히 변화하게 되는데, 그 범위는 pH 4~10 정도이다. 대부분의 지시약은 변색 범위가 이에 해당되므로 중화점을 확인하기 위한 지시약을 선택하기 쉽고, 메틸 오렌지 용액이나 페놀프탈레인 용액 등이 사용된다.

(2) 강산을 약염기로 적정(묽은 염산+암모니아수)

$$HCl(aq) + NH_3(aq) \longrightarrow NH_4^+(aq) + Cl^-(aq)$$

강산을 약염기로 적정하면 중화점에서 pH가 7보다 작으므로 지시약의 변색 범위가 산성 쪽에 있는 메틸 오렌지 용액이 이용된다. 이 경우 페놀프탈레인 용액은 사용할 수 없다.

(3) 약산을 강염기로 적정(아세트산 수용액+수산화 나트륨 수용액)

$$CH_3COOH(aq) + NaOH(aq) \longrightarrow CH_3COONa(aq) + H_2O(l)$$

약산을 강염기로 적정하면 중화점에서 pH가 7보다 크므로 지시약의 변색 범위가 염기성 쪽에 있는 페놀프탈레인 용액이 이용된다. 이 경우 메틸 오렌지 용액은 사용할 수 없다.

(4) 약산을 약염기로 적정(아세트산 수용액+암모니아수)

$$CH_3COOH(aq) + NH_3(aq) \longrightarrow CH_3COO^-(aq) + NH_4^+(aq)$$

약산을 약염기로 적정하면 중화점에서의 pH 변화가 작기 때문에 적당한 지시약을 선택할 수 없다. 따라서 지시약을 사용할 수 없으며, 중화점에서의 pH는 거의 7이다.

중화 적정과 지시약

어떤 지시약의 변색 범위에서 적정 곡선의 pH 변화가 급격할 때 이 지시약을 중화 적정에 사용할 수 있다. 예를 들면, 강산을 강염기로 적정할 때 페놀프탈레인 용액의 변색 범위에서 적정 곡선의 pH 변화가 급격하다. 즉, 강염기로 적정할 때 페놀프탈레인 용액을 지시약으로 사용할 수 있다. 그러나 약염기로 적정할 때는 페놀프탈레인 용액의 변색 범위에서 적정 곡선의 pH 변화가 급격하지 않으므로 페놀프탈레인 용액을 지시약으로 사용할 수 없다.

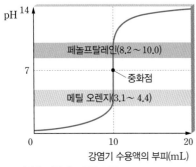

(1) 강산을 강염기로 중화 적정

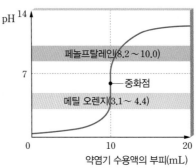

(2) 강산을 약염기로 중화 적정

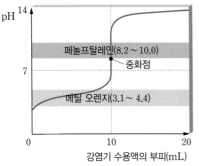

(3) 약산을 강염기로 중화 적정

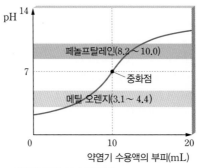

(4) 약산을 약염기로 중화 적정

▲ 중화 적정 곡선의 유형

3 중화 반응과 우리 생활

위산이 과다하게 분비되어 속이 쓰릴 때 제산제를 먹기도 하고, 생선을 먹기 전 레몬즙을 살짝 뿌려 비린 맛을 없애기도 한다. 이처럼 우리가 살아가는 생활 속에서 산과 염기의 반응을 쉽게 찾아볼 수 있다.

1. 생활 속 중화 반응의 원리
우리 생활에서 산성이 원인인 경우는 염기성 물질을 반응시키고, 염기성이 원인인 경우는 산성 물질을 반응시킨다.

2. 생활 속 중화 반응이 이용된 예
(1) **위액의 제산 효과:** 음식을 지나치게 많이 먹거나 몸에 이상이 생기면 위산이 많이 분비되어 속이 쓰린데, 이때 제산제를 먹으면 속이 곧 편안해진다. 이것은 제산제에 들어 있는 탄산수소 나트륨($NaHCO_3$), 수산화 마그네슘($Mg(OH)_2$), 수산화 알루미늄($Al(OH)_3$), 탄산 칼슘($CaCO_3$) 등과 같은 약한 염기성 물질이 위산을 중화시키기 때문이다.

제산제의 종류		위 속에서의 화학 반응
수산화 이온을 포함하는 경우	$Mg(OH)_2$, $Al(OH)_3$	$OH^- + H^+ \longrightarrow H_2O$
탄산 이온을 포함하는 경우	$CaCO_3$, $MgCO_3$	$CO_3^{2-} + 2H^+ \longrightarrow CO_2 + H_2O$
탄산수소 이온을 포함하는 경우	$NaHCO_3$, $KHCO_3$	$HCO_3^- + H^+ \longrightarrow CO_2 + H_2O$

(2) **생선의 비린내 제거:** 생선에서 나는 비린내는 약염기성을 띤 트라이메틸아민($N(CH_3)_3$)이라는 화학 물질 때문이다. 물고기에 들어 있는 산화트라이메틸아민은 아무 냄새가 없으나 물고기가 죽어 산화트라이메틸아민이 몸속 효소나 세균에 의해 분해되면 트라이메틸아민이 생성되어 비린내가 난다. 생선 요리를 먹기 전에 식초나 레몬즙을 뿌리는 것은 염기인 아민을 산 성분과 반응시켜 비린내를 없애기 위해서이다.

(3) **벌에 쏘였을 때의 치료:** 벌(꿀벌)에 쏘였을 때 아픈 것은 침속에 들어 있는 폼산이라는 물질 때문이다. 이때 염기인 묽은 암모니아수를 바르면 중화되어 쓰리고 아픈 것이 완화된다.

(4) **비누로 감아 손상된 머리카락 중화:** 머리카락의 주성분은 아미노산들이 모여서 만들어진 단백질로, 비누로 머리를 감으면 염기성인 비누 성분 때문에 머리카락이 부스스해진다. 이때 식초를 몇 방울 떨어뜨린 물에 머리를 헹구어 중화시키면 머리카락이 부드러워진다.

(5) **김치의 신맛 제거:** 김치에 염기인 소다($NaHCO_3$)를 넣으면 산성인 김치의 신맛(젖산)을 중화시킬 수 있다.

(6) **산성화된 토양의 중화:** 산성화된 토양에 염기인 석회석($CaCO_3$)을 뿌려 중화시킨다.

(7) **공장의 배기가스 처리:** 배기가스에는 산성 물질인 이산화 황이 포함되어 있으므로 염기성 물질인 석회석으로 중화시킨다.

(8) **중화 반응에 의한 치아의 보호:** 입속에 사는 박테리아는 음식물을 분해하여 산성 물질을 생성한다. 이렇게 생성된 산성 물질은 치아를 덮고 있는 에나멜층을 부식시켜 치아에 구멍을 내고 충치를 만든다. 입속에서는 약한 염기성을 띠는 침이 분비되어 산성 물질을 중화시킨다. 그러나 음식을 먹은 후에는 산성 물질이 많이 생성되므로 양치질을 하여 입속의 음식물을 제거하는 것이 좋다.

제산제
위벽에서는 적당량의 염산이 분비되는데, 염산은 음식물에 묻어 들어온 박테리아를 죽이고, 음식물의 소화를 돕는 역할을 한다. 그런데 위벽에서 염산이 너무 많이 분비되면 소화 불량이 되어 속이 쓰리고, 심하면 위벽이 상하게 된다. 이때 제산제를 복용하면 염산을 중화시켜서 소화 불량이나 위염을 치료할 수 있다.

레몬즙의 성분(시트르산)
귤이나 레몬에 들어 있는 산으로, 물과 알코올에 잘 녹고 신맛이 난다.

꿀벌의 침 성분(폼산)
꿀벌이나 개미에 들어 있는 산으로, 개미산이라고 불리기도 한다. 무색의 자극적인 냄새가 있는 액체로, 피부에 닿으면 쓰리고 아프다.

김치의 신맛 성분(젖산)
젖당이나 포도당 등의 발효로 생기는 유기산으로, 무색 무취의 신맛이 나는 액체이다.

소다
탄산수소 나트륨($NaHCO_3$)을 흔히 일컫는 말이다. 흰색의 결정으로, 물에 녹으면 염기성을 나타낸다.

중화 적정을 이용하여 식초 속 아세트산의 함량 구하기

식초는 아세트산을 포함한 수용액으로, 중화 적정을 이용하여 식초 속에 포함된 아세트산의 함량을 구할 수 있다.

과정 1

실험 1 0.1 M 수산화 나트륨 수용액(표준 용액) 만들기

1 깨끗한 비커와 유리 막대를 준비한 후, 비커 속에 2.0 g의 수산화 나트륨을 넣는다.

2 1의 비커에 증류수를 약간 넣어 유리 막대로 저으면서 수산화 나트륨을 녹인다.

3 500 mL 부피 플라스크에 2의 수산화 나트륨 수용액을 넣고, 증류수로 비커를 여러 번 헹구어 부피 플라스크 속에 넣는다.

4 부피 플라스크의 마개를 닫고 잘 흔든 다음, 마개를 열고 부피 플라스크의 눈금선까지 증류수를 넣다가 눈금선 근처에 이르면 중지하고, 스포이트를 이용하여 증류수를 한 방울씩 떨어뜨려서 정확하게 눈금선까지 채워지도록 한다.

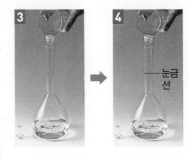

실험 2 식초 속의 아세트산 농도 결정하기

1 원액을 $\frac{1}{10}$로 묽힌 식초 25 mL를 100 mL 삼각 플라스크에 넣고 페놀프탈레인 용액을 2~3방울 떨어뜨린다.

2 실험1에서 만든 0.1 M 수산화 나트륨(NaOH) 수용액으로 뷰렛을 2회 정도 씻어낸 후, 뷰렛에 수산화 나트륨 수용액을 채워 넣는다. 이때 뷰렛의 끝부분까지 용액이 채워지도록 적정을 시작하기 전 꼭지를 열어 용액을 조금 흘려버린다.

3 뷰렛의 눈금을 기록한 후 과정 1의 삼각 플라스크에 자석을 넣고 자석 젓개 위에 올려놓은 다음 자석 젓개를 작동시킨다.

4 0.1 M 수산화 나트륨 수용액을 조금씩 가하면서 혼합 용액이 옅은 분홍색을 띠면 뷰렛 꼭지를 잠그고, 그때까지 소모된 수산화 나트륨 수용액의 부피를 구한다.

5 1~4의 과정을 2회 더 반복한다.

과정 2 식초 속의 아세트산 함량 계산하기

1 실험2에서 구한 아세트산의 몰 농도를 이용하여 식초 100 mL에 들어 있는 아세트산의 질량을 계산한다.

2 식초의 밀도를 1 g/mL로 가정하고 식초 100 mL의 질량을 구한다.

3 실험에서 사용한 식초 속 아세트산의 퍼센트 농도(%)를 구해 식초 속 아세트산의 함량을 알아본다.

유의점

· 수산화 나트륨 수용액은 독성이 강하므로 피부에 닿지 않도록 주의하며, 피부에 닿으면 즉시 물로 씻어낸다.

· 혼합 용액의 색이 분홍색을 나타내기 시작하면 수산화 나트륨 수용액을 조심스럽게 한 방울씩 떨어뜨리면서 변화를 관찰한다.

· 혼합 용액의 색 변화를 관찰하기 위해 삼각 플라스크 아래에 흰 종이를 놓는다.

· 식초 속 아세트산의 함량을 구하기 위해서는 식초의 산은 아세트산만 있다고 가정한다.

결과 및 해석

1 실험**1**에서 만든 수산화 나트륨 수용액의 몰 농도는 얼마인가?

➡ 수산화 나트륨의 화학식량이 40.0이므로 2.0 g은 0.05 mol이다. 수산화 나트륨 수용액의 부피가 500 mL이므로 몰 농도는 $\dfrac{0.05\ \text{mol}}{0.5\ \text{L}}=0.1$ M이다.

2 실험**2**의 결과 소모된 수산화 나트륨 수용액의 부피는 다음과 같다.

구분	1회	2회	3회	평균
수산화 나트륨 수용액의 부피(mL)	20.1	19.9	20.0	20.0

3 식초 속 아세트산의 농도는 얼마인가?

➡ $nMV=n'M'V'$에 의해 $1\times x\times 25=1\times 0.1\times 20$, $x=0.08$(M)이므로 $\dfrac{1}{10}$로 묽히기 전 원액 속 아세트산의 농도는 0.08 M$\times 10=0.8$ M이다.

4 식초 속 아세트산의 함량(%)은 얼마인가?

➡ 식초 속 아세트산의 농도는 0.8 M이므로 식초 1 L에는 0.8몰의 아세트산이 포함되어 있다. 따라서 식초 100 mL에는 0.08몰이 들어 있고, 아세트산 1몰의 질량은 60.0 g이므로 아세트산 0.08몰의 질량은 $60.0\times 0.08=4.8$(g)이다.

식초의 밀도가 1 g/mL이므로 식초 100 mL의 질량은 100 g이다. 따라서 식초 속 아세트산의 함량(%)은 $\dfrac{\text{아세트산의 질량}}{\text{식초의 질량}}\times 100=\dfrac{4.8}{100}\times 100=4.8$(%)이다.

정리

• 중화 적정에서 미지 용액의 몰 농도는 $nMV=n'M'V'$의 식에 대입해서 구할 수 있다.

• 식초에 포함된 아세트산의 몰 농도를 계산할 때 식초를 $\dfrac{1}{10}$로 희석하여 적정했으므로 식초 원액에 포함된 아세트산의 농도는 계산 값의 10배가 된다.

• 식초 속 아세트산의 함량을 구하기 위해서는 식초 속 아세트산의 농도를 이용하여 아세트산의 양(mol)과 그 질량을 구한다. 그 다음 식초의 밀도를 이용해 같은 질량의 식초에 포함된 아세트산의 질량 백분율을 구하면 아세트산의 함량(%)을 구할 수 있다.

탐구 확인 문제

〉정답과 해설 **76**쪽

01 위 탐구에 대한 설명으로 옳지 **않은** 것은?

① 수산화 나트륨 2 g에 증류수 500 mL를 가한 용액은 0.1 M이다.

② 중화 적정 시 뷰렛의 끝부분까지 표준 용액이 채워지도록 한 후 눈금을 읽는다.

③ 중화점 근처에서는 뷰렛에 담긴 표준 용액을 최대한 천천히 떨어뜨린다.

④ 혼합 용액 속 아세트산 이온과 나트륨 이온은 구경꾼 이온이다.

⑤ 식초와 수산화 나트륨 수용액의 알짜 이온 반응식은 $H^+ + OH^- \longrightarrow H_2O$이다.

02 식초 10 mL에 0.1 M 수산화 나트륨 수용액을 완전히 중화될 때까지 가하였더니 가한 수산화 나트륨 수용액의 부피가 40 mL였다. 물음에 답하시오. (단, 식초에 산은 아세트산만 존재하며, 식초 10 mL의 질량은 10 g, 아세트산의 분자량은 60.0이다.)

(1) 식초 속 아세트산의 몰 농도를 구하시오.

(2) 식초 속 아세트산의 질량을 구하고, 아세트산의 함량(%)을 구하시오.

중화 반응의 이온 수 변화 모형과 그래프

중화 반응에서 산의 수소 이온(H^+)과 염기의 수산화 이온(OH^-)이 1 : 1의 개수비로 결합하여 물(H_2O)이 생성되며, 이 때 용액에는 반응에 참여하지 않은 구경꾼 이온이 존재한다. 일정량의 산(염기) 수용액에 염기(산) 수용액을 조금씩 넣을 때 이온 수 변화는 어떻게 될지 모형과 그래프를 통해 알아보자.

❶ 중화 반응 모형과 각 이온 수 변화

일정량의 수산화 나트륨($NaOH$) 수용액에 같은 농도의 묽은 염산(HCl)을 조금씩 가할 때 각 이온 수 변화는 다음과 같다.

모형	염기성	염기성	중성	산성
Na^+ 수	2	2	2	2
OH^- 수	2	1	0	0
H^+ 수	0	0	0	1
Cl^- 수	0	1	2	3
총 이온 수	4	4	4	6
H_2O 분자 수	0	1	2	2

❷ 중화 반응에 따른 각 이온 수 변화 그래프와 생성된 물 분자 수 변화 그래프

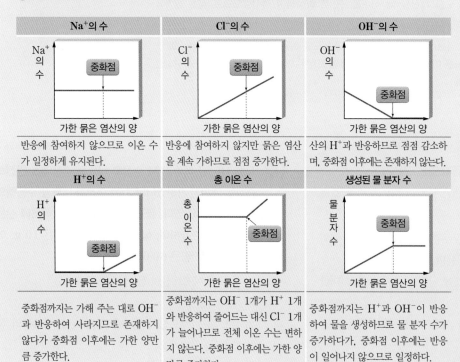

Na^+의 수
반응에 참여하지 않으므로 이온 수가 일정하게 유지된다.

Cl^-의 수
반응에 참여하지 않지만 묽은 염산을 계속 가하므로 점점 증가한다.

OH^-의 수
산의 H^+과 반응하므로 점점 감소하며, 중화점 이후에는 존재하지 않는다.

H^+의 수
중화점까지는 가해 주는 대로 OH^-과 반응하여 사라지므로 존재하지 않다가 중화점 이후에는 가한 양만큼 증가한다.

총 이온 수
중화점까지는 OH^- 1개가 H^+ 1개와 반응하여 줄어드는 대신 Cl^- 1개가 늘어나므로 전체 이온 수는 변하지 않는다. 중화점 이후에는 가한 양만큼 증가한다.

생성된 물 분자 수
중화점까지는 H^+과 OH^-이 반응하여 물을 생성하므로 물 분자 수가 증가하다가, 중화점 이후에는 반응이 일어나지 않으므로 일정하다.

중화 반응이 일어날 때의 변화
- 지시약의 색 변화
- 온도 상승(중화열 발생)
- 전기 전도도 감소(이온의 농도 감소)
- 부피 증가(H_2O 생성)

③ (1가 산＋1가 염기)의 중화 반응과 (2가 산＋1가 염기)의 중화 반응 비교

(1) 수산화 나트륨 수용액 100 mL에 같은 농도의 묽은 염산을 넣을 때(1가 산＋1가 염기)
완전히 중화되는 지점(중화점)에서 묽은 염산의 부피: 100 mL
➡ 수산화 나트륨 수용액 100 mL 속 OH^- 수를 N개라고 하면 같은 농도의 묽은 염산 100 mL 속 H^+ 수는 N개이고, 중화점에서 생성되는 물 분자의 수는 N개이다.

(2) 수산화 나트륨 수용액 100 mL에 같은 농도의 묽은 황산을 넣을 때(2가 산＋1가 염기)

$$2NaOH + H_2SO_4 \longrightarrow Na_2SO_4 + 2H_2O$$

완전히 중화되는 지점(중화점)에서 묽은 황산의 부피: 50 mL ➡ 반응 부피비가 2 : 1이므로 수산화 나트륨 수용액 100 mL 속 OH^- 수를 N개라고 하면 같은 농도의 묽은 황산 50 mL 속 H^+ 수는 N개이고, 중화점에서 생성되는 물 분자 수는 N개이다.

(3) 수산화 나트륨 수용액 100 mL에 같은 농도의 묽은 염산과 묽은 황산을 각각 넣을 때 물 분자 수 변화

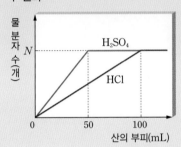

① H^+과 OH^-이 완전히 중화되는 지점(중화점)까지 반응한 산의 부피비는 $HCl : H_2SO_4 = 2 : 1$이다.

② 중화점에서 존재하는 이온 수비
• 묽은 염산의 경우: $Na^+ : Cl^- = 1 : 1$
• 묽은 황산의 경우: $Na^+ : SO_4^{2-} = 2 : 1$

▷ 정답과 해설 **76**쪽

유제

그림은 일정량의 묽은 염산($HCl(aq)$)에 수산화 나트륨 수용액($NaOH(aq)$)을 가하는 모습을 모형으로 나타낸 것이다.

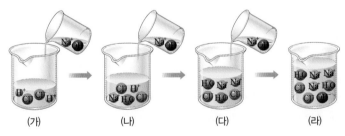

(가)　　　　(나)　　　　(다)　　　　(라)

이에 대한 설명으로 옳은 것만을 보기에서 있는 대로 고른 것은? (단, 묽은 염산과 수산화 나트륨 수용액의 초기 온도는 같다.)

보기
ㄱ. 혼합 용액 중 전류의 세기가 가장 작은 것은 (다)이다.
ㄴ. (다) 용액의 최고 온도는 (라) 용액보다 높다.
ㄷ. 페놀프탈레인 용액을 떨어뜨렸을 때 붉게 변하는 것은 (가)와 (나)이다.

① ㄱ　　　　② ㄷ　　　　③ ㄱ, ㄴ　　　　④ ㄴ, ㄷ　　　　⑤ ㄱ, ㄴ, ㄷ

(2가 산＋1가 염기)의 중화 반응
묽은 황산과 수산화 나트륨 수용액의 반응은 $H_2SO_4 + 2NaOH \longrightarrow Na_2SO_4 + 2H_2O$에 의해 묽은 황산과 수산화 나트륨 수용액이 1 : 2의 몰비로 반응한다.

중화 반응에서 전류의 세기 변화

중화 반응이 진행될 때 혼합 용액 속에 존재하는 이온의 종류와 농도가 변하므로 전류의 세기도 변하게 되는데, 강산과 강염기의 반응의 경우 중화점에서 전류의 세기가 가장 약하게 나타난다. 약산과 강염기, 약염기와 강산, 약산과 약염기의 반응에서는 전류의 세기가 어떻게 변하는지 알아보자.

❶ 강산을 강염기로 중화시키는 경우(물에 녹는 염이 생성되는 경우)

묽은 염산과 수산화 나트륨 수용액의 중화 반응에서는 물에 녹는 염인 염화 나트륨이 생성되므로 중화 반응이 일어나는 동안 이온 수가 변하지 않는다. 중화점에 도달하기까지 전류의 세기는 점점 감소하는데 이것은 다음과 같은 2가지 요인의 영향 때문이다. 하나의 요인은 산 수용액에 염기 수용액을 가하면 물이 생성되고, 혼합 용액의 전체 부피가 늘어나 상대적으로 이온 농도가 작아지기 때문이다. 또, H^+이나 OH^-의 전기 전도도는 Na^+이나 Cl^-의 전기 전도도보다 크므로 전기 전도도가 큰 이온 농도가 감소하는 것도 전류의 세기가 감소하는 주요한 요인이 된다.

❷ 강산을 강염기로 중화시키는 경우(물에 녹지 않는 염이 생성되는 경우)

묽은 황산과 수산화 바륨 수용액의 중화 반응에서는 물에 녹지 않는 염인 황산 바륨이 생성되므로 중화 반응이 진행됨에 따라 이온 수가 감소한다. 따라서 전류의 세기가 감소하다가 중화점에 도달하면 전류가 거의 흐르지 않는다.

❸ 강산을 약염기로 중화시키는 경우

강산의 이온화도는 크므로 중화점에 도달할 때까지 전류의 세기가 점점 감소하다가 중화점을 지나면 약염기의 이온화도는 작기 때문에 전류의 세기가 거의 일정하게 유지된다.

❹ 약산을 강염기로 중화시키는 경우

약산의 이온화도는 작으므로 중화점에 도달할 때까지 약산의 짝염기가 생성되어 전류의 세기가 서서히 증가하다가 중화점을 지나면 강염기의 이온화도가 커서 전류의 세기가 급격하게 증가한다.

❺ 약산을 약염기로 중화시키는 경우

약산의 이온화도가 작으므로 중화점에 도달할 때까지 약산의 짝염기가 생성되면서 전류의 세기가 서서히 증가하다가 중화점을 지나면 약염기의 이온화도가 작기 때문에 전류의 세기는 거의 일정하게 유지된다.

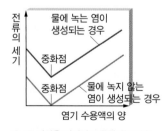

❶, ❷ 강산을 강염기로 중화하는 경우

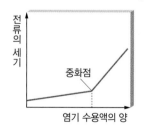

❸ 강산을 약염기로 중화하는 경우

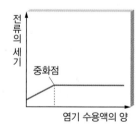

❹ 약산을 강염기로 중화하는 경우   ❺ 약산을 약염기로 중화하는 경우

▲ 중화 반응에서 전류의 세기 변화

03 중화 반응

1 중화 반응

1. 중화 반응 산과 염기가 반응하여 물과 염이 생성되는 반응으로, 중화열이 발생한다.

> 산 + 염기 ⟶ 염 + 물 + 열

- (❶   ) 반응식: 산의 (❷   )과 염기의 (❸   )이 1 : 1의 몰비로 반응하여 물이 생성되는 반응
  ➡ $H^+ + OH^- \longrightarrow H_2O$
- (❹   ): 중화 반응에 참여하지 않은 산의 음이온과 염기의 양이온

2. 중화 반응의 양적 관계

- 산과 염기가 완전히 중화되려면 산의 H^+ 양(mol)과 염기의 OH^- 양(mol)이 같아야 한다.
- 중화 반응은 산의 H^+ 양(mol)과 염기의 OH^- 양(mol)이 같아야 완결되므로 다음과 같은 양적 관계가 성립한다.

> $$nMV = n'M'V'$$
> (n, n': 산, 염기의 가수, M, M': 산, 염기의 몰 농도, V, V': 산, 염기의 부피)

- (❺   ): 수용액의 액성에 따라 색깔이 변하므로 중화점을 확인하는 데 쓰이는 물질이다.

2 중화 적정

1. 중화 적정 (❻   ) 반응을 이용하여 산, 염기 용액의 농도를 알아내는 방법

2. 중화점의 확인

- 지시약의 이용: 산과 염기의 중화 반응의 중화점에서 용액의 pH가 지시약의 변색 범위에 있을 경우, 지시약의 색 변화로 중화점을 찾을 수 있다.
- 중화열의 이용: 중화 반응이 일어날 때 반응하는 수소 이온(H^+)과 수산화 이온(OH^-)의 양이 최대인 중화점에서 열이 가장 많이 발생하므로 혼합 용액의 온도가 가장 (❼   ) 지점이 중화점이다.
- 전류의 세기 변화 이용: 중화 반응이 진행될 때 용액 속에 존재하는 이온의 종류와 농도가 변하므로 전류의 세기도 변한다. ➡ 강산과 강염기의 중화 반응에서 혼합 용액에 흐르는 전류의 세기가 가장 (❽   ) 지점이 중화점이다.

3. 중화 적정 곡선 산과 염기의 중화 적정에서 가해 준 염기 또는 산 수용액의 부피에 따른 용액의 (❾   ) 변화를 나타낸 그래프를 중화 적정 곡선이라고 한다. 이 곡선은 산과 염기의 세기와 농도에 따라 모양이 달라진다.

3 중화 반응과 우리 생활

1. 원리 우리 생활에서 산성이 원인인 경우는 (❿   ) 물질을 반응시키고, 염기성이 원인인 경우는 (⓫   ) 물질을 반응시킨다.

2. 예 위산 과다 시 제산제 먹기, 생선에 레몬즙 뿌리기, 벌에 쏘였을 때 묽은 암모니아수 바르기, 김치의 신맛을 소다로 중화시키기, 산성화된 토양에 석회석 뿌리기, 공장의 배기가스를 석회석으로 처리하기 등

01 중화 반응에 대한 설명으로 옳은 것만을 보기에서 있는 대로 고르시오.

> 보기
> ㄱ. 산과 염기가 반응하면 중화열이 발생한다.
> ㄴ. 수소 이온과 수산화 이온이 같은 몰비로 반응한다.
> ㄷ. 산의 음이온과 염기의 양이온이 반응하여 물이 생성된다.

02 묽은 염산(HCl)이 들어 있는 삼각 플라스크에 수산화 칼슘($Ca(OH)_2$) 수용액을 조금씩 떨어뜨려 완전히 중화되었을 때에 대한 설명으로 옳은 것만을 보기에서 있는 대로 고르시오.

> 보기
> ㄱ. 반응하는 H^+과 OH^-의 몰비는 1 : 1이다.
> ㄴ. BTB 용액을 떨어뜨리면 파란색을 띤다.
> ㄷ. 생성되는 염의 화학식은 $CaCl_2$이다.

03 그림은 수용액 (가)와 (나)에 존재하는 이온을 입자 모형으로 나타낸 것이다.

     (가)   (나)

(가)와 (나)를 혼합한 용액에 대한 설명으로 옳은 것만을 보기에서 있는 대로 고르시오. (단, 혼합 용액의 온도는 25 ℃이고, 생성된 염은 물에 잘 녹는다.)

> 보기
> ㄱ. A는 +1의 양이온이다.
> ㄴ. 혼합 용액의 pH는 7보다 크다.
> ㄷ. 구경꾼 이온은 A와 Cl^-이다.

04 수산화 이온(OH^-) 100개를 완전히 중화시키기 위해 필요한 탄산(H_2CO_3) 분자의 개수를 구하시오.

05 그림은 일정량의 수산화 나트륨($NaOH$) 수용액에 묽은 염산(HCl)을 조금씩 넣을 때 일어나는 반응을 모형으로 나타낸 것이다.

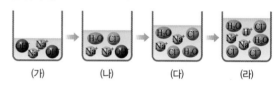

  (가)   (나)   (다)   (라)

이에 대한 설명으로 옳은 것만을 보기에서 있는 대로 고르시오. (단, 반응 전 두 수용액의 온도는 같다.)

> 보기
> ㄱ. 페놀프탈레인 용액을 떨어뜨렸을 때 붉게 변하는 용액은 (가)와 (나)이다.
> ㄴ. 용액의 온도가 가장 높은 것은 (다)이다.
> ㄷ. 생성된 물 분자 수는 (라)가 (다)보다 많다.

06 0.2 M H_2SO_4 수용액 20 mL를 완전히 중화시키는 데 필요한 수산화 나트륨($NaOH$)의 질량을 구하시오. (단, NaOH의 화학식량은 40이다.)

07 0.1 M 아세트산(CH_3COOH) 수용액 10 mL를 0.1 M 수산화 나트륨(NaOH) 수용액으로 적정하였다. 이 실험의 적정 곡선으로 옳은 것은?

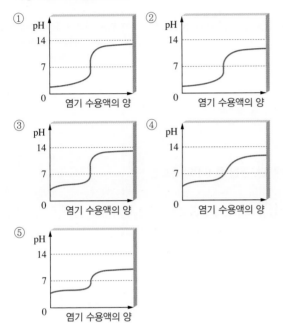

[08~09] 그림은 식초 속 아세트산의 함량을 구하기 위한 중화 적정 실험 장치를 나타낸 것이다.

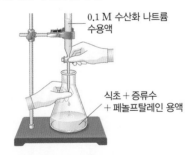

0.1 M 수산화 나트륨 수용액

식초 + 증류수 + 페놀프탈레인 용액

08 일정량의 식초를 삼각 플라스크에 넣기 위한 실험 기구(A) 와 수산화 나트륨 수용액이 담긴 실험 기구(B)는 각각 무엇 인지 쓰시오.

09 중화점 전과 후 혼합 용액의 색은 어떻게 변하는지 쓰시오.

10 농도를 모르는 산 HA 수용액 100 mL를 완전히 중화시 키는 데 0.1 M NaOH 수용액 200 mL가 사용되었다. HA 수용액의 농도를 구하시오.

11 묽은 염산에 페놀프탈레인 용액 2~3방울을 넣고, 농도가 같은 수산화 나트륨 수용액을 조금씩 떨어뜨리면서 반응시 켰다. 이 반응의 중화점을 찾는 방법으로 옳은 것만을 보기 에서 있는 대로 고르시오.

> 보기
> ㄱ. 혼합 용액이 무색으로 변하는 지점을 찾는다.
> ㄴ. 혼합 용액의 온도가 가장 높은 지점을 찾는다.
> ㄷ. 혼합 용액의 전류의 세기가 가장 작은 지점을 찾 는다.

12 그림은 일정량의 묽은 염산(HCl)에 수산화 나트륨 (NaOH) 수용액을 가할 때 혼합 용액의 온도를 나타낸 것 이다.

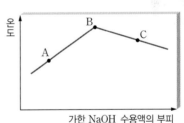

가한 NaOH 수용액의 부피

이에 대한 설명으로 옳은 것만을 보기에서 있는 대로 고르 시오. (단, 반응 전 두 수용액의 온도는 같다.)

> 보기
> ㄱ. 용액의 pH는 A>B>C이다.
> ㄴ. 생성된 물 분자 수는 B와 C가 같다.
> ㄷ. 전류의 세기가 가장 큰 용액은 B이다.
> ㄹ. BTB 용액을 떨어뜨렸을 때 파란색으로 변하는 것 은 C이다.

01 〉중화 반응의 이온 모형

그림은 같은 부피의 산과 염기 수용액을 혼합하였을 때 일어나는 중화 반응을 이온 모형으로 나타낸 것이다.

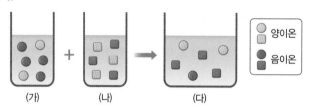

(가)   (나)   (다)

○ 양이온
□ 양이온
● 음이온
■ 음이온

이에 대한 설명으로 옳은 것만을 보기에서 있는 대로 고른 것은? (단, 혼합 후 (다)의 온도는 25 °C이다.)

보기
ㄱ. ○의 전하는 □의 2배이다.
ㄴ. (다)의 pH는 7보다 크다.
ㄷ. (가)와 (나)의 몰 농도는 같다.

① ㄱ   ② ㄷ   ③ ㄱ, ㄴ   ④ ㄴ, ㄷ   ⑤ ㄱ, ㄴ, ㄷ

• 반응 전과 후 양이온 ○과 음이온 ■은 반응에 참여하지 않으므로 구경꾼 이온이고, 중화 반응에 참여하는 음이온 ●은 수산화 이온, 양이온 □은 수소 이온이다.

02 〉산과 염기의 중화 반응

그림은 수산화 칼슘($Ca(OH)_2$) 수용액 50 mL에 0.1 M 염산(HCl)을 조금씩 떨어뜨릴 때 혼합 용액에 들어 있는 이온 수를 나타낸 것이다.

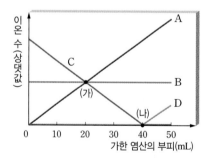

이 에 대한 설명으로 옳은 것만을 보기에서 있는 대로 고른 것은?

보기
ㄱ. $Ca(OH)_2$ 수용액의 농도는 0.04 M이다.
ㄴ. 혼합 용액의 pH는 (가)가 (나)보다 크다.
ㄷ. 알짜 이온 반응식은 A와 B로 나타낼 수 있다.

① ㄱ   ② ㄷ   ③ ㄱ, ㄴ   ④ ㄴ, ㄷ   ⑤ ㄱ, ㄴ, ㄷ

• 수산화 칼슘 수용액의 몰 농도는 중화 반응의 양적 관계 ($nMV = n'M'V'$)로 구한다.

[03~04] 다음은 식초 속 아세트산(CH_3COOH)의 함량을 구하기 위해 수산화 나트륨(NaOH) 표준 용액을 만들어 중화 적정 실험을 하는 과정을 순서 없이 나열한 것이다.

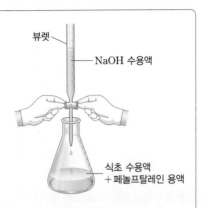

(가) 수산화 나트륨(NaOH) 0.4 g을 비커에 넣고 물에 녹여 100 mL를 만든다.

(나) 부피 플라스크의 수산화 나트륨 수용액 50 mL를 뷰렛에 넣고 오른쪽 그림과 같이 식초 수용액이 들어 있는 삼각 플라스크에 조금씩 떨어뜨린다.

(다) 부피 플라스크의 눈금선까지 증류수를 채운다.

(라) 식초 10 mL를 취하여 $\frac{1}{10}$로 묽힌 다음, 묽힌 식초 수용액 10 mL를 삼각 플라스크에 넣고 페놀프탈레인 용액 2~3방울을 떨어뜨린다.

(마) 수산화 나트륨이 녹아 있는 비커의 용액을 1 L 부피 플라스크에 넣고 그 비커를 다시 씻어 부피 플라스크에 넣는다.

(바) 페놀프탈레인 용액의 색이 붉은색으로 될 때까지 소비된 수산화 나트륨 수용액의 부피를 측정한다.

(사) 실험 결과로부터 식초 속 아세트산의 농도를 계산한다.

그림 설명: 뷰렛, NaOH 수용액, 식초 수용액 + 페놀프탈레인 용액

---

03 ❯ 중화 적정 실험 과정

위 실험 과정을 순서대로 옳게 나열한 것은?

① (가) – (다) – (나) – (마) – (라) – (바) – (사)

② (가) – (마) – (다) – (바) – (나) – (라) – (사)

③ (가) – (마) – (다) – (나) – (라) – (바) – (사)

④ (가) – (마) – (다) – (라) – (나) – (바) – (사)

⑤ (가) – (마) – (다) – (라) – (바) – (나) – (사)

> 이미 알고 있는 산 또는 염기 수용액을 사용하여 농도를 모르는 염기 또는 산 수용액의 농도를 알아내는 것을 중화 적정이라고 한다.

---

04 ❯ 중화 적정을 이용한 식초 속 아세트산 함량 구하기

(바)에서 측정한 수산화 나트륨 수용액의 부피가 20 mL인 경우, 실험 과정 및 결과에 대한 설명으로 옳은 것만을 보기에서 있는 대로 고른 것은? (단, 식초에 산은 아세트산만 있다고 가정하고, 식초의 밀도는 1 g/mL이며, 아세트산의 분자량은 60.0이다.)

> **보기**
>
> ㄱ. 수산화 나트륨 수용액의 농도는 0.01 M이다.
>
> ㄴ. 묽히기 전 식초의 몰 농도는 0.02 M이다.
>
> ㄷ. 식초 속 아세트산의 함량은 0.12 %이다.

① ㄱ   ② ㄴ   ③ ㄱ, ㄷ   ④ ㄴ, ㄷ   ⑤ ㄱ, ㄴ, ㄷ

> $\frac{1}{10}$로 묽힌 식초의 몰 농도를 x라 하고 중화 반응의 양적 관계($nMV = n'M'V'$)로 x를 구한다. 묽히기 전 식초의 몰 농도는 $(10 \times x)$ M이다.

05
> 산과 염기의 중화 반응

그림은 **0.1 M 염산(HCl) 10 mL**에 수산화 나트륨(NaOH) 수용액을 조금씩 가했을 때 **NaOH 수용액의 부피에 따른 용액의 전체 이온의 양(mol)**을 나타낸 것이다.

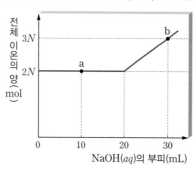

이에 대한 설명으로 옳은 것만을 보기에서 있는 대로 고른 것은?

> 보기

ㄱ. N은 0.001이다.

ㄴ. NaOH 수용액의 농도는 0.05 M이다.

ㄷ. 생성된 물 분자 수는 b가 a의 3배이다.

① ㄱ   ② ㄷ   ③ ㄱ, ㄴ   ④ ㄴ, ㄷ   ⑤ ㄱ, ㄴ, ㄷ

- 수산화 나트륨 수용액의 몰 농도는 중화 반응의 양적 관계($nMV = n'M'V'$)로 구할 수 있다. 이때 수소 이온의 양(mol)만큼 염화 이온이 존재한다.

06
> 산과 염기의 중화 반응

그림은 표와 같이 **0.2 M 염산(HCl)**과 x **M 수산화 칼륨(KOH) 수용액의 부피를 달리하여 혼합했을 때**, 각 용액의 최고 온도를 나타낸 것이다.

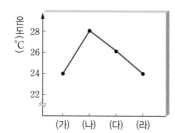

용액	(가)	(나)	(다)	(라)
HCl(aq)(mL)	10	20	30	40
KOH(aq)(mL)	50	40	30	20

이에 대한 설명으로 옳은 것만을 보기에서 있는 대로 고른 것은? (단, 반응 전 두 수용액의 온도는 같다.)

> 보기

ㄱ. x는 0.2이다.

ㄴ. 혼합 용액 (다)의 액성은 중성이다.

ㄷ. 생성된 물 분자 수는 (가)와 (라)가 같다.

① ㄱ   ② ㄷ   ③ ㄱ, ㄴ   ④ ㄴ, ㄷ   ⑤ ㄱ, ㄴ, ㄷ

- 혼합 용액의 최고 온도가 가장 높은 (나)에서 완전히 중화가 일어났으므로 이때의 부피비를 이용하면 몰 농도비를 알 수 있다.

07 ❯ 산과 염기의 중화 반응

그림은 수산화 나트륨(NaOH) 수용액과 묽은 염산(HCl)의 부피비를 달리하여 반응시켰을 때, 용액에 존재하는 수산화 이온(OH^-)의 수를 나타낸 것이다. 실험 Ⅰ에서 사용한 수산화 나트륨 수용액의 농도는 0.1 M이다.

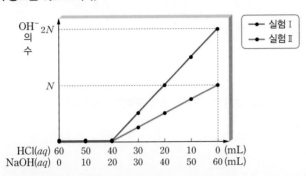

이에 대한 설명으로 옳은 것만을 보기에서 있는 대로 고른 것은? (단, 반응 전 모든 수용액의 온도는 같다.)

> 보기
>
> ㄱ. 실험 Ⅱ에서 HCl(aq)의 농도는 0.025 M이다.
> ㄴ. 중화점에서의 최고 온도는 실험 Ⅰ이 실험 Ⅱ보다 높다.
> ㄷ. 실험 Ⅰ에서 HCl(aq)의 농도와 실험 Ⅱ에서 NaOH(aq)의 농도는 같다.

① ㄱ　　　　② ㄴ　　　　③ ㄱ, ㄷ　　　　④ ㄴ, ㄷ　　　　⑤ ㄱ, ㄴ, ㄷ

● 실험 Ⅰ과 Ⅱ의 중화점은 HCl(aq) 40 mL, NaOH(aq) 20 mL가 반응한 지점이고, 같은 부피 속 OH^-의 수는 실험 Ⅰ이 실험 Ⅱ의 2배이다.

08 ❯ 중화 반응의 양적 관계

그림은 0.1 M 수산화 나트륨(NaOH) 수용액이 10 mL씩 들어 있는 2개의 비커에 서로 다른 산 HA와 HB의 수용액을 각각 넣으면서 혼합 용액의 전류 세기를 측정한 결과를 나타낸 것이다.

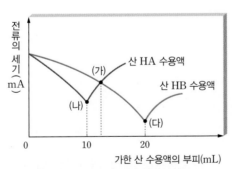

이에 대한 설명으로 옳은 것만을 보기에서 있는 대로 고른 것은?

> 보기
>
> ㄱ. HB 수용액의 몰 농도는 0.05 M이다.
> ㄴ. (가)에서 두 혼합 용액의 pH는 같다.
> ㄷ. 산의 음이온 수는 (다)가 (나)의 2배이다.

① ㄱ　　　　② ㄴ　　　　③ ㄱ, ㄷ　　　　④ ㄴ, ㄷ　　　　⑤ ㄱ, ㄴ, ㄷ

● 산 HA와 HB 수용액의 중화점은 각각 (나)와 (다)이므로 중화 반응의 양적 관계에 의해 산 HA와 HB 수용액의 몰 농도를 구한다.

09 ❯ 산과 염기의 가수에 따른 중화 적정

표는 0.1 M 수산화 칼슘($Ca(OH)_2$) 수용액과 x M 질산(HNO_3)의 부피를 달리하여 반응시켰을 때, 각 혼합 용액의 최고 온도를 나타낸 것이다.

구분	(가)	(나)	(다)	(라)
$Ca(OH)_2(aq)$의 부피(mL)	20	40	60	80
$HNO_3(aq)$의 부피(mL)	100	80	60	40
온도(℃)	28	32	30	28

이에 대한 설명으로 옳은 것만을 보기에서 있는 대로 고른 것은? (단, 두 수용액은 완전히 이온화하며, 반응 전 두 수용액의 온도는 같다.)

보기
ㄱ. x는 0.05이다.
ㄴ. 생성된 물 분자의 양(mol)은 (가)와 (라)에서 같다.
ㄷ. (나)와 (다)를 혼합한 용액의 액성은 중성이다.

① ㄱ ② ㄴ ③ ㄱ, ㄷ ④ ㄴ, ㄷ ⑤ ㄱ, ㄴ, ㄷ

· 혼합 용액의 온도가 가장 높은 (나)에서 완전히 중화되었다. 따라서 중화 반응의 양적 관계 ($nMV = n'M'V'$)로 x를 구한다.

10 ❯ 중화 반응의 양적 관계

표는 묽은 염산(HCl), 수산화 나트륨(NaOH) 수용액, 수산화 칼륨(KOH) 수용액의 부피를 달리하여 혼합한 자료를 나타낸 것이다.

용액		(가)	(나)
혼합 전 각 수용액의 부피(mL)	$HCl(aq)$	20	40
	$NaOH(aq)$	5	20
	$KOH(aq)$	15	20
혼합 후 용액의 단위 부피 속에 존재하는 양이온의 모형			

묽은 염산의 농도가 0.2 M이라고 할 때, 이에 대한 설명으로 옳은 것만을 보기에서 있는 대로 고른 것은?

보기
ㄱ. 혼합 전 $NaOH(aq)$과 $KOH(aq)$의 농도는 각각 0.3 M, 0.1 M이다.
ㄴ. 생성된 물 분자 수는 (가)가 (나)보다 많다.
ㄷ. (나)에 페놀프탈레인 용액을 떨어뜨리면 붉게 변한다.

① ㄱ ② ㄷ ③ ㄱ, ㄴ ④ ㄴ, ㄷ ⑤ ㄱ, ㄴ, ㄷ

· 혼합 전 나트륨 이온의 개수비는 (가) : (나)=1 : 4이고, 혼합 용액의 부피비는 (가) : (나)=1 : 2이므로 단위 부피당 Na^+의 개수비는 (가) : (나)=1 : 2이다.

읽을거리 생선회와 중화 반응

생선회를 판매하는 식당의 입구에는 흔히 내부가 훤히 들여다 보이는 대형 수조가 있고, 수조 안에서는 광어, 도미, 오징어 등 수많은 물고기들이 헤엄치고 있다. 이렇게 신선한 물고기를 바로 잡아 막 떠낸 생선살이 맛있는 이유는 단지 '신선하다'는 이유가 전부일까?

물고기는 죽은 후 빠르면 10분 전후에 근육이 굳어지는 '사후경직' 현상이 일어나는데, 생선살은 사후경직 상태에서 먹는 것이 쫄깃쫄깃하고 맛이 가장 좋다. 사후경직 상태에서는 씹는 촉감과 쫄깃함을 강화시켜 주는 육질의 탄력 상태가 최상이 되기 때문이다.

그러나 모든 생선이 잡은 직후 바로 먹어야 맛있는 것은 아니다. 다랑어나 방어 등은 사후경직 시기를 지나 죽은 생선의 조직 구성 물질이 효소의 작용으로 분해되는 '자가분해' 단계를 거쳐야 생선 고유의 맛이 더욱 좋아지는데, 이는 분해 과정에서 맛을 내는 성분인 히스티딘이 증가하기 때문이다. 자가분해 현상을 식품 분야에서는 '자기소화'라고도 한다. 자기소화가 일어나는 속도는 생선의 종류, 수소 이온 농도(pH), 온도, 염류 등에 영향을 받는다.

자기소화를 거쳐 맛과 향이 좋은 고기가 되는 현상을 '숙성'이라고 한다. 그러므로 쇠고기 등의 육류도 사후 일정 기간 숙성시킨 후 요리를 한다. 보통 숙성 기간은 어류는 0.5~2일, 돼지고기는 3~6일, 쇠고기는 7~10일이다.

어류는 자기소화가 빨리 진행되므로 세균의 침입으로 부패되기 쉽고, 생선 특유의 비린내가 발생한다. 부패가 진행되는 생선을 먹으면 식중독이 걸리거나 알레르기 반응이 일어나는데, 이는 맛을 내는 성분인 히스티딘이 분해되면서 히스타민이라는 유독 물질이 발생하여 신진대사 기능에 이상을 가져오기 때문이다.

또, 생선의 맛을 내는 성분인 산화트라이메틸아민이 분해되면 트라이메틸아민이 생기는데, 이것이 생선의 비린내를 유발한다. 우리는 흔히 생선 비린내를 없앤다는 이유로 생선회를 먹기 전 식초나 레몬즙을 뿌리는데, 이는 염기인 아민과 산을 반응시켜 비린내를 없애는 원리이다. 그러나 자기소화 단계까지 가지 않은 생선회는 일반적으로 비린내가 나지 않는다. 레몬즙은 신선도가 크게 떨어지는 생선회를 먹을 경우 비린내를 제거하는 효과가 있을 뿐, 오히려 생선회의 독특한 향과 맛을 저해할 수 있다.

그리고 맛과 향을 높이기 위해서는 흰살 생선을 먼저 먹고 붉은살 생선을 나중에 먹는 것이 좋다. 광어나 도미 등 흰살 생선은 담백하면서 육질이 쫄깃쫄깃한 반면, 꽁치, 고등어, 연어, 참치 등 붉은살 생선은 기름기가 많고 생선 특유의 독특한 향과 비린 맛이 강하다. 따라서 흰살 생선회보다 붉은살 생선회를 먼저 먹을 경우 입속이 기름지고, 비린 향이 풍기므로 흰살 생선회가 간직한 고유의 담백한 맛을 느낄 수 없게 된다.

◀ **육류의 숙성** 닭고기나 쇠고기는 잡은 직후 바로 먹지 않는다. 짐승이나 조류의 근육처럼 조직의 결합이 강할 경우 사후경직 시기에는 질기고 단단하며, 스며 나오는 액즙이 너무 많아 먹을 수가 없다. 그런데 사후경직 시기가 지나 자기소화가 되면 육질이 부드러워지고 좋은 맛과 향을 낸다.

◀ **생선회** 생선회 용도로 쓸 생선은 잡은 후 즉시 회로 떠야 가장 신선하고 맛있게 먹을 수 있다. 전문가에 따르면 사후경직 상태의 물고기는 꼬리가 옆으로 약간 올라간다고 한다.

01 ❯용해 평형

다음은 염화 나트륨(NaCl)의 용해 평형을 알아보는 실험이다.

> (가) 증류수 100 g이 들어 있는 삼각 플라스크에 염화 나트
>   륨 결정을 넣고 오래 저어 주었더니 일부의 염화 나트륨
>   이 더 이상 녹지 않고 가라앉았다.
> (나) 그림과 같이 유리관을 끼운 고무마개로 과정 (가)의 삼각
>   플라스크 입구를 막은 다음 염화 수소($H^{37}Cl$) 기체를 통
>   과시켰다.

HCl 기체

NaCl 결정

과정 (나)에서 수용액의 변화에 대한 설명으로 옳은 것만을 보기에서 있는 대로 고른 것은?

> **보기**
> ㄱ. 수용액에서 염소 기체가 발생한다.
> ㄴ. 염화 나트륨 결정에서 $Na^{37}Cl$이 발견된다.
> ㄷ. 수용액 속 나트륨 이온의 농도가 증가한다.

① ㄱ   ② ㄴ   ③ ㄱ, ㄷ   ④ ㄴ, ㄷ   ⑤ ㄱ, ㄴ, ㄷ

용해 평형을 이루고 있는 (가)에 새로운 용질을 넣으면 용질과 용매 사이에는 용해와 석출이 계속 일어나게 되므로 염화 나트륨 결정에서 질량수가 다른 염소로 이루어진 결정이 발견된다.

02 ❯용해 평형

다음은 이산화 탄소(CO_2) 기체가 물에 용해되는 반응의 용해 평형 반응식이다.

$$CO_2(g) \rightleftharpoons CO_2(aq)$$

그림 (가)는 물이 담긴 실린더에 $CO_2(g)$ 0.1 mol을 넣은 초기 상태를, (나)는 실린더에 기체로 존재하는 $CO_2(g)$의 양(mol)을 시간에 따라 나타낸 것이다.

피스톤

$CO_2(g)$ 0.1 mol

$H_2O(l)$

(가)

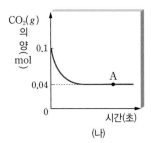

$CO_2(g)$의 양(mol)

0.1

0.04

A

시간(초)

(나)

이에 대한 설명으로 옳은 것만을 보기에서 있는 대로 고른 것은? (단, 온도와 대기압은 일정하고, 피스톤의 질량과 마찰은 무시한다.)

> **보기**
> ㄱ. 반응 초기에는 CO_2의 용해 속도가 석출 속도보다 크다.
> ㄴ. A에서 CO_2의 용해 속도와 석출 속도는 같다.
> ㄷ. A에서 물에 용해된 CO_2의 양(mol)은 0.06 mol이다.

① ㄱ   ② ㄴ   ③ ㄱ, ㄷ   ④ ㄴ, ㄷ   ⑤ ㄱ, ㄴ, ㄷ

용질의 용해 속도와 석출 속도가 같아지면 용해 평형 상태가 된다.

03 ❯ 화학 평형

그림은 온도가 일정한 강철 용기에 A 기체 1몰을 넣어 $A(g) \rightleftharpoons 2B(g)$의 반응이 일어날 때 시간에 따른 정반응 속도와 역반응 속도를 나타낸 것이다.

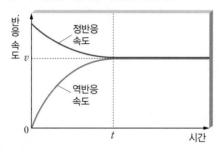

• 동적 평형 상태에서는 정반응 속도와 역반응 속도가 같으며, 반응물의 농도와 생성물의 농도가 일정하게 유지된다. 또, 용기에 생성물만 넣어도 화학 평형에 도달한다.

이에 대한 설명으로 옳은 것만을 보기에서 있는 대로 고른 것은?

보기

ㄱ. t에서 $A(g)$와 $B(g)$의 농도는 같다.

ㄴ. 강철 용기에 $A(g)$ 대신 $B(g)$를 넣어도 평형 상태에서 $A(g)$와 $B(g)$의 농도는 일정하게 유지된다.

ㄷ. 강철 용기에 $A(g)$ 1몰 대신 $B(g)$ 1몰을 넣어도 t에서 정반응 속도와 역반응 속도는 v로 같다.

① ㄱ   ② ㄴ   ③ ㄱ, ㄷ   ④ ㄴ, ㄷ   ⑤ ㄱ, ㄴ, ㄷ

04 ❯ 산과 염기의 정의

다음은 몇 가지 산과 염기의 화학 반응식이다.

(가) $CH_3COOH(aq) + H_2O(l) \rightleftharpoons CH_3COO^-(aq) + H_3O^+(aq)$

(나) $NH_3(g) + H_2O(l) \rightleftharpoons NH_4^+(aq) + OH^-(aq)$

(다) $NH_2CH_2COOH(s) + NaOH(aq) \rightleftharpoons$
$\qquad\qquad\qquad\qquad NH_2CH_2COO^-(aq) + Na^+(aq) + H_2O(l)$

• 수용액 속에서 수소 이온을 내놓는 물질은 아레니우스 산이고, 양성자를 받는 물질은 브뢴스테드·로리 염기이다.

이에 대한 설명으로 옳은 것만을 보기에서 있는 대로 고른 것은?

보기

ㄱ. (가)에서 CH_3COOH은 아레니우스 산이다.

ㄴ. (나)에서 NH_3는 루이스 염기이다.

ㄷ. (가)~(다)에서 H_2O은 모두 브뢴스테드·로리 염기이다.

① ㄱ   ② ㄷ   ③ ㄱ, ㄴ   ④ ㄴ, ㄷ   ⑤ ㄱ, ㄴ, ㄷ

05

> 산과 염기의 정의

그림은 바이타민 **B** 복합체의 하나인 니코틴산 (가)와 관련된 반응 ㉠과 ㉡을 나타낸 것이다.

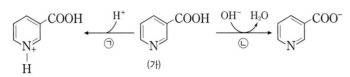

이에 대한 설명으로 옳은 것만을 보기에서 있는 대로 고른 것은?

> 보기
ㄱ. (가)의 N는 비공유 전자쌍을 가진다.
ㄴ. ㉠에서 (가)는 브뢴스테드·로리 염기이다.
ㄷ. ㉡에서 (가)는 아레니우스 산이다.

① ㄱ   ② ㄷ   ③ ㄱ, ㄴ   ④ ㄴ, ㄷ   ⑤ ㄱ, ㄴ, ㄷ

• H^+을 내놓는 아레니우스 산은 브뢴스테드·로리 산이기도 하다.

06

> 물의 자동 이온화 반응

다음은 물의 자동 이온화 반응식과 3가지 온도에서 물의 이온화 상수(K_w)를 나타낸 것이다.

$$2H_2O(l) \rightleftharpoons H_3O^+(aq) + OH^-(aq)$$

온도(℃)	K_w
10	x
25	1.0×10^{-14}
60	y

y가 x보다 클 때, 이에 대한 설명으로 옳은 것만을 보기에서 있는 대로 고른 것은?

> 보기
ㄱ. 10 ℃에서 물의 pH는 7보다 크다.
ㄴ. 25 ℃ pH 6인 용액을 $\frac{1}{1000}$로 묽히면 pH 9가 된다.
ㄷ. 60 ℃에서 $[H_3O^+]$가 0.01 M인 용액의 pOH는 12보다 크다.

① ㄱ   ② ㄷ   ③ ㄱ, ㄴ   ④ ㄴ, ㄷ   ⑤ ㄱ, ㄴ, ㄷ

• $y > x$이므로 온도가 높을수록 물의 이온화 상수가 커진다. 수소 이온의 농도가 커질수록 pH는 작아진다.

07 ▶ 물의 자동 이온화와 pH

다음은 물의 자동 이온화 반응식을 나타낸 것이다.

$$2H_2O(l) \rightleftharpoons H_3O^+(aq) + OH^-(aq)$$

이에 대한 설명으로 옳은 것만을 보기에서 있는 대로 고른 것은?

> 보기
>
> ㄱ. 순수한 물에는 H_3O^+과 OH^-이 1 : 1의 몰비로 존재한다.
>
> ㄴ. 특정 온도에서 pH와 pOH의 합은 항상 일정하다.
>
> ㄷ. 수용액 속에 존재하는 H_3O^+의 농도가 커질수록 pH는 커진다.

① ㄱ   ② ㄷ   ③ ㄱ, ㄴ   ④ ㄴ, ㄷ   ⑤ ㄱ, ㄴ, ㄷ

- 물의 자동 이온화 상수는 H_3O^+ 과 OH^-의 몰 농도 곱이며 온도에 의해서만 영향을 받는다.

08 ▶ 중화 반응

다음은 HA 수용액과 BOH 수용액의 성질을 알아보기 위한 실험이다.

[실험 과정]

(가) 두 플라스크에 x mol HA와 y mol BOH를 각각 증류수에 녹여, 입자의 종류와 수가 그림의 모형과 같은 HA 수용액, BOH 수용액을 250 mL씩 만든다.

(나) (가)에서 만든 HA 수용액과 BOH 수용액을 두 시험관에 10 mL씩 넣은 후 페놀프탈레인 용액을 몇 방울 떨어뜨리고 흔들어서 색 변화를 관찰한다.

HA 수용액	BOH 수용액	HA 수용액+ 페놀프탈레인 용액	BOH 수용액+ 페놀프탈레인 용액

(가)   (나)

(다) 두 시험관의 용액을 모두 혼합하여 색 변화를 관찰한다.

[실험 결과]

(나)에서 HA 수용액은 색 변화가 없고, BOH 수용액은 붉게 변하였다.

이에 대한 설명으로 옳은 것만을 보기에서 있는 대로 고른 것은?

> 보기
>
> ㄱ. HA와 BOH의 몰비는 3 : 2이다.
>
> ㄴ. (다)에서 혼합 용액은 무색이다.
>
> ㄷ. (다)에 들어 있는 양이온의 양(mol)은 $\dfrac{3y}{50}$ mol이다.

① ㄱ   ② ㄷ   ③ ㄱ, ㄴ   ④ ㄴ, ㄷ   ⑤ ㄱ, ㄴ, ㄷ

- HA와 BOH의 몰비는 모형에서 입자 수비와 같고, 혼합 용액 500 mL 속에 들어 있는 전체 양이온의 양(mol)은 x mol이다.

09 ❯ 중화 반응에서 이온 수 변화

그림은 수산화 칼륨(KOH) 수용액 50 mL에 묽은 염산(HCl)을 조금씩 떨어뜨릴 때, 혼합 용액에 들어 있는 이온 수를 나타낸 것이다.

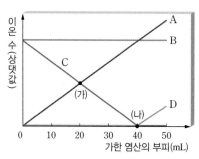

이에 대한 설명으로 옳은 것만을 보기에서 있는 대로 고른 것은?

┌─ 보기 ──┐
ㄱ. C와 D는 구경꾼 이온이다.
ㄴ. 혼합 용액 속 총 이온 수는 (가)와 (나)가 같다.
ㄷ. 수용액의 몰 농도비는 KOH(aq) : HCl(aq)=5 : 4이다.
└──┘

① ㄱ   ② ㄴ   ③ ㄱ, ㄷ   ④ ㄴ, ㄷ   ⑤ ㄱ, ㄴ, ㄷ

> 묽은 염산 40 mL를 넣었을 때 중화 반응이 완결되었으므로 묽은 염산의 농도가 수산화 칼륨 수용액의 농도보다 크다.

10 ❯ 중화 반응의 양적 관계

표는 묽은 염산(HCl)에 수산화 나트륨(NaOH) 수용액의 부피를 달리하여 혼합한 용액 (가)와 (나)에 대한 자료이다. 이때 y는 x보다 크다.

혼합 용액		(가)	(나)
혼합 전 각 용액의 부피(mL)	HCl(aq)	100	100
	NaOH(aq)	x	y
단위 부피당 이온 수 모형			

이에 대한 설명으로 옳은 것만을 보기에서 있는 대로 고른 것은? (단, 혼합 용액의 부피는 혼합 전 각 용액의 부피의 합과 같다.)

┌─ 보기 ──┐
ㄱ. ▨는 Na$^+$이다.
ㄴ. $y=6x$이다.
ㄷ. 중화 반응에서 발생하는 중화열은 (가)가 (나)의 4배이다.
└──┘

① ㄱ   ② ㄷ   ③ ㄱ, ㄴ   ④ ㄴ, ㄷ   ⑤ ㄱ, ㄴ, ㄷ

> 묽은 염산과 수산화 나트륨 수용액의 중화 반응에서 반응하지 않는 구경꾼 이온은 Cl$^-$과 Na$^+$이다. (가)에는 ◯이 없다가 (나)에 존재하므로 ◯는 OH$^-$이며, (가)는 중화점 이전의 혼합 용액이고, (나)는 중화점 이후의 혼합 용액이다.

11 > 중화 반응의 양적 관계
다음은 중화 반응 실험이다.

[실험 과정]

(가) $HCl(aq)$과 $NaOH(aq)$을 준비한다.

(나) $HCl(aq)$ 20 mL와 $NaOH(aq)$ 10 mL를 혼합하여 용액 Ⅰ을 만든다.

(다) Ⅰ에 $HCl(aq)$ 10 mL를 넣어 용액 Ⅱ를 만든다.

(라) Ⅱ에 $HCl(aq)$ 또는 $NaOH(aq)$ x mL를 넣어 중성 용액 Ⅲ을 만든다.

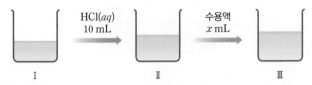

[실험 결과]

용액 Ⅰ, Ⅱ, Ⅲ에 들어 있는 양이온 수는 각각 $5N$, $6N$, $6N$이다.

이에 대한 설명으로 옳은 것만을 보기에서 있는 대로 고른 것은?

보기

ㄱ. 용액 Ⅰ은 염기성 용액이다.

ㄴ. 용액 Ⅱ에 추가로 넣은 수용액은 $NaOH(aq)$이다.

ㄷ. x는 2이다.

① ㄱ   ② ㄷ   ③ ㄱ, ㄴ   ④ ㄴ, ㄷ   ⑤ ㄱ, ㄴ, ㄷ

• 용액 Ⅰ에서 $HCl(aq)$ 10 mL를 추가로 넣었을 때 양이온 수가 $5N$에서 $6N$으로 증가했다. 용액 Ⅰ의 양이온 수는 Na^+ 수와 같은 $5N$이고, 용액 Ⅱ의 양이온 수 ($6N$)는 (Na^+과 H^+의 합)과 같으므로 H^+ 수는 N이다.

12 > 중화 반응의 양적 관계
표는 묽은 염산(HCl), 수산화 나트륨($NaOH$) 수용액, 수산화 칼륨(KOH) 수용액의 부피를 달리하여 혼합한 용액 (가)~(다)에 대한 자료를 나타낸 것이다.

혼합 용액	혼합 전 용액의 부피(mL)			단위 부피당 이온 수
	$HCl(aq)$	$NaOH(aq)$	$KOH(aq)$	
(가)	10	0	10	$3N$
(나)	10	10	0	$5N$
(다)	10	10	10	$4N$

이에 대한 설명으로 옳은 것만을 보기에서 있는 대로 고른 것은? (단, 혼합 용액의 부피는 혼합 전 각 용액의 부피의 합과 같다.)

보기

ㄱ. 총 이온 수는 (다)가 (가)의 2배이다.

ㄴ. 몰 농도는 $HCl(aq)$이 $KOH(aq)$의 3배이다.

ㄷ. (가)와 (나)를 혼합한 용액은 염기성이다.

① ㄱ   ② ㄷ   ③ ㄱ, ㄴ   ④ ㄴ, ㄷ   ⑤ ㄱ, ㄴ, ㄷ

• 총 이온 수는 (가) : (나) : (다) = $60N : 100N : 120N$이고, 몰 농도는 단위 부피당 이온 수에 비례한다.

01 그림은 염화 나트륨(^{23}NaCl)의 포화 수용액 (가)에 ^{24}NaCl을 넣어 준 다음 새로운 동적 평형에 도달한 상태 (나)를 나타낸 것이다.

KEY WORDS
(1) 용해 속도, 석출 속도, 평형
(2) 용해, 석출

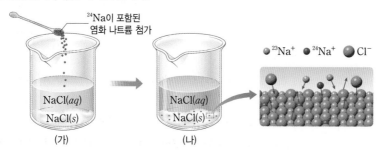

(1) (가)에서 ^{23}NaCl의 용해 속도와 석출 속도를 비교하고, 그렇게 판단한 이유를 서술하시오.

(2) (나)에서 석출되는 결정의 화학식을 모두 쓰고, 그렇게 판단한 이유를 서술하시오.

02 다음은 산, 염기와 관련된 반응 (가)~(다)에 대한 설명이다.

KEY WORDS
· 아레니우스 정의, 수소 이온, 수산화 이온, 브뢴스테드·로리 정의, 양성자(H$^+$)

> (가) 수산화 칼륨(KOH)을 물에 녹이면 칼륨 이온(K$^+$)과 ㉠수산화 이온(OH$^-$)이 생성된다.
> (나) 아세트산(CH$_3$COOH)을 물에 녹이면 ㉡아세트산 이온(CH$_3$COO$^-$)과 하이드로늄 이온(H$_3$O$^+$)이 생성된다.
> (다) ㉢암모니아(NH$_3$)를 염화 수소(HCl)와 반응시키면 염화 암모늄(NH$_4$Cl)이 생성된다.

㉠~㉢ 중 아레니우스 정의만으로 설명할 수 있는 염기(I)를 고르고, 아레니우스 정의로 설명할 수 없는 염기(II)는 브뢴스테드·로리 정의로 서술하시오.

03 다음은 H_2A 수용액과 $B(OH)_2$ 수용액의 중화 반응 실험이다. H_2A와 $B(OH)_2$는 완전히 이온화되고, 두 수용액은 반응하여 앙금을 생성하지 않는다.

KEYWORDS
(1) 이온 수
(2) 입자 수비, 몰 농도비

[실험 과정]
(가) $H_2A(aq)$ 20 mL에 $B(OH)_2(aq)$ 20 mL를 첨가한다.
(나) 혼합 용액 (가)에 $B(OH)_2(aq)$ x mL를 더 첨가한다.

[실험 결과]

구분	(가)	(나)
액성	산성	염기성
이온 수의 비율(%)	40 40 20	40 40 20

(1) x를 구하고, 그 이유를 추가로 넣어 주어야 할 이온 수를 언급하여 서술하시오.

(2) (가)와 (나)에서 양이온의 입자 수비를 구하고, 그렇게 판단한 이유를 두 수용액에 존재하는 이온 수를 언급하여 서술하시오.

04 그림은 묽은 염산(HCl) 20 mL에 수산화 나트륨(NaOH) 수용액을 첨가할 때, 첨가한 NaOH 수용액의 부피에 따른 혼합 용액의 단위 부피당 A와 B의 이온 수를 나타낸 것이다. (단, 혼합 용액의 부피는 혼합 전 각 용액의 부피의 합과 같다.)

KEYWORDS
(1) 이온 수
(2) 이온 수, 단위 부피, 혼합 용액의 부피, 입자 수

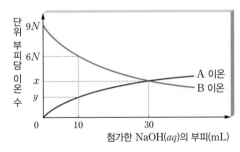

(1) $x+y$를 구하고, 그 이유를 각 수용액에 포함된 이온 수를 언급하여 서술하시오.

(2) 첨가한 NaOH 수용액의 부피가 40 mL일 때, 혼합 용액의 단위 부피당 전체 이온 수를 구하고, 그렇게 판단한 이유를 서술하시오.

05 표는 묽은 염산(HCl), 수산화 나트륨(NaOH) 수용액, 수산화 칼륨(KOH) 수용액의 부피를 달리하여 혼합한 용액 (가), (나)에 대한 자료이다.

KEY WORDS
· 혼합 용액, 양이온 수, 몰비

혼합 용액		(가)	(나)
혼합 전 각 용액의 부피(mL)	HCl(aq)	10	20
	NaOH(aq)	5	30
	KOH(aq)	20	20
혼합 후 용액 속에 존재하는 양이온 수의 비율		(원그래프)	(원그래프)

(가)와 (나)에서 생성된 물의 몰비를 구하고, 그렇게 판단한 이유를 각 수용액 내 이온 수를 언급하여 서술하시오.

06 그림은 묽은 염산(HCl) **10 mL**에 수산화 나트륨(NaOH) 수용액과 수산화 칼륨(KOH) 수용액을 순서대로 첨가할 때, 첨가한 용액의 부피에 따른 혼합 용액의 단위 부피당 X 이온 수를 나타낸 것이다. 표에서 (가)와 (나)는 혼합 용액 A와 B에서 단위 부피당 양이온 모형을 순서 없이 나타낸 것이다.

KEY WORDS
(1) 단위 부피당 이온 수, 혼합 용액의 부피

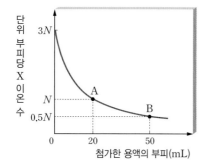

용액	(가)	(나)
단위 부피당 양이온의 모형	(모형)	(모형)

(1) (가)와 (나)는 각각 A, B 중 어느 것에 해당하는지 각 이온의 단위 부피당 이온 수를 언급하여 서술하시오.

(2) 묽은 염산, NaOH 수용액, KOH 수용액의 몰 농도비를 구하시오.

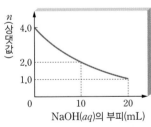

07 표는 묽은 염산(HCl)과 수산화 나트륨(NaOH) 수용액의 부피를 달리하여 혼합한 용액 I ~ III에 대한 자료이다. 혼합 용액의 부피는 혼합 전 각 용액 부피의 합과 같다.

KEYWORDS
(1) 양이온의 종류와 수
(2) 혼합 용액의 액성, 이온 수

혼합 용액	혼합 전 용액의 부피(mL)		전체 양이온 수(mol)	액성
	HCl(aq)	NaOH(aq)		
I	20	30	1.0×10^{-2}	산성
II	20	40	1.2×10^{-2}	염기성
III	30	40	$x \times 10^{-2}$	산성

(1) x를 구하고, 그 이유를 혼합 용액 III에 존재하는 이온 수를 언급하여 서술하시오.

(2) 혼합 용액 II 10 mL와 혼합 용액 III 10 mL를 혼합한 용액의 액성과 그렇게 판단한 이유를 각 용액 속 H^+ 또는 OH^-의 수를 언급하여 서술하시오.

08 다음은 중화 반응 실험이다. 혼합 용액의 부피는 혼합 전 각 용액의 부피의 합과 같다.

KEYWORDS
(2) 산, 염기, 중화 반응, 혼합 용액, 이온, 용액의 부피

[실험 과정]
(가) HCl(aq), NaOH(aq), KOH(aq)을 각각 준비한다.
(나) HCl(aq) x mL에 NaOH(aq) 20 mL를 조금씩 첨가한다.
(다) (나)의 최종 혼합 용액에서 15 mL를 취하여 비커에 넣고 KOH(aq) 10 mL를 조금씩 첨가한다.

[실험 결과]

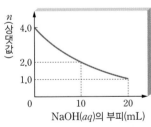

(나)에서 NaOH(aq) 부피에 따른 혼합 용액의 단위 부피당 X 이온 수(n)

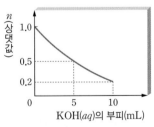

(다)에서 KOH(aq) 부피에 따른 혼합 용액의 단위 부피당 X 이온 수(n)

(1) X 이온은 무엇인지 쓰시오.

(2) HCl(aq) x mL와 KOH(aq) 30 mL를 혼합한 용액에서 $\dfrac{K^+ \ 수}{Cl^- \ 수}$를 구하고, 그렇게 판단한 이유를 각 수용액의 이온 수를 언급하여 서술하시오.

2
산화 환원 반응

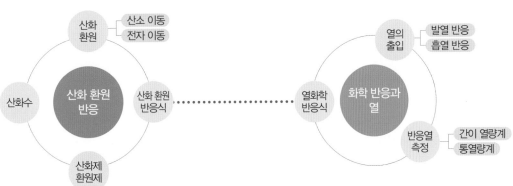

산화 환원 반응

화학 반응과 열

01 산화 환원 반응

학습 Point 산화 환원 반응 〉 산화수와 산화 환원 반응 〉 산화제와 환원제 〉 산화 환원 반응식의 완성

1 산화 환원 반응

주변에 오랫동안 방치된 낡은 자전거나 철로 된 구조물에 붉은 녹이 슬어 있는 모습을 관찰할 수 있다. 이 현상은 산화 환원 반응으로, 일상생활 속에서 다양한 형태로 일어난다. 산소를 생성하는 식물의 광합성과, 생명체가 산소를 이용해 세포 호흡하는 반응도 산화 환원 반응이다.

1. 산소의 이동에 의한 산화 환원

(1) 산화: 원소 또는 화합물이 산소와 결합하는 반응이다.

- 메테인의 연소: 메테인이 연소하면 메테인의 탄소 성분이 산소와 결합하여 이산화 탄소로 산화된다.

$$CH_4(g) + 2O_2(g) \longrightarrow CO_2(g) + 2H_2O(l)$$

- 철의 부식: 철이 공기 중에 노출되면 서서히 산화되어 붉은 녹이 생성되는데, 붉은 녹의 주성분은 철이 산화되어 생성된 산화 철(Ⅲ)(Fe_2O_3)이다.

$$4Fe(s) + 3O_2(g) \longrightarrow 2Fe_2O_3(s)$$

(2) 환원: 산화물이 산소를 잃는 반응이다.

- 철의 제련: 철광석을 코크스(C)로 환원시켜 금속 철을 얻는다.

$$2Fe_2O_3(s) + 3C(s) \longrightarrow 4Fe(s) + 3CO_2(g)$$

- 산화 구리(Ⅱ)와 탄소의 반응: 검은색의 산화 구리(Ⅱ)가 붉은색 구리로 환원된다.

$$2CuO(s) + C(s) \longrightarrow 2Cu(s) + CO_2(g)$$

(3) 산화와 환원의 동시성: 한 물질이 산화될 때 다른 물질은 환원되므로 산화 환원 반응은 동시에 일어난다.

⚫ 메테인의 연소 반응에서는 메테인이 산화될 때 산소가 환원되고, 철의 부식 반응에서는 철이 산화될 때 산소가 환원된다. 또, 철의 제련 과정에서는 산화 철(Ⅲ)이 환원될 때 탄소가 산화되고, 산화 구리(Ⅱ)와 탄소의 반응에서는 산화 구리(Ⅱ)가 환원될 때 탄소가 산화된다.

- 철의 제련:
$$2Fe_2O_3(s) + 3C(s) \longrightarrow 4Fe(s) + 3CO_2(g)$$
(산화 위쪽, 환원 아래쪽 표시)

- 산화 구리(Ⅱ)와 탄소의 반응:
$$2CuO(s) + C(s) \longrightarrow 2Cu(s) + CO_2(g)$$
(산화 위쪽, 환원 아래쪽 표시)

산화와 환원의 정의

- 산소의 결합이나 분리에 의한 정의
- 전자의 이동이나 산화수의 변화에 의한 정의

빠른 산화와 느린 산화

- 빠른 산화: 물질이 산소와 급격히 반응하면서 빛과 열을 내는 현상
  ⚫ 연소, 폭발
- 느린 산화: 물질이 산소와 천천히 반응하는 현상
  ⚫ 철이 녹스는 것, 음식물의 소화

2. 전자의 이동에 의한 산화 환원

산화 철(Ⅲ)(Fe_2O_3)은 다음과 같이 철 이온(Fe^{3+})과 산화 이온(O^{2-})이 이온 결합하여 형성된 물질이다.

$$2Fe^{3+} + 3O^{2-} \longrightarrow Fe_2O_3$$

이때 철은 전자를 잃으면서 산화 철(Ⅲ)이 된다.

$$\underset{4Fe}{4Fe(s)} + 3O_2(g) \longrightarrow \underset{4Fe^{3+}}{2Fe_2O_3(s)}$$

이처럼 철이 산소와 결합하여 산화될 때 철은 전자를 잃게 된다. 철이 전자를 잃는 반응은 산소가 관여하지 않는 반응에서도 일어난다.

$$\underset{Fe}{Fe} + Cl_2 \longrightarrow \underset{Fe^{2+}}{FeCl_2}$$

이 반응에서도 산화 철(Ⅲ)이 형성될 때와 마찬가지로 철이 전자를 잃은 것이므로 철은 산화되었다고 할 수 있다. 그런데 이 반응은 산소가 관여하지 않으므로 산소의 결합으로는 산화 환원 반응을 설명할 수 없다. 따라서 좀 더 넓은 의미의 개념인 전자의 이동으로 산화 환원에 대한 정의가 필요하게 되었다.

(1) **산화:** 화학 반응에서 어떤 원자나 이온 등이 전자를 잃는 반응이다.

· $Mg \longrightarrow Mg^{2+} + 2e^-$(산화)

  ➡ Mg이 전자 2개를 잃고 Mg^{2+}이 되었으므로 Mg은 산화되었다.

· $Sn^{2+} \longrightarrow Sn^{4+} + 2e^-$(산화)

  ➡ Sn^{2+}이 전자 2개를 잃고 Sn^{4+}이 되었으므로 Sn^{2+}은 산화되었다.

(2) **환원:** 원자나 분자, 이온 등이 전자를 얻는 반응이다.

· $Cu^{2+} + 2e^- \longrightarrow Cu$(환원)

  ➡ Cu^{2+}이 전자 2개를 얻고 Cu가 되었으므로 Cu^{2+}은 환원되었다.

· $Cl_2 + 2e^- \longrightarrow 2Cl^-$(환원)

  ➡ Cl_2가 전자 2개를 얻고 $2Cl^-$이 되었으므로 Cl_2는 환원되었다.

(3) **구리와 산소의 반응:** 구리(Cu)가 산소와 결합하여 산화 구리(Ⅱ)(CuO)로 되는 반응은 전자의 이동으로도 설명할 수 있다. 금속인 구리는 전자 2개를 잃고 양이온이 되기 쉽고 비금속인 산소 원자는 전자 2개를 얻어 음이온이 되기 쉬운 성질이 있으므로 구리가 산소와 결합할 때 구리 원자 1개는 전자 2개를 잃어 산화되고, 산소는 이 전자를 얻어 환원된다.

$$2Cu \longrightarrow 2Cu^{2+} + 4e^-, \quad O_2 + 4e^- \longrightarrow 2O^{2-}$$

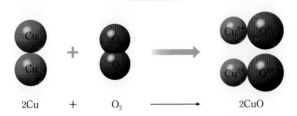

즉, 산소의 결합이나 분리에 의한 반응도 전자의 이동으로 설명할 수 있으므로 전자의 이동에 의한 산화 환원의 정의가 산소의 이동에 의한 정의보다 더 넓은 의미의 정의임을 알 수 있다.

구리의 산화와 환원

· 산화: $Cu \longrightarrow Cu^{2+} + 2e^-$

Cu가 전자 2개를 잃고 Cu^{2+}이 되었으므로 Cu는 산화되었다.

· 환원: $Cu^{2+} + 2e^- \longrightarrow Cu$

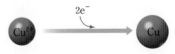

Cu^{2+}이 전자 2개를 얻어 Cu가 되었으므로 Cu^{2+}은 환원되었다.

(4) **아연과 황산 구리(Ⅱ) 수용액의 반응:** 황산 구리(Ⅱ)(CuSO₄) 수용액에 아연판을 넣으면 수용액의 파란색은 점점 옅어지고, 아연판의 표면은 붉은색 물질로 덮인다. 이때 아연(Zn)은 전자를 잃고 산화되어 아연 이온(Zn^{2+})으로 수용액에 녹아 들어가고, 용액에 녹아 있던 파란색의 구리 이온(Cu^{2+})은 전자를 얻어 붉은색의 구리(Cu)로 석출된다.

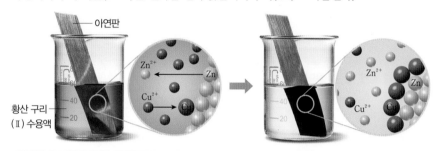

아연판 / 황산 구리(Ⅱ) 수용액

$$Zn(s) \longrightarrow Zn^{2+}(aq) + 2e^- \text{ (산화)}$$
$$Cu^{2+}(aq) + 2e^- \longrightarrow Cu(s) \text{ (환원)}$$
$$Zn(s) + Cu^{2+}(aq) \longrightarrow Zn^{2+}(aq) + Cu(s)$$

시야확장 ➕ 금속의 반응성 비교

❶ **금속의 반응성:** 금속이 전자를 잃고 양이온이 되려는 성질로, 금속의 반응성이 클수록 금속이 전자를 잃고 산화되기 쉽다.

▲ **금속의 반응성 크기**(단, 수소(H)는 금속은 아니지만 산의 수용액에 포함되어 있으므로 반응성을 비교하는 기준이 된다.)

❷ **금속과 산의 반응**

(1) 수소보다 반응성이 큰 금속은 묽은 산과 반응하여 수소 기체를 생성한다. ➡ 산화 환원 반응
  $$Mg(s) + 2HCl(aq) \longrightarrow MgCl_2(aq) + H_2(g)$$

(2) 수소보다 반응성이 작은 금속은 묽은 산과 반응하지 않는다.
  $$Cu(s) + 2HCl(aq) \longrightarrow \text{반응하지 않음}$$

❸ **금속과 금속염의 반응**

(1) 반응성이 작은 금속의 이온과 반응성이 큰 금속: 산화 환원 반응이 일어난다.

(2) 반응성이 큰 금속의 이온과 반응성이 작은 금속: 반응이 일어나지 않는다.

(3) 금속의 반응성 비교: 금속은 반응성이 클수록 양이온이 잘 되는 성질이 있으므로 반응이 일어나는지의 여부로 반응성을 비교할 수 있다. 비교하려는 금속 고체를 다른 금속 이온 수용액에 담그고 반응이 일어나는지 관찰한다.

• 아연과 황산 구리(Ⅱ) 수용액의 반응: 구리보다 반응성이 큰 아연을 황산 구리(Ⅱ) 수용액에 넣으면 반응성이 큰 아연은 반응성이 작은 구리 이온에게 전자를 주면서 아연 이온(Zn^{2+})으로 산화되고, 구리 이온은 전자를 받아 구리로 환원되어 석출된다.
  $$Zn(s) + Cu^{2+}(aq) \longrightarrow Zn^{2+}(aq) + Cu(s) \text{ (반응성: Zn>Cu)}$$

• 구리와 황산 아연 수용액의 반응: 반응성이 작은 구리를 황산 아연 수용액에 넣으면 반응이 일어나지 않는다.
  $$Cu(s) + Zn^{2+}(aq) \longrightarrow \text{반응하지 않음 (반응성: Zn>Cu)}$$

금속과 금속염의 반응 여부
• 반응성이 큰 금속 + 반응성이 작은 금속의 염 ── 반응성이 작은 금속 석출
• 반응성이 작은 금속 + 반응성이 큰 금속의 염 ─✕─ 반응하지 않음

② 산화수

물질이 산화되거나 환원되는 것을 전자의 이동으로 설명할 수 있듯이 전자를 잃고 얻는 정도를 숫자로 표현하여 산화 또는 환원된 상태를 표현할 수 있다.

1. 산화수

집중 분석 2권 189쪽

이온 결합 물질이 반응에 참여하는 산화 환원 반응에서는 다음과 같이 전자의 이동으로 산화와 환원을 쉽게 설명할 수 있다.

- $Zn(s) + CuSO_4(aq) \longrightarrow ZnSO_4(aq) + Cu(s)$

  산화: $Zn \longrightarrow Zn^{2+} + 2e^-$ 환원: $Cu^{2+} + 2e^- \longrightarrow Cu$

- $2FeCl_3(aq) + SnCl_2(aq) \longrightarrow 2FeCl_2(aq) + SnCl_4(aq)$

  산화: $Sn^{2+} \longrightarrow Sn^{4+} + 2e^-$ 환원: $2Fe^{3+} + 2e^- \longrightarrow 2Fe^{2+}$

그러나 공유 결합으로 이루어진 화합물은 전자를 주고받는 관계가 뚜렷하지 않으므로 전자의 이동으로 산화 환원 반응을 설명하기 어렵다. 따라서 이러한 경우를 포함하여 산화 환원 반응을 설명하기 위해 산화수의 개념을 도입하였다.

(1) 산화수: 물질 중의 원자가 어느 정도 산화 또는 환원되었는가를 나타내는 수치로, 산화 상태는 ($+$)로 나타내고, 환원 상태는 ($-$)로 나타낸다.

(2) 물질의 결합 방식에 따른 산화수

① **이온 결합 물질**: 이온 결합 물질에서 각 원자의 산화수는 물질을 구성하고 있는 이온의 전하와 같다. 예를 들면 염화 나트륨과 산화 마그네슘에서 산화수는 다음과 같다.

- $NaCl \longrightarrow Na^+ + Cl^-$ (Na의 산화수: $+1$, Cl의 산화수: -1)
- $MgO \longrightarrow Mg^{2+} + O^{2-}$ (Mg의 산화수: $+2$, O의 산화수: -2)

② **공유 결합 물질**: 공유 결합 물질에서 각 원자의 산화수는 공유 전자쌍을 전기 음성도가 큰 원소가 완전히 차지했다고 가정했을 때 그 원소가 가지는 전하를 나타낸다. H_2O, NH_3, CO_2, CH_4의 경우 전기 음성도가 큰 원자가 공유 전자쌍을 모두 가졌다고 가정하고, 다음과 같이 산화수를 구한다.

H_2O	전기 음성도가 큰 O가 공유 전자쌍을 모두 가졌다고 가정하면, O는 전자 2개를 얻은 것과 같으므로 산화수가 -2가 되고, H는 전자 1개를 잃은 것과 같으므로 산화수가 $+1$이 된다.	
NH_3	전기 음성도가 큰 N가 공유 전자쌍을 모두 가졌다고 가정하면, N는 전자 3개를 얻은 것과 같으므로 산화수가 -3이 되고, H는 전자 1개를 잃은 것과 같으므로 산화수가 $+1$이 된다.	
CO_2	전기 음성도가 큰 O가 공유 전자쌍을 모두 가졌다고 가정하면, O는 전자 2개를 얻은 것과 같으므로 산화수가 -2가 되고, C는 전자 4개를 잃은 것과 같으므로 산화수가 $+4$가 된다.	
CH_4	전기 음성도가 큰 C가 공유 전자쌍을 모두 가졌다고 가정하면, C는 전자 4개를 얻은 것과 같으므로 산화수가 -4가 되고, H는 전자 1개를 잃은 것과 같으므로 산화수가 $+1$이 된다.	

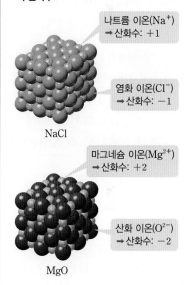

염화 나트륨과 산화 마그네슘에서 각 원자의 산화수

나트륨 이온(Na^+)
➡ 산화수: $+1$

염화 이온(Cl^-)
➡ 산화수: -1

NaCl

마그네슘 이온(Mg^{2+})
➡ 산화수: $+2$

산화 이온(O^{2-})
➡ 산화수: -2

MgO

공유 결합에서의 산화 환원

이온 결합과 달리 전자의 이동이 분명하지 않은 공유 결합에서는 전기 음성도가 큰 원자가 공유 전자쌍을 완전히 차지한다고 가정한다. 이때 전기 음성도가 작은 원자는 전자를 잃어 산화되고, 전기 음성도가 큰 원자는 전자를 얻어 환원된다. 예를 들어 염화 수소가 생성될 때 수소는 산화되고, 염소는 환원된다.

┌─ 산화 ─┐
$H_2 + Cl_2 \longrightarrow 2HCl$
└─ 환원 ─┘

(3) **산화수 규칙**: 산화 환원 반응에서 각 물질들의 산화수를 결정할 때 다음 규칙은 항상 성립한다.

1. 원소를 구성하는 원자의 산화수는 0이다.
   예 원소인 Cu, Cl_2, P_4, H_2, O_2, C, Na에서 각 원자의 산화수는 모두 0이다.
2. 단원자 이온의 경우 산화수는 이온의 전하와 같다.
   예 Na^+, Cl^-, Mg^{2+}, O^{2-} 등의 이온은 산화수가 각각 $+1$, -1, $+2$, -2이다.
3. 다원자 이온의 경우 각 원자의 산화수의 총합은 다원자 이온의 전하와 같다.
   예 OH^-에서 O의 산화수는 -2이고 H의 산화수는 $+1$이므로 다음과 같은 관계가 성립한다.
   산소의 산화수(-2)+수소의 산화수($+1$)=이온의 전하(-1)
4. 화합물에서 모든 원자의 산화수 총합은 0이다.
   예 H_2O에서 H의 산화수는 $+1$이고 O의 산화수는 -2이므로 다음과 같은 관계가 성립한다.
   수소의 산화수($+1$)×2+산소의 산화수(-2)×1=0

다음은 산화수를 결정할 때 알아두면 편리한 규칙으로, 약간의 예외가 있을 수 있다. 만약 규칙들이 서로 상충될 경우에는 우선순위가 높은 규칙에 따른다.

① 화합물에서 F의 산화수는 항상 -1이다.
   HF, OF_2, NaF ➡ 각 화합물에서 F의 산화수는 모두 -1이다.
② 화합물에서 1족 금속 원소(Li, Na, K)는 $+1$, 2족 금속 원소(Be, Mg, Ca)는 $+2$, 13족 금속 원소(Al)는 $+3$의 산화수를 갖는다.
   • NaH, $NaCl$, Na_2O, KOH, K_2O_2, K_2O ➡ 각 화합물에서 Na과 K의 산화수는 모두 $+1$이다.
   • MgH_2, $MgCl_2$, $CaCO_3$, CaO_2, CaO ➡ 각 화합물에서 Mg과 Ca의 산화수는 모두 $+2$이다.
   • $AlCl_3$, Al_2O_3, $Al(OH)_3$ ➡ 각 화합물에서 Al의 산화수는 모두 $+3$이다.
③ 화합물에서 H의 산화수는 $+1$이다.
   H_2CO_3, H_2O, H_2O_2, HCl ➡ 각 화합물에서 H의 산화수는 모두 $+1$이다.
④ 화합물에서 O의 산화수는 -2이다.
   $HClO_4$, H_2SO_4 ➡ 각 화합물에서 O의 산화수는 모두 -2이다.

2. 산화수 변화에 의한 산화 환원

어떤 원자나 이온이 전자를 잃으면 산화수가 증가하고, 전자를 얻으면 산화수가 감소한다. 따라서 산화수가 증가하는 반응을 산화라 하고, 산화수가 감소하는 반응을 환원이라고 한다.

예
┌───── (산화수 감소: 환원) ─────┐
$2FeCl_3$ + $SnCl_2$ ⟶ $2FeCl_2$ + $SnCl_4$
($+3$)　　($+2$)　　　($+2$)　　($+4$)
└───── (산화수 증가: 산화) ─────┘

산화수와 전기 음성도
화합물을 구성하는 원자 중 전기 음성도가 큰 쪽이 ($-$)값, 전기 음성도가 작은 쪽이 ($+$)값의 산화수를 갖는다.

원소	전기 음성도
H	2.1
C	2.5
N	3.0
O	3.5
F	4.0

예 물(H_2O) 분자에서 H보다 O의 전기 음성도가 크므로 O의 산화수는 ($-$)값, H의 산화수는 ($+$)값을 갖는다.

주의해야 할 산화수
• 수소의 산화수: NaH, MgH_2 등에서는 우선순위가 높은 규칙 ②와 모든 화합물에서 산화수의 총합은 항상 0이라는 절대 규칙에 의해 H의 산화수가 -1이 된다.
• 산소의 산화수: K_2O_2, H_2O_2에서는 우선순위가 높은 규칙 ②, ③과 화합물에서 산화수의 총합은 항상 0이라는 절대 규칙에 의해 O의 산화수가 -1이 된다.
　OF_2의 경우 우선순위가 높은 규칙 ①과 화합물에서 산화수의 총합은 0이라는 절대 규칙에 의해 O의 산화수는 $+2$가 된다.
• 염소의 산화수: $HClO$, $HClO_2$, $HClO_3$, $HClO_4$에서는 우선순위가 높은 규칙 ③, ④와 화합물에서 산화수의 총합은 항상 0이라는 절대 규칙에 의해 Cl의 산화수가 각각 $+1$, $+3$, $+5$, $+7$이 된다.

예제

다음과 같은 망가니즈 화합물에서 Mn의 산화수를 각각 구하시오.

(1) $KMnO_4$　　　　(2) MnO_2　　　　(3) Mn_2O_3　　　　(4) $MnCl_2$

해설　(1) $KMnO_4$: $(+1) \times 1 + Mn + (-2) \times 4 = 0$, ∴ $+7$　　(2) MnO_2: $Mn + (-2) \times 2 = 0$, ∴ $+4$

　　　　(3) Mn_2O_3: $2 \times Mn + (-2) \times 3 = 0$, ∴ $+3$　　　　(4) $MnCl_2$: $Mn + (-1) \times 2 = 0$, ∴ $+2$

정답　(1) $+7$　(2) $+4$　(3) $+3$　(4) $+2$

③ 산화제와 환원제

산화되는 물질과 환원되는 물질은 항상 정해져 있는 것이 아니다. 같은 물질이라도 어떤 물질과 반응하는지에 따라 산화될 수도 있고 환원될 수도 있다.

1. 산화제와 환원제

산화 환원 반응에서 다른 물질을 산화시키고 자신은 환원되는 물질을 산화제라 하고, 다른 물질을 환원시키고 자신은 산화되는 물질을 환원제라고 한다.

$$\underset{\text{환원제}}{\overset{(0)}{Cu}} + 4H^+ + \underset{\text{산화제}}{\overset{(+5)}{2NO_3^-}} \longrightarrow \overset{(+2)}{Cu^{2+}} + \overset{(+4)}{2NO_2} + 2H_2O$$

(산화, 환원 표시)

(1) 산화제: 산화제는 산소를 잘 내주거나 전자를 얻기 쉬워야 한다.

① 전자를 얻는 성질이 강할수록 강한 산화력을 가지므로 전기 음성도가 큰 대부분의 비금속 원소는 산화제가 될 수 있다.

예 F_2, Cl_2, O_2, O_3

② 산화수가 큰 원소를 포함한 물질은 산화제가 될 수 있다.

예 $KMnO_4$, $K_2Cr_2O_7$, HNO_3, $HClO_4$

③ 같은 원자가 여러 가지 산화수를 가지는 경우 산화수가 가장 큰 원자를 포함한 화합물이 가장 강한 산화제이다.

예 $\underset{(+7)}{KMnO_4}$, $\underset{(+4)}{MnO_2}$, $\underset{(+3)}{Mn_2O_3}$, $\underset{(+2)}{MnCl_2}$ 중에서 $KMnO_4$이 가장 강한 산화제이다.

(2) 환원제: 환원제는 산소와 반응을 잘하거나 전자를 잃기 쉬워야 한다.

① 전자를 내놓는 성질이 강할수록 강한 환원력을 가지므로 이온화 에너지가 작은 대부분의 금속 원소는 환원제가 될 수 있다.

예 Li, Na, K, Mg, Ca, Zn

② 산화수가 작은 원소를 포함한 물질은 환원제가 될 수 있다.

예 $FeCl_2$, $SnCl_2$, H_2S

③ 같은 원자가 여러 가지 산화수를 가지는 경우 산화수가 가장 작은 원자를 포함한 화합물이 가장 강한 환원제이다.

예 $\underset{(-2)}{H_2S}$, $\underset{(0)}{S}$, $\underset{(+4)}{SO_2}$, $\underset{(+6)}{SO_3}$ 중에서 H_2S가 가장 강한 환원제이다.

주로 쓰이는 산화제와 환원제

산화제		환원제	
산소	O_2	수소	H_2
오존	O_3	이산화 황	SO_2
할로젠 원소	F_2, Cl_2	아이오딘화 칼륨	KI
과산화 수소	H_2O_2	황화 수소	H_2S
질산	HNO_3	염화 주석(Ⅱ)	$SnCl_2$
과망가 니즈산 칼륨	$KMnO_4$	황산 철(Ⅱ)	$FeSO_4$

2. 산화제와 환원제의 상대성

산화 환원 반응에서 전자를 내놓으려는 경향과 전자를 얻으려는 경향은 상대적이므로 같은 물질이라도 반응에 따라 산화제로 작용하기도 하고 환원제로 작용하기도 한다.

예를 들면 이산화 황(SO_2)은 염소(Cl_2)와 반응하는 경우에는 자신이 산화되면서 Cl_2를 염화 이온(Cl^-)으로 환원시키는 환원제로 작용하고, 황화 수소(H_2S)와 반응하는 경우에는 자신이 환원되면서 H_2S를 황(S)으로 산화시키는 산화제로 작용한다.

$$\overset{(+4)}{\underline{S}O_2} + \overset{(0)}{\underline{Cl}_2} + 2H_2O \longrightarrow \overset{(+6)}{H_2\underline{S}O_4} + 2H\overset{(-1)}{\underline{Cl}} \Rightarrow SO_2\text{이 환원제로 작용}$$

환원제 산화제

산화 / 환원

$$\overset{(+4)}{\underline{S}O_2} + 2\overset{(-2)}{H_2\underline{S}} \longrightarrow 2H_2O + 3\overset{(0)}{\underline{S}} \Rightarrow SO_2\text{이 산화제로 작용}$$

산화제 환원제

환원 / 산화

4 산화 환원 반응식

산화 환원 반응을 화학 반응식으로 나타내면 산화제와 환원제의 양적 관계를 알 수 있으므로 실제 반응에서 필요한 산화제나 환원제의 양을 구할 수 있다.

1. 산화 환원 반응식 완성하기

집중 분석 2권 190쪽

산화와 환원은 항상 동시에 일어나고 증가한 산화수와 감소한 산화수는 항상 같으므로 이 관계를 이용하여 산화 환원 반응식을 완성할 수 있다.

예 산화 철(Ⅲ)에 일산화 탄소를 불어 넣어 철을 얻는 반응

단계 1 화살표의 왼쪽에 반응물을, 오른쪽에 생성물을 쓰고 각 원자의 산화수를 구한다.

$$\underset{(+3)(-2)}{Fe_2O_3(s)} + \underset{(+2)(-2)}{CO(g)} \longrightarrow \underset{(0)}{Fe(s)} + \underset{(+4)(-2)}{CO_2(g)}$$

단계 2 반응 전후의 산화수 변화를 확인한다.

3 감소

$$\underset{(+3)}{Fe_2O_3(s)} + \underset{(+2)}{CO(g)} \longrightarrow \underset{(0)}{Fe(s)} + \underset{(+4)}{CO_2(g)}$$

2 증가

단계 3 증가한 산화수와 감소한 산화수가 같도록 계수를 맞춘다.

3×2

$$Fe_2O_3(s) + 3CO(g) \longrightarrow 2Fe(s) + 3CO_2(g)$$

2×3

단계 4 산화수의 변화가 없는 원자들의 수가 같도록 계수를 맞추어 산화 환원 반응식을 완성한다.

$$Fe_2O_3(s) + 3CO(g) \longrightarrow 2Fe(s) + 3CO_2(g)$$

완성된 화학 반응식에서 산화제인 Fe_2O_3과 환원제인 CO는 1 : 3의 몰비로 반응한다는 것을 알 수 있다. 따라서 Fe_2O_3 1몰이 환원되려면 CO 3몰이 필요하다.

과산화 수소(H_2O_2)

H_2O_2는 흔히 산화제로 쓰이지만, 산화력이 더 강한 $KMnO_4$과 반응할 때는 환원제가 된다.

· 산화제로 작용하는 경우

$$H_2O_2 + 2H^+ + 2I^- \longrightarrow 2H_2O + I_2$$

· 환원제로 작용하는 경우

$$2KMnO_4 + 5H_2O_2 + 3H_2SO_4 \longrightarrow$$
$$2MnSO_4 + 5O_2 + K_2SO_4 + 8H_2O$$

산화수 계산 연습과 산화 환원 반응식 완성하기

복잡한 반응에서 산소나 전자의 이동을 파악하기 어려울 경우 산화수를 이용해서 산화 환원 반응을 설명할 수 있다. 또, 산화 환원 반응은 항상 동시에 일어나며, 산화제의 감소한 산화수와 환원제의 증가한 산화수는 같으므로 이를 이용하여 산화 환원 반응식을 완성하는 방법을 연습해 보자.

① 화합물에서의 산화수 계산

(1) CO_2

단계 1 공유 결합 물질의 산화수는 전기 음성도가 큰 원자가 공유 전자쌍을 모두 가진다고 가정할 때 각 원자가 가지는 전하가 그 원자의 산화수이다.

➡ O의 전기 음성도가 C보다 크다. O의 산화수는 -2이다.

단계 2 화합물에서 모든 원자의 산화수의 총합은 0이다. CO_2에서 C의 산화수를 x라 하면 $x+(-2)\times2=0$이므로 $x=+4$이다.

(2) H_2O_2

단계 1 화합물에서 H의 산화수는 $+1$이고, O의 산화수는 -2이다.

➡ H_2O_2에서 H의 산화수가 $+1$인 규칙이 우선순위가 높다.

단계 2 화합물에서 모든 원자의 산화수의 총합은 0이다.

➡ H_2O_2에서 O의 산화수를 x라 하면 $(+1)\times2+x\times2=0$이므로 $x=-1$이다.

(3) $KMnO_4$

단계 1 이온 결합 물질의 산화수는 물질을 구성하고 있는 이온의 전하와 같다.

➡ $K^+MnO_4^-$에서 K의 산화수는 $+1$이다.

단계 2 다원자 이온은 각 원자의 산화수 합이 그 이온의 전하와 같고, 화합물에서 O의 산화수는 -2이다.

➡ MnO_4^-에서 Mn의 산화수를 x라 하면 $x+(-2)\times4=-1$이므로 $x=+7$이다.

② 한 원소의 다양한 산화수

(1) 질소(N)

- NH_3: H의 산화수는 $+1$이고, N의 산화수를 x라 하면 $x+(+1)\times3=0$이므로 $x=-3$이다.
- NO: O의 산화수는 -2이고, N의 산화수를 x라 하면 $x+(-2)=0$이므로 $x=+2$이다.
- NO_2: O의 산화수는 -2이고, N의 산화수를 x라 하면 $x+(-2)\times2=0$이므로 $x=+4$이다.
- HNO_3: H의 산화수는 $+1$, O의 산화수는 -2이고, N의 산화수를 x라 하면 $(+1)+x+(-2)\times3=0$이므로 $x=+5$이다.

(2) 염소(Cl)

- $NaCl$: Na의 산화수는 $+1$이고, Cl의 산화수를 x라 하면 $(+1)+x=0$이므로 $x=-1$이다.
- $HClO$: H의 산화수는 $+1$, O의 산화수는 -2이고, Cl의 산화수를 x라 하면 $(+1)+x+(-2)=0$이므로 $x=+1$이다.
- $HClO_2$: H의 산화수는 $+1$, O의 산화수는 -2이고, Cl의 산화수를 x라 하면 $(+1)+x+(-2)\times2=0$이므로 $x=+3$이다.
- $HClO_3$: H의 산화수는 $+1$, O의 산화수는 -2이고, Cl의 산화수를 x라 하면 $(+1)+x+(-2)\times3=0$이므로 $x=+5$이다.

예제

① 다음 화합물에서 밑줄 친 원자의 산화수를 각각 구하시오.

(1) HNO_3 (2) $HClO_4$

해설 (1) $(+1)+x+(-2)\times3=0$, $x=+5$
    (2) $(+1)+x+(-2)\times4=0$, $x=+7$

정답 (1) $+5$ (2) $+7$

예제

② 다음 화합물에서 크로뮴(Cr)의 산화수를 각각 구하시오.

(1) $Na_2Cr_2O_7$ (2) Cr_2O_3

해설 (1) $(+1)\times2+x\times2+(-2)\times7=0$, $x=+6$
    (2) $x\times2+(-2)\times3=0$, $x=+3$

정답 (1) $+6$ (2) $+3$

③ **산화 환원 반응식의 완성(산화수법)**

산화 환원 반응에서 증가하는 산화수와 감소하는 산화수가 같다는 것을 이용하여 산화 환원 반응식의 계수를 완성한다.

예 다음은 주석 이온과 과망가니즈산 이온이 산성 조건에서 반응할 때의 반응식을 나타낸 것이다. 이 반응식의 계수를 완성해 보자.

$$Sn^{2+} + MnO_4^- + H^+ \longrightarrow Sn^{4+} + Mn^{2+} + H_2O$$

단계 1 반응에 관여하는 원자의 산화수를 구한 후, 변화한 산화수를 조사한다.

(산화수 2 증가: 산화)
$$\underset{(+2)}{Sn^{2+}} + \underset{(+7)}{MnO_4^-} + H^+ \longrightarrow \underset{(+4)}{Sn^{4+}} + \underset{(+2)}{Mn^{2+}} + H_2O$$
(산화수 5 감소: 환원)

단계 2 증가한 산화수와 감소한 산화수가 같도록 반응식의 계수를 맞춘다. 즉, Sn 앞에는 5를 쓰고, Mn 앞에는 2를 쓴다.

$$(2\times5)$$
$$5Sn^{2+} + 2MnO_4^- + H^+ \longrightarrow 5Sn^{4+} + 2Mn^{2+} + H_2O$$
$$(5\times2)$$

단계 3 양변의 O 원자 수를 맞춘다.(O 원자 수 8 ➡ $8H_2O$)
$$5Sn^{2+} + 2MnO_4^- + H^+ \longrightarrow 5Sn^{4+} + 2Mn^{2+} + 8H_2O$$

단계 4 양변의 H 원자 수를 맞춘다.(H 원자 수 16 ➡ $16H^+$)
$$5Sn^{2+} + 2MnO_4^- + 16H^+ \longrightarrow 5Sn^{4+} + 2Mn^{2+} + 8H_2O$$

산화 환원 반응식에서 확인할 점
- 모든 화학 반응에서는 원자가 생성되거나 소멸되지 않으므로 반응물을 구성하는 원자의 종류와 수, 생성물을 구성하는 원자의 종류와 수가 같아야 한다.
- 반응물의 전하와 생성물의 전하가 같아야 한다.

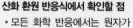 정답과 해설 **84**쪽

다음은 과망가니즈산 칼륨($KMnO_4$)과 진한 염산(HCl)이 반응하는 산화 환원 반응식이다.

$$aKMnO_4(aq) + bHCl(aq) \longrightarrow$$
$$cKCl(aq) + dMnCl_2(aq) + 8H_2O(l) + 5Cl_2(g)$$

이에 대한 설명으로 옳은 것만을 보기에서 있는 대로 고른 것은? (단, $a \sim d$는 반응 계수이다.)

보기
ㄱ. $b = a + c + d$이다.
ㄴ. $KMnO_4$은 산화제이다.
ㄷ. 생성물에서 Cl의 산화수는 모두 같다.

① ㄱ   ② ㄴ   ③ ㄱ, ㄴ   ④ ㄴ, ㄷ   ⑤ ㄱ, ㄴ, ㄷ

산화수의 주기성과 다양성

원자가 가지는 산화수는 전자 배치와 관련이 있는데, 같은 원자가 어떤 원자와 결합했느냐에 따라 전기 음성도의 차이에 의해 전자를 얻을 수도 있고 잃을 수도 있으므로 다양한 산화수를 가질 수 있다.

❶ 산화수의 주기성

원자가 화합물이 될 때 가질 수 있는 산화수는 그 원자의 전자 배치와 관련이 있으므로 산화수도 주기성을 나타낸다. 원자 번호 1~20번인 원자들이 화합물이 될 때 가질 수 있는 대표적인 산화수는 그림과 같다.

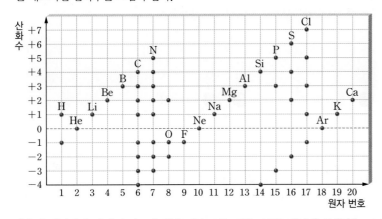

여러 개의 산화수를 갖는 원자

이온화 에너지와 전기 음성도가 매우 작은 알칼리 금속(Na, K)이나 알칼리 토금속(Mg, Ca)의 경우는 한 가지 산화수만을 갖지만, N, Cl와 같은 경우는 여러 가지 산화수를 가질 수 있다. 이는 같은 원자라도 어떤 원자와 결합하는가에 따라 전기 음성도 차이에 의해 전자를 얻을 수도 있고 잃을 수도 있기 때문이다.

(1) 이온화 에너지나 전기 음성도가 매우 작은 1족, 2족, 13족 원자의 산화수는 $+1$, $+2$, $+3$으로서 한 가지의 산화수만을 가진다.

(2) 한 원자가 여러 가지 산화수를 가질 수 있다. ➡ 같은 원자라도 결합하는 원자의 전기 음성도에 따라 전자를 잃거나 얻을 수 있기 때문

　　예 S의 산화수: $\underset{(+1)(-2)}{H_2S}$에서는 -2이고, $\underset{(+4)(-2)}{SO_2}$에서는 $+4$이다.

　　➡ 전기 음성도가 더 큰 원자가 ($-$)값의 산화수를 가진다. 전기 음성도: $H < S < O$

(3) 원자의 최고 산화수는 원자가 전자 수를 넘지 못한다.(단, 원자 번호 20번 이하인 경우)

　　예 $_{16}S$: $K(2)\ L(8)\ M(6)$ ➡ 최고 산화수 $+6$, $_{17}Cl$: $K(2)\ L(8)\ M(7)$ ➡ 최고 산화수 $+7$

(4) 전기 음성도가 가장 큰 플루오린(F)의 산화수는 항상 -1이다.

(5) 비활성 기체(He, Ne, Ar)의 산화수는 원소의 산화수로 0이다.

❷ 다양한 탄소 화합물에서 탄소(C)의 산화수

탄소는 원자가 전자 수가 4이므로 4개의 전자를 잃을 수도 있고, 4개의 전자를 얻을 수도 있다. 따라서 탄소는 $+4$부터 -4까지 다양한 산화수를 가진다.

(1) 메테인(CH_4): 화합물에서 수소의 산화수는 $+1$이므로 수소의 산화수($+1$)×4+탄소의 산화수$=0$이다. 따라서 탄소의 산화수는 -4이다.

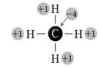

(2) 에테인(C_2H_6): 화합물에서 수소의 산화수$(+1)\times6+$탄소의 산화수$\times2=0$이다. 따라서 탄소의 산화수는 -3이다.

(3) 메탄올(CH_3OH): 화합물에서 수소의 산화수$(+1)\times4+$산소의 산화수$(-2)+$탄소의 산화수$=0$이다. 따라서 탄소의 산화수는 -2이다.

(4) 아세트산(CH_3COOH): 아세트산의 구조에서 메틸기(CH_3-)의 탄소는 3개의 수소 원자와 1개의 탄소 원자가 결합해 있다. 탄소의 전기 음성도가 수소보다 크므로 수소와의 공유 전자쌍 3개는 탄소가 가졌다고 가정하고, 탄소와의 공유 전자쌍은 어느 쪽으로도 치우치지 않으므로 메틸기에 있는 탄소의 산화수는 -3이다. 그리고 카복시기($-COOH$)에 있는 탄소의 경우에는 산소와의 공유 전자쌍 3개는 산소가 가졌다고 가정하고 탄소와의 공유 전자쌍은 어느 쪽으로도 치우치지 않으므로 카복시기에 있는 탄소의 산화수는 $+3$이다.

▲ 에테인   ▲ 메탄올   ▲ 아세트산

(5) 벤젠(C_6H_6): 화합물에서 수소의 산화수$(+1)\times6+$탄소의 산화수$\times6=0$이므로, 탄소의 산화수는 -1이다.

(6) 포도당($C_6H_{12}O_6$): 포도당에서 수소와 산소의 산화수는 각각 $+1$과 -2로, 전기 음성도가 큰 산소와 어떻게 결합되어 있느냐에 따라 탄소의 산화수는 $+1$, -1, 0의 3가지가 존재한다.

▲ 포도당

❸ 광합성과 세포 호흡에서의 산화 환원 반응

광합성은 식물이 빛에너지를 이용하여 이산화 탄소와 물로부터 포도당을 합성하고 산소를 발생하는 반응이고, 세포 호흡은 광합성의 역반응으로 포도당과 산소가 반응하여 이산화 탄소와 물이 생성되고 생명 활동에 필요한 에너지를 얻는 과정이다. 이때 산화수 변화는 다음과 같다.

$$\underset{(+4)}{6CO_2} + \underset{(-2)}{12H_2O} + (빛)에너지 \underset{세포 호흡}{\overset{광합성}{\rightleftharpoons}} \underset{(0)}{C_6H_{12}O_6}(포도당) + \underset{(0)}{6O_2} + 6H_2O$$

즉, 광합성에서 산화되는 물질은 물이고, 환원되는 물질은 이산화 탄소이다. 세포 호흡에서 산화되는 물질은 포도당이고, 환원되는 물질은 산소이다.

몇 가지 작용기 명칭

작용기	명칭
CH_3-	메틸기
$-COOH$	카복시기
$-OH$	하이드록시기

포도당에서 탄소의 산화수
포도당에서 탄소의 산화수는 $+1$, -1, 0으로 3가지가 존재하며, 6개 탄소의 산화수 합은 0이다.

개념 모아 정리하기

01 산화 환원 반응

① 산화 환원 반응

1. 산화 환원 반응

구분	산소 이동	전자 이동	산화수 변화
산화	산소를 얻는 반응	전자를 (❶) 반응	산화수가 (❸)하는 반응
환원	산소를 잃는 반응	전자를 (❷) 반응	산화수가 (❹)하는 반응

2. 산화 환원 반응의 동시성 산화와 환원은 항상 (❺) 일어난다.

② 산화수

1. 물질의 결합 방식에 따른 산화수

• 이온 결합 물질: 산화수는 물질을 구성하고 있는 이온의 전하와 같다.

• 공유 결합 물질: 산화수는 공유 전자쌍을 (❻)가 큰 원소가 완전히 차지했다고 가정했을 때 그 원소가 가지는 전하를 나타낸다.

2. 산화수 규칙

> ① 원소를 구성하는 원자의 산화수는 0이다. ⓐ H_2, O_2, Na: 0
> ② 단원자 이온의 경우 산화수는 이온의 전하와 같다. ⓐ Na^+: +1, O^{2-}: −2
> ③ 다원자 이온의 경우 각 원자의 산화수 총합이 다원자 이온의 전하와 같다.
>   ⓐ NO_3^-: $(+5)+(-2)\times3=-1$
> ④ 화합물에서 모든 원자의 산화수 총합은 0이다. ⓐ H_2O: $(+1)\times2+(-2)=0$

③ 산화제와 환원제

1. 산화제와 환원제 산화 환원 반응에서 다른 물질을 산화시키고 자신은 환원되는 물질을 (❼)라 하고, 다른 물질을 환원시키고 자신은 산화되는 물질을 (❽)라고 한다.

2. 산화제와 환원제의 상대성 산화 환원 반응에서 전자를 내놓거나 얻으려는 경향은 상대적이므로 같은 물질이라도 반응하는 물질에 따라 산화제로 작용하기도 하고 환원제로 작용하기도 한다.

④ 산화 환원 반응식

1. 산화 환원 반응의 양적 관계 산화 환원 반응은 항상 동시에 일어나고 증가한 산화수와 감소한 산화수는 항상 같으므로 이 관계를 이용하여 산화 환원 반응식을 완성함으로써 산화 환원 반응의 양적 관계를 유추할 수 있다.

2. 산화 환원 반응식 완성하기

단계❶ 반응물을 화살표의 왼쪽에, 생성물을 화살표의 오른쪽에 쓰고 각 원자의 산화수를 구한다.

단계❷ 반응 전과 후의 산화수 변화를 확인한다.

단계❸ 증가한 산화수와 감소한 산화수가 같도록 계수를 맞춘다.

단계❹ 산화수의 변화가 없는 원자들의 수가 같도록 계수를 맞추어 산화 환원 반응식을 완성한다.

01 산화 환원 반응에 대한 설명으로 옳은 것만을 보기에서 있는 대로 고르시오.

보기
ㄱ. 환원은 전자를 얻는 반응이다.
ㄴ. 산화는 산화수가 증가하는 반응이다.
ㄷ. 산화와 환원은 항상 동시에 일어난다.
ㄹ. 전기 음성도가 큰 원자일수록 전자를 잃고 산화되기 쉽다.

02 산화 환원 반응이 아닌 것은?

① $Cu^{2+} + Zn \longrightarrow Zn^{2+} + Cu$

② $CuSO_4 + H_2 \longrightarrow Cu + H_2SO_4$

③ $Fe_2(SO_4)_3 + Cu \longrightarrow 2FeSO_4 + CuSO_4$

④ $Al_2O_3 + 3H_2SO_4 \longrightarrow Al_2(SO_4)_3 + 3H_2O$

⑤ $Pb + 2H_2SO_4 + PbO_2 \longrightarrow 2PbSO_4 + 2H_2O$

03 다음 반응식의 (   ) 안에 산화 또는 환원을 옳게 쓰시오.

(1) $\overset{\frown}{\underset{\smile}{}}$ ㉠( ) ㉡( )
$C + 2CuO \longrightarrow CO_2 + 2Cu$

(2) ㉠( ) ㉡( )
$2Fe_2O_3 + 3C \longrightarrow 4Fe + 3CO_2$

(3) ㉠( ) ㉡( )
$N_2 + 3H_2 \longrightarrow 2NH_3$

(4) ㉠( ) ㉡( )
$Zn + CuSO_4 \longrightarrow ZnSO_4 + Cu$

04 그림은 묽은 염산에 아연 조각을 넣었을 때 수소 기체가 발생하고 아연 이온이 생성되는 반응을 모형으로 나타낸 것이다.

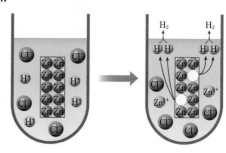

이에 대한 설명으로 옳은 것만을 보기에서 있는 대로 고르시오. (단, 음이온은 반응하지 않는다.)

보기
ㄱ. 아연은 산화제이다.
ㄴ. 아연의 산화수는 증가한다.
ㄷ. 용액 속 전체 이온 수는 변하지 않는다.

05 산화수에 대한 설명으로 옳은 것만을 보기에서 있는 대로 고르시오.

보기
ㄱ. 플루오린(F)의 산화수는 −1부터 +7까지 있다.
ㄴ. 다원자 이온에서 성분 원소의 산화수 총합은 0이다.
ㄷ. 화합물에서 전기 음성도가 작은 원소의 산화수는 (−)값을 가진다.
ㄹ. 원자 번호 20번 이내의 원자가 가질 수 있는 가장 큰 산화수는 원소가 속한 족 번호의 일의 자리와 같거나 작다.

06 다음 각 화합물에서 밑줄 친 원자의 산화수를 각각 구하시오.

(1) $\underline{Fe}_2O_3$ (2) $Na\underline{Cl}O_3$

(3) $Na\underline{H}$ (4) $\underline{S}_2O_3{}^{2-}$

(5) $HN\underline{O}_3$ (6) $\underline{N}H_4\underline{N}O_3$

07 다음은 황(S)이 포함된 물질을 분자식과 함께 나타낸 것이다.

- 황(S_8)
- 황화 수소(H_2S)
- 이산화 황(SO_2)
- 삼산화 황(SO_3)
- 아황산(H_2SO_3)
- 황산(H_2SO_4)

이에 대한 설명으로 옳은 것만을 보기에서 있는 대로 고르시오. (단, 전기 음성도는 $H < S < O$이다.)

보기
ㄱ. 황이 포함된 물질에서 황의 산화수가 가장 큰 것과 가장 작은 것의 차는 8이다.
ㄴ. SO_2이 SO_3으로 변하는 반응에서 SO_2은 환원제이다.
ㄷ. SO_3이 H_2SO_4으로 변하는 반응은 산화 환원 반응이다.

08 다음은 구리 조각을 진한 질산에 넣었을 때 일어나는 화학 반응식이다. 각 물음에 답하시오. (단, $a \sim f$는 반응 계수이다.)

$$a\mathrm{Cu} + b\mathrm{NO_3}^- + c\mathrm{H}^+ \longrightarrow d\mathrm{Cu}^{2+} + e\mathrm{NO_2} + f\mathrm{H_2O}$$

(1) $a \sim f$를 각각 구하시오.
(2) 산화제와 환원제를 각각 쓰시오.

09 다음 반응에서 산화제와 환원제를 각각 쓰시오.

(1) $\mathrm{Fe_2O_3}(s) + 3\mathrm{CO}(g) \longrightarrow 2\mathrm{Fe}(s) + 3\mathrm{CO_2}(g)$
(2) $2\mathrm{FeCl_3}(aq) + \mathrm{SnCl_2}(aq)$
$$\longrightarrow 2\mathrm{FeCl_2}(aq) + \mathrm{SnCl_4}(aq)$$

10 다음은 산화 환원 반응을 나타낸 것이다.

(가) $2\mathrm{NO}(g) + \mathrm{F_2}(g) \longrightarrow 2\mathrm{NOF}(g)$
(나) $2\mathrm{NO}(g) + 2\mathrm{H_2}(g) \longrightarrow \mathrm{N_2}(g) + 2\mathrm{H_2O}(l)$

이에 대한 설명으로 옳은 것만을 보기에서 있는 대로 고르시오.

보기
ㄱ. (가)에서 N의 산화수가 증가한다.
ㄴ. (나)에서 NO는 환원제이다.
ㄷ. F_2은 H_2보다 더 강한 산화제이다.

11 다음은 다이크로뮴산 나트륨($Na_2Cr_2O_7$)과 탄소(C)의 반응을 화학 반응식으로 나타낸 것이다.

$$\mathrm{Na_2Cr_2O_7} + 2\underset{\textcircled{\tiny ㄱ}}{\mathrm{C}} \longrightarrow \mathrm{Cr_2O_3} + \mathrm{Na_2}\underset{\textcircled{\tiny ㄴ}}{\mathrm{C}}\mathrm{O_3} + \underset{\textcircled{\tiny ㄷ}}{\mathrm{C}}\mathrm{O}$$

(1) ㄱ~ㄷ의 산화수를 각각 쓰시오.
(2) 화합물에서 Cr의 산화수는 어떻게 변하는지 쓰시오.
(3) 산화제와 환원제를 각각 쓰시오.

12 다음은 진한 질산이 들어 있는 용기에 황화 수소 기체를 통과시킬 때 일어나는 반응을 화학 반응식으로 나타낸 것이다.

$$\mathrm{H_2S} + 2\mathrm{HNO_3} \longrightarrow \mathrm{S} + 2\mathrm{H_2O} + 2\mathrm{NO_2}$$

이에 대한 설명으로 옳은 것은 ○, 옳지 <u>않은</u> 것은 ×를 표시하시오.

(1) 황(S)의 산화수는 2만큼 증가한다. ( )
(2) HNO_3은 환원제이다. ( )
(3) H_2S 1 mol이 반응할 때 이동한 전자의 양(mol)은 2 mol몰이다. ( )

01 ▶ 산화수
다음은 염소(Cl_2)와 관련된 3가지 화학 반응식이다.

> (가) $2Na + Cl_2 \longrightarrow 2NaCl$
> (나) $Cl_2 + H_2O \longrightarrow HCl + HClO$
> (다) $2NaBr + Cl_2 \longrightarrow 2NaCl + Br_2$

이에 대한 설명으로 옳은 것만을 보기에서 있는 대로 고른 것은?

보기
ㄱ. (가)에서 Na의 산화수는 증가한다.
ㄴ. (나)에서 Cl의 산화수 총합은 0이다.
ㄷ. (가)와 (다)에서 Cl_2는 환원제이다.

① ㄱ   ② ㄷ   ③ ㄱ, ㄴ   ④ ㄴ, ㄷ   ⑤ ㄱ, ㄴ, ㄷ

• Cl는 결합하는 원자에 따라 다양한 산화수를 갖는다.

고난도
02 ▶ 산화 환원 반응
그림은 마그네슘(Mg)과 관련된 화학 반응을 나타낸 것이다.

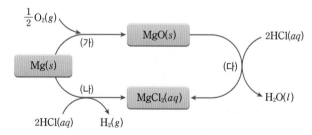

이에 대한 설명으로 옳은 것만을 보기에서 있는 대로 고른 것은?

보기
ㄱ. (가)와 (나)에서 Mg은 환원제이다.
ㄴ. 전기 음성도는 Cl가 Mg보다 크다.
ㄷ. (다)에서 Mg은 산화수가 감소한다.

① ㄱ   ② ㄷ   ③ ㄱ, ㄴ   ④ ㄴ, ㄷ   ⑤ ㄱ, ㄴ, ㄷ

• 산화수가 변하는 반응은 산화 환원 반응이다.

03 〉화학 반응과 산화수
다음은 화합물 AB_4와 원소 C_2 사이의 반응을 화학 반응식으로 나타낸 것이다.

$$AB_4(g) + 2C_2(g) \longrightarrow AC_2(g) + 2B_2C(l)$$

이 반응에서 A의 산화수가 -4에서 $+4$로 변했을 때, 이에 대한 설명으로 옳은 것만을 보기에서 있는 대로 고른 것은? (단, $A \sim C$는 임의의 원소 기호이다.)

> 보기
> ㄱ. 전기 음성도는 A가 B보다 크다.
> ㄴ. C의 산화수는 0에서 $+2$로 증가한다.
> ㄷ. AB_4는 환원제이다.

① ㄱ   ② ㄴ   ③ ㄱ, ㄷ   ④ ㄴ, ㄷ   ⑤ ㄱ, ㄴ, ㄷ

AB_4에서 A의 산화수가 -4이고, AC_2에서 A의 산화수 $+4$이므로 B와 C의 산화수를 구할 수 있다.

04 〉산화 환원 반응
그림은 철이나 코크스를 이용하여 수증기로부터 수소를 얻는 과정을 나타낸 것이다.

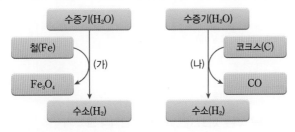

이에 대한 설명으로 옳은 것만을 보기에서 있는 대로 고른 것은?

> 보기
> ㄱ. (가)에서 Fe은 환원제이다.
> ㄴ. (나)에서 C의 산화수는 0에서 $+2$로 증가한다.
> ㄷ. (가)와 (나)에서 H의 산화수는 감소한다.

① ㄱ   ② ㄴ   ③ ㄱ, ㄷ   ④ ㄴ, ㄷ   ⑤ ㄱ, ㄴ, ㄷ

(가)와 (나)는 산화수가 변하는 산화 환원 반응이다.

05 ❯ 산화수

표는 질소(N)를 포함한 분자나 이온에서 N의 산화수를 나타낸 것이다.

분자나 이온	NX_2	NX_3^-	NY_3	NY_4^+
N의 산화수	a	$+5$	-3	-3

이에 대한 설명으로 옳은 것만을 보기에서 있는 대로 고른 것은? (단, X와 Y는 임의의 원소 기호이며, 화합물에서 X, Y의 산화수는 각각 한 가지이다.)

보기
ㄱ. a는 $+4$이다.
ㄴ. 전기 음성도는 N가 Y보다 크다.
ㄷ. X와 Y가 결합한 물질의 화학식은 Y_2X이다.

① ㄱ   ② ㄷ   ③ ㄱ, ㄴ   ④ ㄴ, ㄷ   ⑤ ㄱ, ㄴ, ㄷ

> 결합하는 원자의 전기 음성도에 따라 전자를 잃거나 얻을 수 있기 때문에 한 원자가 여러 가지 산화수를 가질 수 있다. 전기 음성도가 더 큰 원자가 (−)값의 산화수를 가진다.

06 ❯ 산화수와 산화 환원 반응식

그림은 A_xB와 C_2가 산화 환원 반응하여 AC와 B_2를 생성할 때, 반응 전과 후 각 원소의 산화수를 나타낸 것이다.

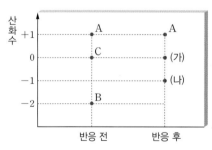

이에 대한 설명으로 옳은 것만을 보기에서 있는 대로 고른 것은? (단, A~C는 임의의 원소 기호이다.)

보기
ㄱ. A_xB에서 x는 2이다.
ㄴ. (나)는 C이다.
ㄷ. B_2 1 mol이 생성될 때 이동한 전자의 양(mol)은 4 mol이다.

① ㄱ   ② ㄴ   ③ ㄱ, ㄷ   ④ ㄴ, ㄷ   ⑤ ㄱ, ㄴ, ㄷ

> 산화 환원 반응식에서 반응물의 전하의 합과 생성물의 전하의 합은 같다.

07 ❯ 산화 환원 반응

그림은 자동차 엔진 속에서 생성된 일산화 질소(NO)가 대기 중에서 변화되는 과정을 나타낸 것이다.

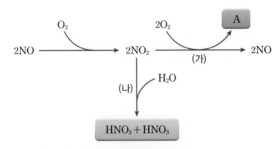

이에 대한 설명으로 옳은 것만을 보기에서 있는 대로 고른 것은?

> **보기**
> ㄱ. A는 $3O_2$이다.
> ㄴ. (나)에서 NO_2는 산화제이면서 환원제이다.
> ㄷ. 질소(N)의 산화수가 가장 큰 값을 갖는 화합물은 HNO_3이다.

① ㄱ   ② ㄴ   ③ ㄱ, ㄷ   ④ ㄴ, ㄷ   ⑤ ㄱ, ㄴ, ㄷ

• (나)에서 N의 산화수는 NO_2에서 +4, HNO_2에서 +3, HNO_3에서 +5이다.

08 ❯ 산화 환원 반응에서의 양적 관계

다음은 기체 X와 관련된 실험이다.

[실험 과정]
(가) 알루미늄(Al)과 염산(HCl)을 반응시켜 발생한 기체 X를 포집한다.
$$2Al(s) + 6HCl(aq) \longrightarrow 2AlCl_3(aq) + 3X(g)$$
(나) (가)에서 포집한 기체 X를 산화 구리(Ⅱ)와 반응시켜 생성된 물의 질량을 측정한다.
$$X(g) + CuO(s) \longrightarrow Cu(s) + H_2O(l)$$
[실험 결과]
• 과정 (나)에서 생성된 물의 질량: 3.6 g

이에 대한 설명으로 옳은 것만을 보기에서 있는 대로 고른 것은? (단, H와 O의 원자량은 각각 1과 16이다.)

> **보기**
> ㄱ. (가)에서 Al의 산화수는 증가한다.
> ㄴ. (나)에서 X는 산화제이다.
> ㄷ. (나)의 반응에서 이동한 전자의 양(mol)은 0.4 mol이다.

① ㄱ   ② ㄴ   ③ ㄱ, ㄷ   ④ ㄴ, ㄷ   ⑤ ㄱ, ㄴ, ㄷ

• 화학 반응식에서 반응물과 생성물을 이루는 원자의 종류와 수는 같으며, 계수비는 반응 몰비와 같다.

02 화학 반응과 열

학습 Point 발열 반응, 흡열 반응 〉 열화학 반응식의 완성 〉 반응열의 측정과 계산

 발열 반응과 흡열 반응

우리는 다양한 활동에서 화학 반응에 따른 열의 출입을 느낄 수 있다. 손난로와 같은 핫팩은 추운 겨울철 야외 활동에 자주 사용되며, 손목이나 발목이 다쳐 부어오르고 열이 나면 냉각 팩을 상처 부위에 갖다 댄다.

1. 발열 반응과 흡열 반응

화학 반응이 일어나면 반응물의 에너지와 생성물의 에너지가 다르기 때문에 항상 에너지의 출입이 따른다.

(1) **발열 반응:** 탄소 1몰을 완전 연소시키면 다음과 같은 반응이 일어나면서 393.5 kJ의 열이 발생한다.

$$C(s) + O_2(g) \longrightarrow CO_2(g) + 393.5 \text{ kJ}$$

탄소의 연소 반응에서는 반응물인 탄소와 산소가 가진 에너지의 합이 생성물인 이산화 탄소의 에너지보다 더 크다. 따라서 탄소가 연소하면 반응물과 생성물이 가진 에너지의 차이에 해당하는 열을 방출하게 된다. 이와 같이 화학 반응이 일어날 때 열을 방출하는 반응을 발열 반응이라고 한다.

(2) **흡열 반응:** 산화 수은(HgO) 1몰이 분해되기 위해서는 다음과 같이 90.8 kJ의 열을 흡수해야 한다.

$$HgO(s) \longrightarrow Hg(l) + \frac{1}{2}O_2(g) - 90.8 \text{ kJ}$$

산화 수은의 분해 반응에서는 산화 수은의 에너지가 수은과 산소가 가진 에너지의 합보다 더 작다. 따라서 산화 수은이 분해되기 위해서는 반응물과 생성물이 가진 에너지의 차이에 해당하는 열을 흡수하게 된다. 이와 같이 화학 반응이 일어날 때 열을 흡수하는 반응을 흡열 반응이라고 한다.

화학 반응과 열의 출입
반응물의 에너지와 생성물의 에너지가 다르기 때문에 화학 반응이 일어나면 항상 에너지의 출입이 따른다.

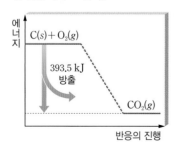

▲ **발열 반응의 에너지 변화**

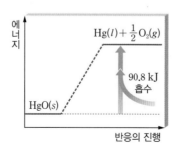

▲ **흡열 반응의 에너지 변화**

2. 물질의 안정성과 열의 출입

(1) 물질의 안정성: 물질의 안정성은 물질이 지닌 에너지로 판단할 수 있다. 물질의 에너지가 낮을수록 에너지면에서 안정하다. 따라서 발열 반응의 경우 생성물이 반응물보다 에너지가 낮으므로 생성물이 더 안정하고, 흡열 반응의 경우 반응물이 생성물보다 에너지가 낮으므로 반응물이 더 안정하다.

(2) 반응계와 주위: 화학 반응이 일어나면 에너지의 출입이 생기게 되는데, 이것은 에너지 보존 법칙으로 설명할 수 있다. 이러한 화학 반응에서의 에너지 흐름을 이해하기 위해서는 반응계와 주위의 개념을 알아야 한다. 반응계는 반응이 직접 일어나는 영역으로, 실험을 수행할 때 관심의 초점이 되는 출발 물질과 최종 물질을 의미하며, 반응계를 제외한 나머지 모든 것을 주위라고 한다.

삼각 플라스크 안에서 $Ba(OH)_2$ 수용액과 NH_4NO_3 수용액의 반응이 일어나고 있다면 반응계는 $Ba(OH)_2(aq)$과 $NH_4NO_3(aq)$이고, 주위는 삼각 플라스크, 공기, 나머지 모든 것이다.

▲ 반응계와 주위

(3) 열의 출입: 에너지 보존 법칙에 의해 에너지는 다른 형태로 전환될 수 있지만, 새로 생성되거나 소멸되지 않으므로 다음과 같은 관계가 성립한다.

반응계의 에너지＋주위의 에너지＝일정

① **반응계와 주위의 에너지 변화:** 화학 반응이 일어날 때 반응계가 에너지를 잃으면 주위는 에너지를 얻으며, 반응계가 에너지를 얻으면 주위는 에너지를 잃는다.

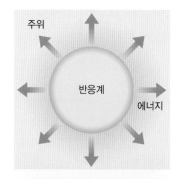

반응계가 방출한 에너지는 모두 주위가 얻으므로 반응계와 주위의 총 에너지는 일정하다.

발열 반응

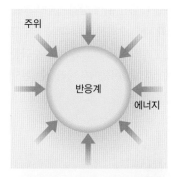

반응계가 흡수한 에너지는 모두 주위에서 공급되므로 반응계와 주위의 총 에너지는 일정하다.

흡열 반응

▲ 반응계와 주위의 에너지 변화

에너지 보존 법칙
에너지는 다른 형태로 전환되거나 다른 곳으로 전이되어도 새로 생성되거나 소멸되지 않으므로 에너지의 총합은 항상 일정하다.

화학 반응과 에너지 보존 법칙
발열 반응이 일어날 때 열에너지가 방출되고, 흡열 반응이 일어날 때 열에너지가 흡수된다고 해서 에너지 보존 법칙이 성립하지 않는 것은 아니다. 발열 반응의 경우 반응물이 가진 화학 에너지가 열에너지로 전환되는 것이고, 흡열 반응의 경우 열에너지가 생성물의 화학 에너지로 전환되는 것이다. 즉, 에너지는 서로 전환될 뿐 생성되거나 소멸되지 않는다.

② 화학 반응에서 열의 출입: 발열 반응에서는 반응계의 에너지가 열의 형태로 주위로 이동하므로 반응계의 에너지는 감소하고 주위의 온도는 높아진다. 흡열 반응에서는 주위의 에너지가 반응계로 이동하므로 반응계의 에너지는 증가하고 주위의 온도는 낮아진다.

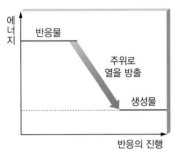

▲ 발열 반응에서 에너지 변화와 열 방출　　▲ 흡열 반응에서 에너지 변화와 열 흡수

3. 발열 반응과 흡열 반응의 예

탐구 2권 208쪽

(1) **발열 반응의 예**: 연소, 금속의 산화, 금속과 산의 반응, 중화 반응, 수산화 나트륨의 용해, 진한 황산의 용해 등이 있다.

① 연소: $C(s) + O_2(g) \longrightarrow CO_2(g) + 393.5 \text{ kJ}$

② 금속의 산화: $4Fe(s) + 3O_2(g) \longrightarrow 2Fe_2O_3(s) + 825 \text{ kJ}$

③ 금속과 산의 반응: $Zn(s) + 2HCl(aq) \longrightarrow ZnCl_2(aq) + H_2(g) + 152.4 \text{ kJ}$

④ 중화 반응: $HCl(aq) + NaOH(aq) \longrightarrow NaCl(aq) + H_2O(l) + 57.7 \text{ kJ}$

⑤ 진한 황산의 용해: $H_2SO_4(l) \longrightarrow H_2SO_4(aq) + 81.9 \text{ kJ}$

(2) **흡열 반응의 예**: 탄산 칼슘의 열분해, 광합성, 물의 전기 분해, 수산화 바륨 수화물과 질산 암모늄의 반응, 질산 암모늄의 용해 등이 있다.

① 열분해: $CaCO_3(s) \longrightarrow CaO(s) + CO_2(g) - 178.3 \text{ kJ}$

② 광합성: $6CO_2(g) + 12H_2O(l) \longrightarrow C_6H_{12}O_6(s) + 6O_2(g) + 6H_2O(l) - 2820 \text{ kJ}$

③ 물의 전기 분해: $2H_2O(l) \longrightarrow 2H_2(g) + O_2(g) - 1571.6 \text{ kJ}$

④ 수산화 바륨 수화물과 질산 암모늄의 반응: 물을 뿌린 나무판 위에 삼각 플라스크를 올려놓은 다음, 삼각 플라스크 속에 질산 암모늄과 수산화 바륨 수화물의 두 고체를 넣고 섞으면 삼각 플라스크에 나무판이 달라붙는다. 이것은 질산 암모늄과 수산화 바륨 수화물의 반응이 흡열 반응이므로 나무판 위에 있던 물이 열을 빼앗기고 얼어붙어서 나타나는 현상이다.

 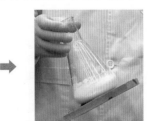

▲ **수산화 바륨 수화물과 질산 암모늄의 흡열 반응**

⑤ 질산 암모늄의 용해: 질산 암모늄은 물에 녹을 때 주위의 열을 흡수하므로 냉각 팩에 이용된다.

발열 반응의 이용

· 남극 지방에서 날씨가 매우 추울 때에는 얼음집에 물을 뿌린다.

· 일회용 주머니 난로에 사용하는 대표적인 물질은 철가루로, 철가루와 산소가 반응하면 열이 발생한다.

흡열 반응의 이용

· 더운 여름날 마당에 물을 뿌린다.

· 질산 암모늄의 용해 반응을 이용하여 냉각 팩을 만든다. 손목이나 발목이 부었을 때 붓기가 있는 상처에서 열이 발생하는데, 이때 응급처치를 하기 위해 냉각 팩을 사용한다.

반응 구분	발열 반응	흡열 반응
열의 출입	열이 방출되는 반응	열이 흡수되는 반응
안정한 물질	생성물	반응물
주위의 온도	올라감	내려감
반응열(Q)	$Q>0$	$Q<0$
반응의 예	연소, 중화 반응	열분해, 광합성

▲ 발열 반응과 흡열 반응의 비교

시야확장 ➕ 반응 엔탈피

❶ **엔탈피의 정의**: 어떤 물질이 가지고 있는 고유한 총 에너지 함량을 엔탈피라고 하며, H로 나타낸다. 예를 들면, H_2O의 엔탈피는 원자핵 속에 존재하는 입자들의 핵에너지, 전자가 가지는 에너지, 원자 사이의 공유 결합 에너지, 물 분자의 병진 운동 에너지, 진동 운동 에너지, 회전 운동 에너지 등의 모든 에너지를 합한 값이다.

따라서 어떤 물질의 엔탈피 값을 정확하게 측정하는 것은 사실상 불가능하며, 실제로 그럴 필요도 없다. 화학 반응에서 중요한 것은 엔탈피 변화이며, 엔탈피 변화는 일정한 압력 조건에서 화학 반응이 진행될 때 출입하는 열에너지와 같다.

❷ **반응 엔탈피(ΔH)**: 화학 반응이 일어나면 반응물이 가진 엔탈피의 합과 생성물이 가진 엔탈피의 합이 서로 다르기 때문에 열의 출입이 나타난다. 화학 반응이 일어날 때 생성물의 엔탈피 합에서 반응물의 엔탈피 합을 뺀 값을 반응 엔탈피라고 하며, ΔH로 나타낸다.

> 반응 엔탈피(ΔH)=생성물의 엔탈피 합－반응물의 엔탈피 합
> $=\Sigma H_P - \Sigma H_R$
> (H_P: 생성물의 엔탈피, H_R: 반응물의 엔탈피)

❸ **발열 반응과 흡열 반응의 반응 엔탈피**: 발열 반응의 경우 에너지가 주위로 방출되어 엔탈피가 감소하므로 $\Delta H<0$이고, 흡열 반응의 경우 주위로부터 에너지가 흡수되어 엔탈피가 증가하므로 $\Delta H>0$이다.

> 발열 반응: $\Delta H<0$ 흡열 반응: $\Delta H>0$

· 발열 반응의 반응 엔탈피: $H_2(g) + \frac{1}{2}O_2(g) \longrightarrow H_2O(l)$, $\Delta H=-285.8$ kJ

· 흡열 반응의 반응 엔탈피: $HgO(s) \longrightarrow Hg(l) + \frac{1}{2}O_2(g)$, $\Delta H=+90.8$ kJ

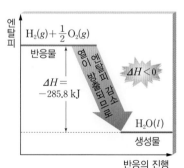

발열 반응

흡열 반응

▲ 화학 반응에서 엔탈피의 변화

반응열과 반응 엔탈피
· 반응열(Q)=반응물의 엔탈피 합－생성물의 엔탈피 합
· 반응 엔탈피(ΔH)=생성물의 엔탈피 합－반응물의 엔탈피 합

반응열과 반응 엔탈피의 관계
· 발열 반응: $Q>0$, $\Delta H<0$
· 흡열 반응: $Q<0$, $\Delta H>0$

② 열화학 반응식

화학 반응을 반응물과 생성물의 화학식 및 숫자를 이용하여 나타낸 식을 화학 반응식이라고 한다. 화학 반응이 일어나면 반드시 열이 출입하므로 이때 출입하는 열에너지를 화학 반응식에 포함시켜 나타낼 수 있다.

1. 열화학 반응식

화학 반응이 일어날 때 흡수하거나 방출하는 열에너지를 포함시켜 나타낸 화학 반응식을 의미한다.

2. 열화학 반응식 완성하기

(1) **물질의 상태 표시**: 물질이 가지고 있는 에너지는 그 물질의 상태(고체, 액체, 기체, 수용액)에 따라 다르므로 물질을 나타내는 화학식 뒤에 물질의 상태를 표시해야 한다.

> 기체: (g) 액체: (l) 고체: (s) 수용액: (aq)

(2) **반응열의 표시**: 화학 반응이 일어날 때 흡수하거나 방출하는 열량을 반응열이라고 하며, Q로 나타낸다. 화학 반응에서 열을 발생하는 반응이면 반응식 끝에 $+Q$로 나타내고, 열을 흡수하는 반응이면 반응식 끝에 $-Q$로 나타낸다.

(3) **물질의 상태와 반응열**

⑩ 수소의 연소 반응식

$$2H_2(g) + O_2(g) \longrightarrow 2H_2O(l) + 571.6 \text{ kJ}$$
$$2H_2(g) + O_2(g) \longrightarrow 2H_2O(g) + 483.6 \text{ kJ}$$

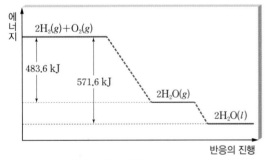

▲ **수소의 연소 반응에서 에너지 변화**

위 그림에서 생성되는 H_2O의 상태에 따라 방출되는 에너지가 달라진다는 것을 알 수 있다. 액체 상태의 물 2몰이 생성될 때에는 571.6 kJ의 에너지가 방출되고, 기체 상태의 수증기 2몰이 생성될 때에는 483.6 kJ의 에너지가 방출된다. 따라서 열화학 반응식을 나타낼 때에는 반드시 그 물질의 상태를 함께 표시해야 한다.

3. 열화학 반응식에서 유의할 사항

(1) 열화학 반응식에서 화학식 앞의 계수비는 각 물질의 몰비를 의미한다.

(2) 어떤 물질이 가지는 에너지는 상태에 따라 달라지므로 열화학 반응식에 나타내는 물질의 화학식 뒤에는 반드시 물질의 상태, 즉 고체(s), 액체(l), 기체(g) 및 수용액(aq) 등을 표시해야 한다.

물질의 상태 표시

물질의 상태는 ( ) 안에 소문자로 표시하여 물질의 화학식 뒤에 쓴다.

· 기체(gas)일 경우: (g)

· 액체(liquid)일 경우: (l)

· 고체(solid)일 경우: (s)

· 수용액(aqueous solution)일 경우: (aq)

(3) 반응열은 온도와 압력에 따라 달라지므로 열화학 반응식을 쓸 때에는 반응 조건, 즉 온도와 압력을 표시해야 한다. 일반적으로 온도와 압력의 반응 조건이 주어지지 않으면 표준 상태인 25 °C, 1기압으로 간주한다.

(4) 반응열은 크기 성질이다. 따라서 화학 반응식의 계수가 변하면 반응열도 비례하여 변한다.

$$H_2(g) + \frac{1}{2}O_2(g) \longrightarrow H_2O(l) + 285.8 \text{ kJ}$$

$$2H_2(g) + O_2(g) \longrightarrow 2H_2O(l) + 571.6 \text{ kJ}$$

➡ 화학 반응식의 계수가 2배로 되면 반응열의 크기도 2배가 된다.

(5) 정반응과 역반응의 반응열은 크기는 동일하고, 부호는 반대이다.

$$H_2(g) + \frac{1}{2}O_2(g) \longrightarrow H_2O(l) + 285.8 \text{ kJ}$$

$$H_2O(l) \longrightarrow H_2(g) + \frac{1}{2}O_2(g) - 285.8 \text{ kJ}$$

시선 집중 ★ 열화학 반응식 완성하기

천연가스의 주성분인 메테인(CH_4) 16 g이 연소되어 물과 이산화 탄소가 생성될 때 890 kJ의 에너지가 방출된다. 이 반응을 열화학 반응식으로 나타내 보자.

[1단계] 반응물의 화학식은 CH_4, O_2이고, 생성물의 화학식은 H_2O, CO_2이다.

[2단계] 반응물의 화학식은 왼쪽에, 생성물의 화학식은 오른쪽에 쓰고, 그 사이를 화살표로 연결한다.

$$CH_4 + O_2 \longrightarrow H_2O + CO_2$$

[3단계] 반응물과 생성물의 원자 수가 같아지도록 반응식의 계수를 맞추고, 각 물질의 상태를 표시한다.

$$CH_4(g) + 2O_2(g) \longrightarrow 2H_2O(l) + CO_2(g)$$

[4단계] 반응열을 구하기 위해 1몰당 발생하는 열에너지의 크기를 계산한다. 즉, 메테인 16 g은 1 mol이므로 반응열의 크기는 890 kJ/mol이다. 이 반응은 발열 반응이므로 생성물 쪽에 '+반응열'로 나타낸다.

따라서 메테인의 연소를 열화학 반응식으로 나타내면 다음과 같다.

$$CH_4(g) + 2O_2(g) \longrightarrow 2H_2O(l) + CO_2(g) + 890 \text{ kJ}$$

예제

LPG의 주성분인 프로페인 1 mol이 연소되어 물과 이산화 탄소가 생성될 때 2220 kJ의 에너지가 방출된다. 이 반응을 열화학 반응식으로 나타내시오.

해설 [1단계] 반응물의 화학식은 C_3H_8, O_2이고, 생성물의 화학식은 CO_2, H_2O이다.

[2단계] 반응물의 화학식은 왼쪽에, 생성물의 화학식은 오른쪽에 쓰고, 그 사이를 화살표로 연결한다.

$$C_3H_8 + O_2 \longrightarrow CO_2 + H_2O$$

[3단계] 반응물과 생성물의 원자 수가 같아지도록 반응식의 계수를 맞추고, 각 물질의 상태를 표시한다.

$$C_3H_8(g) + 5O_2(g) \longrightarrow 3CO_2(g) + 4H_2O(l)$$

[4단계] 이 반응의 반응열은 2220 kJ/mol이고, 이 반응은 발열 반응이므로 생성물 쪽에 '+반응열'로 나타낸다. 따라서 프로페인의 연소를 열화학 반응식으로 나타내면 다음과 같다.

$$C_3H_8(g) + 5O_2(g) \longrightarrow 3CO_2(g) + 4H_2O(l) + 2220 \text{ kJ}$$

정답 $C_3H_8(g) + 5O_2(g) \longrightarrow 3CO_2(g) + 4H_2O(l) + 2220 \text{ kJ}$

크기 성질과 세기 성질

• 크기 성질: 시료의 양에 따라 달라지는 성질로, 질량, 부피, 분자 수, 반응열 등이 있다.

• 세기 성질: 시료의 양에 따라 달라지지 않는 성질로, 끓는점, 밀도, 녹는점, 온도, 수압 등이 있다.

• 예를 들면 물의 양이 2배가 되면 크기 성질인 질량이나 분자 수는 2배가 되지만, 세기 성질인 끓는점이나 밀도는 2배가 되지 않고 일정하다.

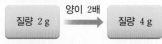

크기 성질 – 질량

세기 성질 – 밀도

3 반응열의 측정

화학 반응에서 방출하거나 흡수하는 열량(반응열)은 열량계(calorimeter)를 이용하여 측정한다.

1. 열용량과 비열

(1) 열용량(C, heat capacity)

① 열량계가 열을 흡수하면 온도가 높아지는데, 온도 변화는 열량계의 열용량(C)에 따라 달라진다. 열용량은 어떤 물체 또는 일정량의 어떤 물질의 온도를 1 ℃ 높이는 데 필요한 열량으로, 다음과 같이 나타낼 수 있다.

$$\text{열량계의 열용량 } C = \frac{Q}{\Delta t} \ (Q: \text{흡수한 열량}, \ \Delta t: \text{열량계의 온도 변화})$$

② 열량계의 열용량이 클수록 주어진 온도 변화를 일으키는 데 필요한 열량이 더 크다. 예를 들면 욕조에 들어 있는 물이 주전자에 들어 있는 물보다 열용량이 더 크다. 따라서 욕조의 물을 데우는 것이 주전자의 물을 데우는 것보다 훨씬 큰 열량이 필요하다.

(2) 비열(c, specific heat)

① 어떤 물체 또는 물질 1 g의 온도를 1 ℃ 높이는 데 필요한 열량으로, 물질의 종류에 따라 다르다.

② 물질의 온도를 높이기 위해 필요한 열량(Q)은 다음과 같이 물질의 비열과 질량, 온도 변화의 곱으로 표시된다.

$$Q = c \times m \times \Delta t \ (c: \text{물질의 비열}, \ m: \text{물질의 질량}, \ \Delta t: \text{온도 변화})$$

(3) 몰 열용량(C_m, molar heat capacity): 어떤 물질 1몰의 온도를 1 ℃ 높이는 데 필요한 열량으로, 그 물질의 온도를 높이기 위해 필요한 열량(Q)은 다음과 같이 나타낼 수 있다.

$$Q = C_m \times n \times \Delta t \ (C_m: \text{몰 열용량}, \ n: \text{물질의 양(mol)}, \ \Delta t: \text{온도 변화})$$

물질	비열(J/g·℃)	몰 열용량(J/mol·℃)
공기	1.01	29.1
구리	0.39	24.4
철	0.45	25.1
염화 나트륨	0.86	50.5
얼음	2.03	36.6
물	4.18	75.3

▲ 몇 가지 물질의 비열과 몰 열용량

2. 간이 열량계(정압 열량계)와 통열량계(정부피 열량계)

스타이로폼 열량계는 구조가 간단하므로 간이 열량계로 쉽게 사용할 수 있으나, 열손실이 크므로 정밀한 실험에는 사용할 수 없다. 따라서 정확한 연소열을 측정하기 위해서는 연소 시 발생하는 열이 외부로 빠져 나가지 않는 실험 기구가 필요하다. 이와 같이 정밀한 연소열 측정 실험을 하기 위해 고안된 열량계가 통열량계이다.

열용량과 비열
열용량은 크기 성질로 물질의 종류와 양에 따라 변하는 값이며, 비열은 세기 성질로 물질의 양과 관계없는 값이다.
수조에 들어 있는 1000 g의 물과 비커에 들어 있는 100 g의 물을 비교하면 열용량은 수조의 물이 더 크지만, 비열은 같다.
열용량이 수조의 물에서 더 큰 것은 수조에 들어 있는 물의 온도를 1 ℃ 높이는 데 필요한 열량이 비커에 들어 있는 물의 온도를 1 ℃ 높이는 데 필요한 열량보다 크다는 것을 의미한다. 그러나 물 1 g의 온도를 1 ℃ 높이는 데 필요한 열량인 물의 비열은 같다.

물의 비열
액체 상태인 물의 비열은 다른 물질의 비열보다 매우 크므로 물을 데우는 데 필요한 열량이 다른 물질에 비해 매우 크다. 다음은 물의 비열이 큰 것과 관계가 있는 현상들이다.
• 해안 지방에서 밤낮의 기온 차이는 내륙 지방에 비해 작다.
• 사람 몸의 70 % 정도를 차지하는 물은 외부의 온도 변화가 있어도 몸의 온도를 일정하게 유지시켜 주는 역할을 한다.

▲ 간이 열량계

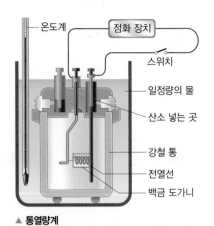
▲ 통열량계

3. 반응열의 계산

(탐구) 2권 209쪽

(1) **간이 열량계를 이용한 반응열의 측정:** 발생한 열량을 열량계 속의 물이 모두 흡수한다고 가정하고 계산한다.

① 발생한 열량(Q)＝간이 열량계 속 물이 얻은 열량
＝물의 비열(c)×물의 질량(m)×물의 온도 변화($\varDelta t$)

② 반응열을 간단하게 측정할 수 있으나 반응열의 일부가 열량계 등 실험 기구의 온도를 변화시키는 데 쓰이거나 열량계 밖으로 빠져 나가는 열 손실이 발생한다.

(2) **통열량계를 이용한 반응열의 측정:** 통열량계 가운데 두꺼운 강철로 된 연소 통에서 나오는 연소열이 주위에 있는 물의 온도를 높이고, 물은 외부로 열을 빼앗기지 않도록 단열 용기 속에 들어 있다. 연소 통에 시료와 산소를 넣고 밀폐한 다음, 전열선에 전기를 통해 주면 시료가 연소하여 열이 방출되므로 물의 온도가 변한다. 따라서 열량계에 들어 있는 물과 통의 열용량을 알면 온도 변화를 측정하여 연소 반응에서 발생한 열량(Q)을 계산할 수 있다. 발생한 열량을 열량계 속의 물과 통열량계가 모두 흡수한다고 가정하고 계산한다.

① 발생한 열량(Q)＝통열량계가 흡수한 열량($Q_통$)＋물이 흡수한 열량($Q_물$)
＝{통의 열용량($C_통$)×물의 온도 변화($\varDelta t$)}＋{물의 열용량($C_물$)×물의 온도 변화($\varDelta t$)}
＝{통의 열용량($C_통$)×물의 온도 변화($\varDelta t$)}＋{물의 비열(c)×물의 질량(m)×물의 온도 변화($\varDelta t$)}
＝{통의 열용량($C_통$)＋물의 비열(c)×물의 질량(m)}×물의 온도 변화($\varDelta t$)

➡ 통열량계와 전체 혼합물의 열용량(C')을 준 경우: Q＝열용량(C')×물의 온도 변화($\varDelta t$)

② 통열량계에서는 열량계 안과 밖 사이에 열의 출입이 거의 없기 때문에 주위로 빠져 나가는 열량이 거의 없으므로 실제 반응열과 비슷한 값을 측정할 수 있다.

통열량계
통열량계에서는 용기의 단열로 인해 물질의 연소 시 발생하는 열이 거의 모두 물의 온도를 높이는 데 사용되므로 간이 열량계에 비해 반응에서 출입하는 열을 정확하게 측정할 수 있다.

예제

25 ℃, 1기압에서 흑연 0.562 g이 완전 연소할 때 통열량계의 온도가 25.89 ℃로 되었다. 흑연의 연소 반응의 열화학 반응식을 쓰시오. (단, 탄소의 원자량은 12이고, 통열량계와 전체 혼합물의 열용량은 20.7 kJ/ ℃이다.)

해설 흑연 0.562 g이 완전 연소할 때 발생하는 열량은 Q＝20.7 kJ/℃×0.89 ℃≒18.4 kJ이므로

흑연 1 mol이 완전 연소할 때 발생하는 열량은 $18.4 \text{ kJ} \times \dfrac{12}{0.562} ≒ 393 \text{ kJ}$이다.

정답 $C(s, 흑연) + O_2(g) \longrightarrow CO_2(g) + 393 \text{ kJ}$

화학 반응에서 열의 출입

화학 반응이 일어날 때 열의 출입을 통해 발열 반응과 흡열 반응을 설명할 수 있다.

과정

실험 ①

비커에 묽은 염산을 넣은 후 아연 조각을 넣어 용액의 온도 변화를 측정한다.

실험 ②

1 나무판의 가운데에 스포이트로 약간의 물을 떨어뜨린다.

2 물을 떨어뜨린 나무판에 삼각 플라스크를 올려놓고 수산화 바륨 팔수화물($Ba(OH)_2 \cdot 8H_2O$) 20 g과 염화 암모늄(NH_4Cl) 10 g을 함께 넣어 유리 막대로 저어 준 후 삼각 플라스크를 들어 올려 본다.

(실험 2)
수산화 바륨 팔수화물 + 염화 암모늄

● 유의점
· 염화 암모늄 대신 질산 암모늄을 사용해도 된다.
· 수산화 바륨 팔수화물과 염화 암모늄의 반응에서는 자극성 냄새가 나는 암모니아 기체가 발생하므로 환기에 유의하도록 한다.

결과 및 해석

1 **실험 ①**에서 아연과 묽은 염산이 반응하면 온도는 어떻게 되는가?

➡ 반응이 일어나는 동안 용액의 온도는 점점 올라간다. 이것은 수소 기체가 발생하며 많은 열을 발생하기 때문이다.

$$Zn(s) + 2HCl(aq) \longrightarrow ZnCl_2(aq) + H_2(g) + 열$$

2 **실험 ②**에서 어떤 현상이 나타나는가?

➡ 삼각 플라스크에 나무판이 달라붙어 삼각 플라스크를 들어 올릴 때 나무판도 함께 들어 올려진다. 이것은 반응이 일어날 때 주위로부터 열을 흡수하는 흡열 반응이 일어나 나무판의 물이 열을 빼앗기고 얼음으로 되기 때문이다.

$$Ba(OH)_2 \cdot 8H_2O(s) + 2NH_4Cl(s) \longrightarrow BaCl_2(aq) + 10H_2O(l) + 2NH_3(g) - 열$$

정리

· 아연 조각과 묽은 염산의 반응은 발열 반응이므로 열이 방출되어 용액의 온도가 높아진다.
· 수산화 바륨 팔수화물과 염화 암모늄의 반응은 흡열 반응이므로 열이 흡수되어 주위의 온도가 낮아진다.

탐구 확인 문제

▷ 정답과 해설 **86**쪽

01 다음 설명이 발열 반응에 대한 것이면 '발', 흡열 반응에 대한 것이면 '흡'이라고 쓰시오.

(1) 화학 반응이 일어날 때 열을 방출한다. (　　)

(2) 반응이 일어날 때 주위의 온도가 내려간다. (　　)

(3) 생성물보다 반응물이 가지고 있는 에너지의 총합이 더 크다. (　　)

(4) 반응열(Q)의 크기는 0보다 크다. (　　)

(5) 추운 겨울철에 사용하는 주머니 난로는 이 반응을 이용한 예이다. (　　)

02 다음은 실생활과 관련 있는 2가지 현상이다.

> · ㉠뷰테인이 연소하면서 찌개가 끓는다.
> · 음료수에 넣은 ㉡얼음이 녹았다.

이에 대한 설명으로 옳은 것만을 보기에서 있는 대로 고르시오.

> 보기
> ㄱ. ㉠은 흡열 반응이다.
> ㄴ. ㉡에서 주위로 열을 방출한다.
> ㄷ. ㉠의 반응에서 에너지 총합은 반응물이 생성물보다 크다.

탐구

반응열 측정 실험

화학 반응에서 출입하는 열량을 측정할 수 있다.

과정

1 스타이로폼 열량계에 증류수 100.0 g을 넣고 온도(t_1)를 측정한다.

2 염화 칼슘($CaCl_2$) 10.0 g을 과정 **1**의 증류수에 녹이고 용액의 최고 온도(t_2)를 측정한다.

유의점

• 시약을 사용할 때에는 보안경을 착용하고 시약이 피부나 옷에 묻지 않도록 주의한다.

• 실험을 마치면 남은 물질은 지정된 곳에 모아 처리한다.

결과 및 해석

구분	처음 온도(t_1)	나중 온도(t_2)
측정 온도(°C)	23	37

1 염화 칼슘이 용해될 때 방출한 열은 모두 용액이 흡수한다고 가정할 때 방출한 열량은 얼마인가? (단, 염화 칼슘 수용액의 비열은 4.2 J/g·°C이다.)

➡ 용액이 흡수한 열량＝용액의 비열(J/g·°C)×용액의 질량(g)×온도 변화(°C)

＝4.2 J/g·°C×110 g×14 °C＝6468 J

2 염화 칼슘의 용해열은 얼마인가? (단, 염화 칼슘의 화학식량은 111이다.)

➡ 염화 칼슘의 용해열(kJ/g)＝$\dfrac{6468 \text{ J}}{10 \text{ g}}$＝646.8 J/g≒0.647 kJ/g

염화 칼슘의 용해열(kJ/mol)＝0.647 kJ/g×111 g/mol≒71.8 kJ/mol

3 염화 칼슘의 용해열이 실제 용해열보다 작게 측정된 이유는 무엇인가? (단, 염화 칼슘의 실제 용해열은 81.3 kJ/mol이다.)

➡ 염화 칼슘이 용해될 때 방출된 열이 공기 중으로 빠져나가거나, 실험 기구의 온도를 높이는 데 사용되는 등의 열 손실이 생겼기 때문이다.

정리

• 염화 칼슘이 용해될 때 방출하는 열량은 모두 물이 흡수한다고 가정한다.

• 반응열은 용액의 비열(J/g·°C)×용액의 질량(g)×온도 변화(°C)로 구할 수 있으며, 이때 반응시킨 물질의 양 (mol)으로 나누어 몰당 반응열을 비교한다.

• 측정값이 실제값과 다른 이유는 반응열의 일부가 열량계 등의 실험 기구의 온도를 변화시키는 데 사용되거나 열량계 밖으로 빠져나가기 때문이다.

탐구 확인 문제

> 정답과 해설 **87**쪽

01 간이 열량계를 이용하여 수산화 나트륨($NaOH$)의 용해열(kJ/mol)을 구하려고 할 때 반드시 측정하거나 조사해야 하는 자료만을 보기에서 있는 대로 구하시오.

보기
ㄱ. 용액의 밀도   ㄴ. 용해 전 물의 온도
ㄷ. 용액의 비열   ㄹ. 용해 후 용액의 최고 온도
ㅁ. 간이 열량계에 넣은 물의 질량

02 간이 열량계에 15 °C 물 100 g을 넣고 물질 A 4 g을 녹였더니 온도가 25 °C가 되었다. 물질 A 1 g을 물에 녹일 때 출입하는 열량은 얼마인가? (단, 반응에서 출입하는 열은 모두 용액의 온도 변화에 이용된다고 가정하며, 용액의 비열은 4 J/g·°C이다.)

① 0.04 kJ/g   ② 1.04 kJ/g
③ 4.16 kJ/g   ④ 40 kJ/g
⑤ 4160 kJ/g

차이를 만드는 심화

반응 엔탈피

화학 반응이 일어날 때 반응물과 생성물의 에너지 차이로 인해 항상 에너지 출입이 생기게 되어 반응계에서 주위로 열의 출입에 해당하는 반응열이 나타난다. 그렇다면 반응물과 생성물이 가지는 고유한 에너지 함량 변화는 어떻게 표현할 수 있을지 알아보자.

❶ 화학 반응에서 엔탈피 개념이 도입된 이유

엔탈피(enthalpy)는 화학자들이 편리를 위해서 도입한 개념으로 화학 반응에서 매우 유용하게 쓰인다. 예를 들어 우리가 책을 사기 위해 책 만드는 회사에 얼마를 지불하고 그 금액의 일정 비율을 서점에 지불해야 한다면 매우 복잡한 일일 것이다. 이보다는 책에 표시된 금액만을 지불하는 것이 훨씬 편리하다. 이러한 상황과 비슷한 이유로 화학자들은 화학 반응에 엔탈피의 개념을 도입하게 되었다.

화학 반응은 주로 대기압 상태에서 일어나며, 기체가 발생하는 반응의 경우 반응계의 부피가 변하게 된다. 따라서 반응이 진행되는 동안 외부로 일을 하게 되므로 반응계의 에너지 변화와 화학 반응에서 방출되는 열이 서로 달라진다.

금속 나트륨과 물이 반응하면 수소 기체(H_2)가 발생하며 열화학 반응식은 다음과 같다.

$$2Na(s) + 2H_2O(l) \longrightarrow 2NaOH(aq) + H_2(g), \ \Delta H = -367.7 \ kJ$$

이 반응에서 수소 기체가 발생하므로 계의 부피는 증가하게 된다. 계의 부피가 증가하기 위해서는 수소 기체가 대기압을 밀어내야 하므로 외부로 일을 하게 되며, 이때 필요한 일의 양은 $P\Delta V$이다. 그런데 대기압이 1기압이고, 25 °C에서 기체 1몰의 부피는 약 24.5 L이므로 외부로 한 일의 양은 $P\Delta V = 1$기압$\times 24.5 \ L = 1.01 \times 10^5 \ Pa \times 24.5 \times 10^{-3} \ m^3 ≒ 2.47 \ kJ$이다. 따라서 계의 내부 에너지는 발생한 열 367.7 kJ과 외부로 한 일 2.47 kJ을 더해서 약 370.2 kJ만큼 작아진다. 즉, 계의 내부 에너지 변화와 방출하는 열이 서로 달라서 내부 에너지의 개념을 사용하면 매우 불편하다. 우리가 구하고자 하는 것은 화학 반응에서 방출하는 반응열이지 계의 내부 에너지 변화가 아니기 때문이다. 따라서 화학 반응에서 발생한 기체로 인한 일의 양을 고려할 필요가 없도록 내부 에너지와 발생한 기체로 인한 일의 양을 고려하여 엔탈피를 다음과 같이 정의하여 이용한다.

$$\Delta H = \Delta U + P\Delta V = Q_P$$

(ΔU: 내부 에너지 변화량, $P\Delta V$: 외부로 한 일의 양, Q_P: 일정한 압력 조건에서의 반응열)

❷ 반응 엔탈피(ΔH)와 열화학 반응식의 관계

대부분의 화학 반응은 일정한 압력인 대기압 상태에서 일어난다. 그런데 일정한 압력에서 화학 반응이 진행될 때 출입하는 열에너지와 엔탈피 변화의 크기는 서로 같다. 따라서 열화학 반응식을 나타낼 때 반응열 Q로 표시하는 대신 반응 엔탈피 ΔH를 이용하여 표시할 수 있다.

• 발열 반응: 반응열은 $Q > 0$이고, 반응 엔탈피는 $\Delta H < 0$이다.
• 흡열 반응: 반응열은 $Q < 0$이고, 반응 엔탈피는 $\Delta H > 0$이다.

엔탈피
엔탈피는 그리스어의 'enthalpo(덥다)'에서 유래되었다.

나트륨과 물의 반응

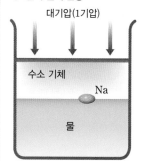

단위 환산
• $1 \ Pa = 1 \ kg \cdot m^{-1} \cdot s^{-2}$
• $1 \ kg \cdot m^2 \cdot s^{-2} = 1 \ J$

02 화학 반응과 열

❶ 발열 반응과 흡열 반응

1. 발열 반응과 흡열 반응

- (**❶**　　　): 반응이 일어날 때 열을 방출하는 반응으로, 생성물이 반응물보다 안정하다.
  - 📵 연소, 금속의 산화, 금속과 산의 반응, 중화 반응, 수산화 나트륨의 용해, 진한 황산의 용해
- (**❷**　　　): 반응이 일어날 때 열을 흡수하는 반응으로, 반응물이 생성물보다 안정하다.
  - 📵 탄산 칼슘의 열분해, 녹색 식물의 광합성, 물의 전기 분해, 수산화 바륨 수화물과 질산 암모늄의 반응, 질산 암모늄의 용해

2. 반응계와 주위
반응계는 반응이 직접 일어나는 영역으로, 실험을 수행할 때 관심의 초점이 되는 반응물과 생성물을 의미하며, 반응계를 제외한 나머지 모든 것을 주위라고 한다.

3. 열의 출입
발열 반응이 일어나면 반응계의 에너지는 (**❸**　　　)하고 주변의 온도는 높아진다. 반대로 흡열 반응이 일어나면 반응계의 에너지는 (**❹**　　　)하고 주변의 온도는 낮아진다.

❷ 열화학 반응식

1. 열화학 반응식
화학 반응이 일어날 때 흡수되거나 방출되는 (**❺**　　　)를 포함시켜 나타낸 반응식

2. 열화학 반응식에서 유의할 사항

- 열화학 반응식을 나타낼 때 각 물질의 (**❻**　　　)를 함께 표시해야 한다.
  - ➡ 고체: (s), 액체: (l), 기체: (g), 수용액: (aq)
- 화학 반응에서 방출되는 열은 반응식 끝에 $+Q$로 나타내고, 흡수되는 열은 (**❼**　　　)로 나타낸다.
- 정반응과 역반응의 반응열은 크기는 동일하고, 부호는 반대이다.

❸ 반응열의 측정

1. 열용량과 비열

- 열용량(C): 열량계가 열을 흡수하면 온도가 높아지는데, 온도 변화는 열량계의 열용량에 따라 달라진다. 열용량은 어떤 물체 또는 일정량의 어떤 물질의 온도를 (**❽**　　　) 높이는 데 필요한 열량이다.
- 비열(c): 물체 또는 물질 1 g의 온도를 1 ℃ 높이는 데 필요한 열량을 의미하며, 열량(Q)은 다음과 같이 나타낼 수 있다.

$$Q = c \times m \times \Delta t \ (c: \text{물질의 비열}, \ m: \text{물질의 질량}, \ \Delta t: \text{온도 변화})$$

2. 간이 열량계와 통열량계

- 간이 열량계: 스타이로폼 열량계는 간이 열량계로 사용할 수 있다.
- 통열량계: 정밀한 실험을 하기 위해 고안된 열량계이다.

3. 반응열의 계산

- 간이 열량계를 이용한 반응열: 반응열(Q)=간이 열량계 속 물이 얻은 열량
  - ➡ $Q = ($**❾**　　　$) \times$ 물의 질량$(m) \times$ 물의 온도 변화(Δt)
- 통열량계를 이용한 반응열: 반응열(Q)=통열량계가 흡수한 열량+물이 얻은 열량
  - ➡ $Q = \{$통의 열용량$(C_{\text{통}})+$물의 비열$(c) \times$물의 질량$(m)\} \times$물의 온도 변화(Δt)

01 발열 반응에 대한 설명으로 옳은 것만을 보기에서 있는 대로 고르시오.

보기
ㄱ. 열을 방출하는 반응이다.
ㄴ. 반응열(Q)의 크기는 ($-$)값이다.
ㄷ. 반응이 일어나면 주위의 온도가 내려간다.
ㄹ. 생성물의 에너지 총합이 반응물의 에너지 총합보다 작다.

02 표는 발열 반응과 흡열 반응을 비교한 것이다. (　　) 안에 알맞은 부등호 또는 단어를 쓰시오.

구분	발열 반응	흡열 반응
반응열(Q)	Q ㉠(　　) 0	Q ㉡(　　) 0
물질의 에너지 총합	반응물 ㉢(　　) 생성물	반응물 ㉣(　　) 생성물
안정한 물질	생성물	㉤(　　)
주위의 온도	㉥(　　)	내려감

03 일상생활이나 실험에서 볼 수 있는 발열 반응의 예를 보기에서 있는 대로 고르시오.

보기
ㄱ. 연료를 태워 난방에 이용한다.
ㄴ. 더운 여름철 마당에 물을 뿌린다.
ㄷ. 묽은 염산을 수산화 나트륨 수용액으로 중화한다.
ㄹ. 질산 암모늄의 용해 반응을 이용하여 냉각 팩을 만든다.

04 그림은 2가지 반응이 일어날 때의 에너지 변화를 나타낸 것이다.

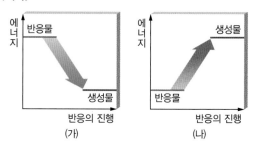

이에 대한 설명으로 옳은 것만을 보기에서 있는 대로 고르시오.

보기
ㄱ. (가)의 반응이 일어날 때 주위에서 열을 흡수한다.
ㄴ. (가)의 반응이 일어날 때 주위의 온도가 올라간다.
ㄷ. (나)에서 생성물이 반응물보다 에너지면에서 더 안정하다.
ㄹ. (나)와 같은 반응에는 물의 기화, 탄산 칼슘의 열분해 반응 등이 있다.

05 다음은 우리 주변의 2가지 현상에 대한 설명이다.

자동차 내부에서 ㉠연료가 연소하여 자동차가 움직일 수 있다. | 식물은 ㉡광합성을 통해 포도당을 합성한다.

이에 대한 설명으로 옳은 것은 ○, 옳지 않은 것은 ×를 표시하시오.

(1) ㉠은 발열 반응이다. (　　)
(2) ㉡은 반응물의 에너지 총합이 생성물의 에너지 총합보다 크다. (　　)
(3) 반응이 일어나면 주위의 온도가 올라가는 반응은 ㉡이다. (　　)

06 열화학 반응식으로부터 알 수 있는 것만을 보기에서 있는 대로 고르시오.

> 보기
> ㄱ. 반응열의 크기
> ㄴ. 반응물의 종류
> ㄷ. 생성물의 상태

07 그림은 흑연과 다이아몬드가 각각 산소와 반응하여 이산화 탄소(CO_2)를 생성하는 반응의 에너지 변화를 나타낸 것이다.

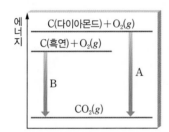

이에 대한 설명으로 옳은 것만을 보기에서 있는 대로 고르시오.

> 보기
> ㄱ. A와 B의 반응이 일어날 때 모두 주위의 온도가 낮아진다.
> ㄴ. 흑연이 다이아몬드로 되는 반응은 흡열 반응이다.
> ㄷ. 흑연이 다이아몬드보다 에너지면에서 더 안정하다.

08 다음 열화학 반응식을 이용하여 메테인(CH_4) 4 g이 완전 연소하여 물과 이산화 탄소를 생성할 때 발생하는 열량(kJ)을 구하시오. (단, CH_4의 분자량은 16이다.)

$$CH_4(g) + 2O_2(g) \longrightarrow CO_2(g) + 2H_2O(l) + 890 \text{ kJ}$$

09 다음은 질소(N_2)와 수소(H_2)가 반응하여 암모니아(NH_3)를 생성하는 반응의 열화학 반응식을 나타낸 것이다.

$$N_2(g) + 3H_2(g) \longrightarrow 2NH_3(g) + 92 \text{ kJ}$$

이에 대한 설명으로 옳은 것은 ○, 옳지 <u>않은</u> 것은 ×를 표시하시오.

(1) 반응이 일어나면 주위의 온도가 높아진다. (　　)
(2) 반응열(Q)의 크기는 -92 kJ이다. (　　)
(3) $NH_3(g)$ 2몰의 에너지는 $N_2(g)$ 1몰과 $H_2(g)$ 3몰의 에너지 총합보다 92 kJ만큼 더 작다. (　　)

10 다음은 열량계를 이용하여 벤젠(C_6H_6) 1몰이 완전 연소할 때 발생하는 열량을 구하는 실험 과정이다.

> [실험 과정]
> (가) 반응 용기에 0.78 g C_6H_6과 0.15 mol 산소 기체를 넣는다.
>
>
>
> (나) 열량계 속 물의 온도(t_1)를 측정한다.
> (다) 넣어 준 C_6H_6을 점화 장치로 완전 연소시킨 후 열량계 속 물의 온도(t_2)를 측정한다.

C_6H_6 1몰이 완전 연소할 때 발생하는 열량을 구하기 위해 추가로 필요한 자료만을 보기에서 있는 대로 고르시오.

> 보기
> ㄱ. 열량계의 열용량
> ㄴ. C_6H_6의 분자량
> ㄷ. O_2의 분자량

01 ▶ 발열 반응과 흡열 반응

다음은 $CO_2(s)$와 $H_2O(l)$의 상태 변화에 대한 실험이다.

> ㉠ 승화하는 드라이아이스($CO_2(s)$) 위에 물 ($H_2O(l)$)을 떨어뜨렸더니 물이 ㉡응고하였다.

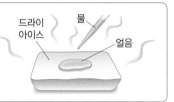

이에 대한 설명으로 옳은 것만을 보기에서 있는 대로 고른 것은?

보기
ㄱ. ㉠에서 CO_2의 에너지는 커진다.
ㄴ. ㉡에서 주위로 열을 방출한다.
ㄷ. ㉠과 ㉡은 모두 흡열 반응이다.

① ㄱ   ② ㄷ   ③ ㄱ, ㄴ   ④ ㄴ, ㄷ   ⑤ ㄱ, ㄴ, ㄷ

> 흡열 반응에서 물질의 에너지 총합은 증가하고 주위의 온도는 내려가며, 발열 반응에서 물질의 에너지 총합은 감소하고 주위의 온도는 올라간다.

02 ▶ 열화학 반응식

다음은 25 °C, 1기압에서 각각 $C_2H_2(g)$, $C_2H_6(g)$, $H_2(g)$의 연소 반응에 대한 열화학 반응식이다.

> (가) $2C_2H_2(g) + 5O_2(g) \longrightarrow 4CO_2(g) + 2H_2O(l) + 2600 \text{ kJ}$
> (나) $2C_2H_6(g) + 7O_2(g) \longrightarrow 4CO_2(g) + 6H_2O(l) + 3120 \text{ kJ}$
> (다) $2H_2(g) + O_2(g) \longrightarrow 2H_2O(l) + 572 \text{ kJ}$

25 °C, 1기압에서 (가)~(다)의 반응에 대한 설명으로 옳은 것만을 보기에서 있는 대로 고른 것은? (단, H, C의 원자량은 각각 1, 12이다.)

보기
ㄱ. (가), (나), (다)의 반응은 모두 발열 반응이다.
ㄴ. 같은 질량의 탄화수소가 완전 연소할 때 발생하는 열에너지의 크기는 $C_2H_6(g)$이 $C_2H_2(g)$보다 크다.
ㄷ. 1몰이 완전 연소할 때 주위로 에너지를 가장 많이 방출하는 것은 $H_2(g)$이다.

① ㄱ   ② ㄷ   ③ ㄱ, ㄴ   ④ ㄴ, ㄷ   ⑤ ㄱ, ㄴ, ㄷ

> (가)~(다)는 모두 완전 연소가 일어나는 화학 반응이다. 같은 질량의 탄화수소를 완전 연소시킬 때 발생하는 열에너지의 크기는 반응열을 1몰의 질량인 분자량으로 나누어 비교한다.

03 ▶ 반응열의 크기

그림은 25 ℃, 1기압에서 물과 관련된 물질의 에너지 크기를 나타낸 것이다.

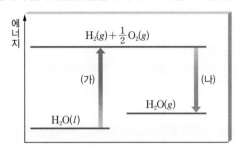

이에 대한 설명으로 옳은 것만을 보기에서 있는 대로 고른 것은?

> **보기**
> ㄱ. (가)의 반응에서 반응열(Q)은 0보다 크다.
> ㄴ. (나)의 반응이 일어나면 주위의 온도가 올라간다.
> ㄷ. $H_2O(l)$과 $H_2O(g)$가 성분 원소로 될 때 반응열의 절댓값은 $H_2O(l)$이 $H_2O(g)$보다 크다.

① ㄱ ② ㄴ ③ ㄱ, ㄷ ④ ㄴ, ㄷ ⑤ ㄱ, ㄴ, ㄷ

04 ▶ 연소 반응의 열화학 반응식

다음은 메테인(CH_4)과 메탄올(CH_3OH)의 연소 반응을 열화학 반응식으로 나타낸 것이다.

> (가) $CH_4(g) + 2O_2(g) \longrightarrow CO_2(g) + 2H_2O(l) + 890$ kJ
> (나) $2CH_3OH(l) + 3O_2(g) \longrightarrow 2CO_2(g) + 4H_2O(l) + 1452$ kJ

이에 대한 설명으로 옳은 것만을 보기에서 있는 대로 고른 것은? (단, CH_4, CH_3OH의 분자량은 각각 16, 32이다.)

> **보기**
> ㄱ. (가)와 (나)는 모두 흡열 반응이다.
> ㄴ. 1 g이 완전 연소할 때 발생하는 열량은 $CH_4(g)$이 $CH_3OH(l)$보다 크다.
> ㄷ. $H_2O(l)$ 1몰을 생성할 때 발생하는 열량은 $CH_3OH(l)$이 $CH_4(g)$보다 크다.

① ㄱ ② ㄴ ③ ㄱ, ㄷ ④ ㄴ, ㄷ ⑤ ㄱ, ㄴ, ㄷ

• 흡열 반응에서 반응열(Q)은 ($-$) 값이고 주위의 온도는 내려가며, 발열 반응에서 반응열(Q)은 ($+$) 값이고 주위의 온도는 올라간다.

• 물질 1 g이 완전 연소할 때 발생하는 열량은 반응열을 분자량으로 나눈 값이다.

고난도

05 ▶ 반응열의 측정과 계산

다음은 수산화 나트륨(NaOH)의 용해열을 측정하기 위한 실험이다.

[실험]
(가) 비커에 물 96 g을 넣고 온도를 측정하였더니 20 ℃이었다.
(나) (가)의 비커에 NaOH 4 g을 넣어 모두 녹인 후, 용액의 최고 온도를 측정하였더니 25 ℃이었다.

이에 대한 설명으로 옳은 것만을 보기에서 있는 대로 고른 것은? (단, NaOH의 화학식량은 40이고, 용액의 비열은 4.2 J/g·℃이다.)

보기
ㄱ. NaOH(*s*)의 용해 반응에서 반응물의 에너지 총합은 생성물의 에너지 총합보다 크다.
ㄴ. 측정된 NaOH의 용해열은 21 kJ/mol이다.
ㄷ. (나)에 NaOH 4 g을 더 넣어 모두 녹여도 용액의 최고 온도는 25 ℃로 같다.

① ㄱ   ② ㄷ   ③ ㄱ, ㄴ   ④ ㄴ, ㄷ   ⑤ ㄱ, ㄴ, ㄷ

• NaOH의 1몰당 용해열은 '용액의 비열×용액의 질량×온도 변화' 값을 NaOH의 양(mol)으로 나누어 구할 수 있다.

06 ▶ 반응열의 측정과 계산

그림은 간이 열량계를 이용하여 염화 칼슘($CaCl_2$)의 용해 반응에서 출입하는 열량을 측정하기 위한 실험 장치를 나타낸 것이다.
다음은 $CaCl_2$의 용해 반응에서 측정한 실험 결과이다.

온도계
젓개
물
스타이로폼 컵

• 물에 녹인 $CaCl_2$의 질량: 4 g
• 용액의 비열: 4.2 J/g·℃
• 물의 질량: 100 g
• 물의 처음 온도: 22 ℃
• 물의 나중 온도: 32 ℃

$CaCl_2$의 용해 반응에 대한 설명으로 옳은 것만을 보기에서 있는 대로 고른 것은?

보기
ㄱ. 흡열 반응이다.
ㄴ. 용해 과정에서 출입하는 열량은 4.368 kJ이다.
ㄷ. 반응열은 1.092 kJ/g이다.

① ㄱ   ② ㄴ   ③ ㄱ, ㄴ   ④ ㄴ, ㄷ   ⑤ ㄱ, ㄴ, ㄷ

• 물이 얻은 열량은 '물의 비열×물의 질량×물의 온도 변화'에 해당한다.

문자의 발명과 종이의 탄생은 인류에게 학문의 발전과 지식 전달 수단이 되어 인류 문명의 찬란한 발전을 가능하게 하였다. 1966년 세계에서 가장 오래된 목판 인쇄물인 「무구정광대다라니경」이 경주 불국사 석가탑의 사리함 안에서 두루마리로 발견되었는데, 여기서 놀라운 것은 제작된 지 1200년 정도의 시간이 흘렀음에도 불구하고 본문의 내용을 확인할 수 있을 정도로 그 형체를 유지하고 있었다는 점이다.

비록 중국으로부터 종이 제작 기술을 받아들였지만, 중국이 종이 재료로 마, 죽순 등을 사용한 것과 달리 우리 선조들은 리그닌과 홀로셀룰로스 성분이 이상적으로 함유된 닥나무를 사용하였고, 여기에 천연 재료인 잿물과 닥풀 등을 사용하여 세계에서 가장 우수하고 천년 이상 오래가는 중성지인 한지를 만들었다.

한지의 우수성은 제작 과정의 과학 원리에서 찾아볼 수 있다.

첫 번째로는 한지의 재료인 닥나무의 채취 시기이다. 닥나무에 리그닌, 펜토신과 홀로셀룰로스 성분이 이상적으로 함유되는 시기인 가을에 채취하였다는 점이다.

두 번째로는 한지발을 이용하였다는 점이다. 한지발은 틀에 발을 얹어 종이를 뜨게 되는데 가로와 세로 방향의 섬유 조직 배열이 균일하게 되어 종이의 분산을 막아주고 섬유 조직의 좌우 교차 배열에 따른 인장 강도와 인열 강도가 우수한 질 좋은 한지를 만드는 데 성공할 수 있었다.

세 번째의 과학 원리는 잿물의 사용이다. 잿물로 닥나무 껍질인 백피를 삶으면 불순물이 제거되어 순수한 식물 섬유가 되는데 잿물로 삶은 다음 씻기와 일광 표백을 하게 된다. 이때 흐르는 물속에서 햇빛의 작용으로 오존이 발생되어 산화 표백이 이루어지며 pH가 7인 중성지가 된다.

마지막으로 마무리 과정인 다듬이질은 종이의 치밀성과 평활도를 높인다. 즉, 건조된 종이는 다듬이질을 통해 더욱 조직이 치밀해지고 평활도가 향상되어 윤이 나며 촉감이 부드러워지는 효과가 나타난다.

우리의 전통 한지에 대한 예찬이 중국 기록물인 「계림지」, 「고려도경」, 「고반여사」 등에도 많이 기록되어 있을 정도로 우리 한지의 우수성은 뛰어나다. 이는 과거 선조들의 지혜가 명품 한지를 만들어 낼 수 있는 배경이 되었음을 알 수 있다.

한편 한지의 우수성은 현대 과학 기술과도 접목이 되어 한지의 제작 과정에서 드러난 원리와 재료를 바탕으로 항균 기능이 뛰어나고 아토피 질환을 억제하는 도배지의 개발, 항산화 및 항염증, 항암 효과를 지닌 약품의 개발 등 다양한 형태로 앞으로의 발전 가능성이 무궁무진하다.

▲ **한지의 제작 과정** 한지는 닥나무의 껍질을 잿물에 넣고 삶은 후, 닥풀과 닥섬유를 물에 넣어 섞고 한지발을 이용하여 종이를 떠 물기를 뺀 다음 두들겨 펴는 과정을 통해 만들어진다.

01 〉 산화 환원 반응

그림은 이산화 질소(NO_2)와 관련된 반응 (가)~(다)를 나타낸 것이다.

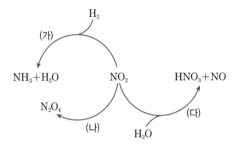

이에 대한 설명으로 옳은 것만을 보기에서 있는 대로 고른 것은?

보기
ㄱ. (가)에서 H_2는 산화제이다.
ㄴ. (나)에서 NO_2는 산화된다.
ㄷ. N의 산화수가 가장 큰 물질은 HNO_3이다.

① ㄱ　　　② ㄷ　　　③ ㄱ, ㄴ　　　④ ㄴ, ㄷ　　　⑤ ㄱ, ㄴ, ㄷ

• (가)와 (다)에서는 질소의 산화수가 변하지만, (나)에서는 질소의 산화수가 변하지 않는다.

02 〉 산화수

그림은 1, 2주기 원소 A~D가 화합물을 형성할 때 가질 수 있는 산화수를 나타낸 것이다.

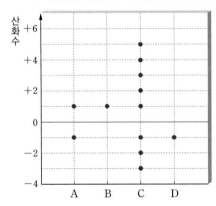

이에 대한 설명으로 옳은 것만을 보기에서 있는 대로 고른 것은? (단, A~D는 임의의 원소 기호이다.)

보기
ㄱ. 금속 원소는 B이다.
ㄴ. 원자가 전자 수가 가장 큰 것은 C이다.
ㄷ. 화합물 BA와 AD에서 A의 산화수는 같다.

① ㄱ　　　② ㄴ　　　③ ㄱ, ㄷ　　　④ ㄴ, ㄷ　　　⑤ ㄱ, ㄴ, ㄷ

• 화합물에서 원자의 산화수는 전기 음성도와 관련이 있다. 이때 전기 음성도가 큰 원소의 산화수는 (−)값이 되고, 전기 음성도가 작은 원소의 산화수는 (+)값이 된다.

03 > 산화 환원 반응식

다음은 어떤 산화 환원 반응식을 완성하는 과정이다. (단, $a \sim f$는 반응 계수이다.)

> $a\text{Co}^{2+}(aq) + b\text{MnO}_4^-(aq) + c\text{H}^+(aq) \longrightarrow d\text{Co}^{3+}(aq) + e\text{Mn}^{2+}(aq) + f\text{H}_2\text{O}(l)$
>
> [1단계] 각 원자의 산화수 변화를 조사한다.
>
>   Co: 1 증가, Mn: x 감소
>
> [2단계] 증가한 산화수와 감소한 산화수가 같도록 계수를 맞춘다.
>
> $x\text{Co}^{2+}(aq) + \text{MnO}_4^-(aq) + \text{H}^+(aq) \longrightarrow x\text{Co}^{3+}(aq) + \text{Mn}^{2+}(aq) + \text{H}_2\text{O}(l)$
>
> [3단계] 산화수 변화가 없는 원소의 원자 수가 같도록 계수를 맞춘다.
>
> $x\text{Co}^{2+}(aq) + \text{MnO}_4^-(aq) + c\text{H}^+(aq) \longrightarrow x\text{Co}^{3+}(aq) + \text{Mn}^{2+}(aq) + f\text{H}_2\text{O}(l)$

이에 대한 설명으로 옳은 것만을 보기에서 있는 대로 고른 것은?

보기
ㄱ. $x = 5$이다.
ㄴ. 3단계에서 $c + f = 12$이다.
ㄷ. Co^{2+} 1 mol을 완전히 산화시키기 위해 필요한 MnO_4^-의 양(mol)은 5 mol이다.

① ㄱ   ② ㄷ   ③ ㄱ, ㄴ   ④ ㄴ, ㄷ   ⑤ ㄱ, ㄴ, ㄷ

• 산화 환원 반응식에서 증가한 산화수와 감소한 산화수는 같다.

04 > 산화수

다음은 과망가니즈산 칼륨(KMnO_4) 수용액과 진한 염산(HCl)의 산화 환원 반응을 화학 반응식으로 나타낸 것이다.

> $a\text{KMnO}_4(aq) + b\text{HCl}(aq) \longrightarrow c\text{KCl}(aq) + d\text{MnCl}_2(aq) + 8\text{H}_2\text{O}(l) + 5\text{Cl}_2(g)$
>   ($a \sim d$는 반응 계수)

이에 대한 설명으로 옳은 것만을 보기에서 있는 대로 고른 것은?

보기
ㄱ. $a + b + c + d = 22$이다.
ㄴ. KMnO_4은 산화제이다.
ㄷ. Cl의 산화수는 -1에서 0으로 증가한다.

① ㄱ   ② ㄴ   ③ ㄱ, ㄷ   ④ ㄴ, ㄷ   ⑤ ㄱ, ㄴ, ㄷ

• 산화제는 자신은 환원되면서 다른 물질을 산화시키는 물질이고, 환원제는 자신은 산화되면서 다른 물질을 환원시키는 물질이다.

05 ❯ 산화 환원 반응

다음은 2가지 반응의 화학 반응식이다.

> (가) $HNO_3 + NaOH \longrightarrow NaNO_3 + \boxed{\bigcirc}$
>
> (나) $2NaOH + Cl_2 \longrightarrow NaCl + \boxed{\bigcirc} + \boxed{\bigcirc\bigcirc}$

이에 대한 설명으로 옳은 것만을 보기에서 있는 대로 고른 것은?

보기
ㄱ. (가)와 (나)는 모두 산화 환원 반응이다.
ㄴ. ⊙은 H_2O이고, ⓒ은 $NaOCl$이다.
ㄷ. (나)의 NaCl과 ⓒ에서 Cl의 산화수는 각각 -1과 $+1$이다.

① ㄱ   ② ㄴ   ③ ㄱ, ㄷ   ④ ㄴ, ㄷ   ⑤ ㄱ, ㄴ, ㄷ

> 산화 환원 반응은 산화수의 변화가 있어야 한다. 산화수가 증가하는 반응은 산화이고, 산화수가 감소하는 반응은 환원이다.

06 ❯ 반응열

다음은 흑연과 다이아몬드에 대한 자료이다.

> • 흑연과 다이아몬드는 탄소(C)로만 이루어져 있지만 구조는 다음과 같이 다르다.
>
>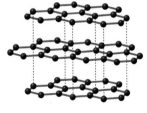
>
> • 25 ℃, 1기압에서 흑연과 다이아몬드가 각각 산소와 반응할 때의 열화학 반응식은 다음과 같다.
> $C(s, 흑연) + O_2(g) \longrightarrow CO_2(g) + 393.5 \text{ kJ}$
> $C(s, 다이아몬드) + O_2(g) \longrightarrow CO_2(g) + 395.4 \text{ kJ}$

이에 대한 설명으로 옳은 것만을 보기에서 있는 대로 고른 것은?

보기
ㄱ. 25 ℃, 1기압에서 $C(s, 흑연) \longrightarrow C(s, 다이아몬드)$의 반응은 흡열 반응이다.
ㄴ. $C(s, 흑연)$과 $C(s, 다이아몬드)$가 연소할 때 각각 주위로 열을 방출한다.
ㄷ. $C(s, 흑연)$과 $C(s, 다이아몬드)$가 각각 기체 상태로 승화할 때 흡수하는 에너지는 흑연이 다이아몬드보다 작다.

① ㄱ   ② ㄷ   ③ ㄱ, ㄴ   ④ ㄴ, ㄷ   ⑤ ㄱ, ㄴ, ㄷ

> 발열 반응에서는 반응물보다 생성물의 에너지 총합이 더 작다. 흡열 반응에서는 반응물보다 생성물의 에너지 총합이 더 크다.

07 > 열화학 반응식
다음은 25 ℃, 1기압에서 일어나는 2가지 반응의 열화학 반응식이다.

> (가) $N_2(g) + 2O_2(g) \longrightarrow N_2O_4(g) + a$ kJ $(a<0)$
>
> (나) $2N_2(g) + O_2(g) \longrightarrow 2N_2O(g) + b$ kJ $(b>0)$

이에 대한 설명으로 옳은 것만을 보기에서 있는 대로 고른 것은?

보기
ㄱ. (가)에서 반응물이 생성물보다 에너지면에서 안정하다.
ㄴ. (나) 반응에 의해 주위의 온도는 내려간다.
ㄷ. $N_2O(g)$가 $O_2(g)$와 반응하여 $N_2O_4(g)$로 되는 반응의 열화학 반응식은
  $2N_2O(g) + 3O_2(g) \longrightarrow 2N_2O_4(g) + (2a-b)$ kJ로 나타낼 수 있다.

① ㄱ ② ㄴ ③ ㄱ, ㄷ ④ ㄴ, ㄷ ⑤ ㄱ, ㄴ, ㄷ

• 열화학 반응식에서 반응열의 크기가 (+)값이면 발열 반응이고, (−)값이면 흡열 반응이다.

08 > 반응열의 측정
다음은 열량계를 이용하여 탄소 가루를 연소시킬 때 발생하는 열량을 구하는 실험이다.

[실험 과정]
(가) 1.2 g의 탄소 가루와 0.5 mol의 산소 기체를 강철 용기에 넣는다.
(나) 열량계의 온도(t_1)를 측정한다.
(다) 점화 장치로 1.2 g의 탄소 가루를 완전 연소시킨 후 열량계의 온도(t_2)를 측정한다.

온도계
점화 장치
강철 용기
산소
탄소 가루
열량계

[실험 결과 및 자료]

t_1	t_2	열량계의 열용량
23.2 ℃	24.2 ℃	40 kJ/℃

이에 대한 설명으로 옳은 것만을 보기에서 있는 대로 고른 것은? (단, C의 원자량은 12이다.)

보기
ㄱ. 반응 후 기체의 총 양(mol)은 0.1 mol 증가한다.
ㄴ. 탄소 가루 1.2 g이 완전 연소할 때 40 kJ의 열이 발생한다.
ㄷ. (다) 이후 탄소 가루를 0.6 g 더 넣고 연소시키면 온도는 25.2 ℃보다 더 높아진다.

① ㄱ ② ㄴ ③ ㄱ, ㄷ ④ ㄴ, ㄷ ⑤ ㄱ, ㄴ, ㄷ

• 탄소 가루 0.1 mol이 산소 기체 0.1 mol과 반응하여 이산화 탄소 기체 0.1 mol이 생성되므로 반응 전후 기체의 전체 양(mol)은 변화가 없다.

01

다음은 금속 마그네슘, 아연, 구리의 반응성 크기를 비교하기 위한 실험이다.

KEY WORDS
• 금속, 반응성, 산화(환원)

[실험 과정]

(가) 황산 구리(Ⅱ) 수용액에 각각 마그네슘 조각과 아연 조각을 넣고 변화를 관찰한다.

(나) 황산 아연 수용액에 각각 마그네슘 조각과 구리 조각을 넣고 변화를 관찰한다.

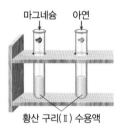
마그네슘 아연
황산 구리(Ⅱ) 수용액

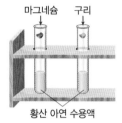
마그네슘 구리
황산 아연 수용액

[실험 결과]

각 시험관에서 일어나는 변화는 표와 같다.

수용액 \ 금속	마그네슘 조각	아연 조각	구리 조각
황산 구리(Ⅱ) 수용액	마그네슘이 녹고 표면에 붉은색 금속이 석출됨	아연이 녹고 표면에 붉은색 금속이 석출됨	─
황산 아연 수용액	마그네슘이 녹고 표면에 청백색 금속이 석출됨	─	반응하지 않음

금속 마그네슘, 아연, 구리의 반응성 크기를 비교하고, 그 이유를 서술하시오.

02

다음은 분자 (가)~(다)의 루이스 구조식과 자료이다.

KEY WORDS
• 수소, 산화수

• X, Y, Z는 2, 3주기 원소이다.
• X의 산화수는 (나)에서가 (가)에서보다 크다.
• Y의 산화수는 (나)에서와 (다)에서 같다.

$$H-X-H$$ (with H above and below X)
(가)

$$H-X=\ddot{Y}$$
(나)

$$H-\ddot{Y}-\ddot{Z}:$$
(다)

(가)~(다)에서 각각 X, Y, Z의 산화수를 구하고, 그 이유를 서술하시오. (단, X~Z는 임의의 원소 기호이다.)

03 불이 붙은 숯에 뜨거운 수증기를 통해 주면 기체 연료로 쓰이는 일산화 탄소와 수소 기체의 혼합물이 얻어지며, 열화학 반응식은 다음과 같다.

$$C(s) + H_2O(g) \longrightarrow CO(g) + H_2(g) + Q \cdots ①$$

(가)~(다)는 여러 가지 열화학 반응식을 나타낸 것이다.

> (가) $C(s) + O_2(g) \longrightarrow CO_2(g) + 394 \text{ kJ}$
>
> (나) $2H_2(g) + O_2(g) \longrightarrow 2H_2O(g) + 484 \text{ kJ}$
>
> (다) $2CO(g) + O_2(g) \longrightarrow 2CO_2(g) + 566 \text{ kJ}$

(1) 열화학 반응식 (가)~(다)를 이용하여 반응 ①의 열화학 반응식을 만드는 과정을 서술하시오.

(2) ①에서 반응열 Q를 구하시오.

KEYWORDS
(1) 열화학 반응식, 반응열, 몰

04 다음은 에탄올의 연소열을 구하는 실험이다. (단, 벤조산의 연소열은 26.4 kJ/g이다.)

[실험 과정]

(가) 열량계의 시료 용기에 벤조산 5 g을 넣고, 완전 연소시키기 전과 후의 열량계의 온도 변화를 측정한다.

(나) (가)의 결과와 자료를 이용하여 열량계의 열용량을 계산한다.

(다) 열량계의 시료 용기에 에탄올 3 g을 넣고, 완전 연소시키기 전과 후의 열량계의 온도 변화를 측정한다.

[실험 결과]

과정	시료의 종류와 질량	열량계의 온도 변화
(가)	벤조산 5 g	6.6 ℃
(다)	에탄올 3 g	4.5 ℃

(1) 열량계의 열용량을 구하고, 그 과정을 서술하시오.

(2) (1)에서 구한 열량계의 열용량을 이용하여 에탄올의 연소열(kJ/g)을 구하고, 그 과정을 서술하시오.

KEYWORDS
(1) 열용량, 온도 변화, 열량계
(2) 몰, 열량, 반응열

예시 문제

다음 제시문을 읽고 물음에 답하시오.

(제시문 1) 루이스는 화학 결합을 나타내기 위해서 원자들의 원자가 전자를 점으로 나타내는 방법을 이용하였는데, 이것을 루이스 전자점식이라고 한다. 원자의 가장 바깥 전자 껍질에 존재하는 원자가 전자 중에서 쌍을 이루지 않은 전자를 홀전자라고 하는데, 원자들이 공유 결합을 할 때에는 홀전자들이 전자쌍을 이루어 공유 전자쌍을 만든다. 전자가 쌍을 이루고 있으나 공유 결합에 참여하지 않은 전자쌍은 비공유 전자쌍이라고 한다. 공유 결합 분자의 전자 배치를 간편하게 나타내기 위해서 공유 전자쌍은 결합선(−)으로 나타내고, 비공유 전자쌍은 1쌍의 점으로 나타내거나 생략하기도 하는데, 이것을 루이스 구조식이라고 한다. 공유 결합을 하는 원자들은 다른 원자들과 전자를 공유함으로써 비활성 기체와 같이 안정한 전자 배치를 이루면서 옥텟 규칙을 만족한다.

(제시문 2) 1940년 시지윅은 공유 결합으로 형성된 분자에서 중심 원자를 둘러싸고 있는 전자쌍들은 그들 사이의 반발력 때문에 가능한 한 서로 멀리 떨어져 있으려고 한다는 전자쌍 반발 이론을 제안하였다. 루이스 전자점식과 전자쌍 반발 이론을 적용하면 공유 결합 화합물의 분자 구조를 예측할 수 있다.

1 웃음 가스로 알려진 산화 이질소(N_2O)는 주로 질산 암모늄(NH_4NO_3)을 분해하여 얻는다. N_2O, NH_4^+, NO_3^-의 가능한 루이스 전자점식을 모두 그리시오.

2 이산화 황(SO_2)의 실제 분자 결합 구조에서 S과 O 사이의 공유 결합은 단일 결합과 2중 결합의 중간 상태의 결합으로 모두 동일하다는 것이 밝혀졌다. 이산화 황(SO_2)의 가능한 루이스 구조식들을 모두 제시하고, 제시한 루이스 구조식들을 활용하여 실제 각 분자들의 결합 구조를 보다 정확하게 표현하기 위한 방안을 서술하시오.

문제 해결 과정

1 분자를 구성하는 원자들의 원자가 전자를 파악한 후, 이들 원자가 전자를 이용하여 분자에서 각 원자가 옥텟 규칙을 만족하도록 전자를 배치하여 루이스 전자점식을 완성한다. 중심 원자는 공유 결합 수가 가장 많은 원자로 선택하고, 완성된 루이스 전자점식에서 중심 원자 주위의 전자쌍 수를 바탕으로 전자쌍 사이의 반발력을 최소로 할 수 있는 구조를 예측한다.

2 이산화 황(SO_2)의 가능한 루이스 전자점식을 모두 그리고, 어느 한 전자점식만으로 표현할 수 없다면 가능한 구조가 공명을 이루어 분자 내에서 전자들이 한쪽으로 쏠리지 않는 구조식을 제안한다.

● 출제 의도
공유 결합으로 이루어진 분자에서 루이스 구조식을 그리고, 루이스 구조식을 근거로 전자쌍 반발 이론을 적용하여 분자 구조를 예측할 수 있는지 평가한다.

1 N_2O를 구성하는 N 원자와 O 원자의 원자가 전자 수는 각각 5, 6이므로 이용할 수 있는 총 전자 수는 모두 16이다. N 원자의 공유 결합 수는 3이고, O 원자의 공유 결합 수는 2로 N가 O보다 공유 결합 수가 크므로 중심 원자로 둔다. 각 원자에 전자쌍을 결합선(−)으로 나타낸다. 결합하고 있는 원자가 옥텟 규칙을 만족하도록 16개의 전자를 이용하여 루이스 전자점식을 그리면 다음과 같은 2가지 구조식이 가능하다.

$$:\ddot{N} - N \equiv O: \qquad\qquad :N \equiv N - \ddot{O}:$$

또, 질산 암모늄(NH_4NO_3)은 암모늄 이온(NH_4^+)과 질산 이온(NO_3^-)으로 이루어진 이온 결합 물질이다. 암모늄 이온의 루이스 전자점식은 다음과 같이 완성할 수 있다.

NH_4^+을 구성하는 N 원자와 H 원자의 원자가 전자 수는 각각 5, 1이므로 이용할 수 있는 총 전자 수는 모두 9이다. 그런데 +1의 전하를 띠므로 총 전자 수는 8이다.

중심 원자를 N 원자로 하고 루이스 전자점식을 그리면 다음과 같다.

$$\left[\begin{array}{c} H \\ H : \overset{\cdot\cdot}{N} : H \\ H \end{array} \right]^+$$

NO_3^-을 구성하는 N 원자와 O 원자의 원자가 전자 수는 각각 5, 6이므로 이용할 수 있는 총 전자 수는 모두 23이고 −1의 전하를 띠므로 총 전자 수는 24이다. 중심 원자를 N로 하여 옥텟 규칙을 만족하도록 루이스 전자점식을 완성하면 다음과 같다.

2 SO_2을 구성하는 S 원자와 O 원자의 원자가 전자 수는 모두 6이므로 이용할 수 있는 총 전자 수는 모두 18이다. S과 O의 원자가 전자 수는 같지만 원자 반지름이 큰 S를 중심 원자로 하여 루이스 구조식을 완성하면 다음과 같은 2가지 구조식이 가능하다.

SO_2이 이 구조식 중 어느 한 가지로 존재한다면 S 원자와 O 원자 사이의 결합은 2중 결합과 단일 결합으로 결합 길이가 서로 다른 두 가지 결합이 존재해야 한다. 그런데 실제로 SO_2에서는 S 원자와 O 원자 사이의 결합 길이가 단일 결합과 2중 결합의 중간 정도의 길이이고 결합 길이가 같으므로 제시한 두 가지 구조식 중 어느 한 구조로 설명할 수 없다. 이러한 제한점을 보완하고자 제시된 개념이 공명이다. 즉, SO_2은 제시한 두 가지 구조가 공명을 이루고 있다.

• 문제 해결을 위한 배경 지식

• 루이스 구조식을 그리는 과정

① 구성 원자의 원자가 전자 수의 합을 구한다.

② 중심 원자를 정하고 중심 원자와 중심 원자에 결합한 원자 사이에 공유 전자쌍 1개를 그린다.

③ 옥텟 규칙을 만족하도록 중심 원자에 결합한 원자에 전자를 배치한다.

④ 중심 원자가 옥텟 규칙을 만족하도록 남은 전자를 배치한다.

⑤ 중심 원자가 옥텟 규칙을 만족하지 않는 경우 주변 원자의 비공유 전자쌍을 이동하여 다중 결합을 만든다.

실전 문제

> 정답과 해설 **91**쪽

● 출제 의도
결합하는 두 원자의 전기 음성도 차이에 따른 결합의 극성을 파악하고, 원자의 전기 음성도 차이에 따라 화학 결합을 구분할 수 있는지 알아본다. 또, 분자 내에 존재하는 결합의 극성이 물질의 성질에 미치는 영향을 파악할 수 있는지 평가한다.

1 다음 제시문을 읽고 물음에 답하시오.

(가) 원자의 성질은 원자의 전자 배치에 의해 결정된다. 주기율표는 원자를 전자 배치의 규칙성에 따라 정리해 놓은 표이다. 주기율표에서 O, S, Se, Te과 같이 같은 족에 속하는 원자들은 어느 정도 유사한 화학 반응성을 지니지만, 각 원자들에 존재하는 전자 수에 차이가 나므로 완전히 동일한 성질을 나타내지 않는다.

(나) 전기 음성도는 분자를 구성하는 원자가 전자쌍을 끌어당기는 정도를 나타낸 것으로, 주기율표에서 원자의 위치를 살펴보면 전기 음성도의 크고 작음을 파악할 수 있다. 주기율표에서 가장 오른쪽 세로줄에 놓인 비활성 기체와 가까운 위치에 있는 O, F, Cl와 같은 원자들은 전기 음성도가 특별히 크다. 반면 주기율표의 왼쪽에 위치한 Li, Na, Cs 등의 원자들은 전기 음성도가 작다. 또, 같은 족에 있는 원자들은 원자 번호가 클수록 전기 음성도가 작아지는 경향이 있다.

(다) 분자의 구조를 살펴보면 분자가 산의 성질을 가질 것인지 염기의 성질을 가질 것인지를 예측할 수 있다. 예를 들어 전기 음성도가 큰 Cl 원자는 전자를 끌어당겨 안정한 Cl^-이 되려고 하므로 다음의 반응이 쉽게 일어난다. 이 반응으로 H^+이 생성되므로 HCl는 산이 된다.
$$HCl \longrightarrow H^+ + Cl^-$$
한편 전기 음성도가 큰 원자를 가진 분자나 이온은 H^+과 쉽게 결합할 수 있다. 예를 들면 OH^-은 H^+과 결합하여 H_2O을 형성한다.
$$H^+ + OH^- \longrightarrow H_2O$$

(라) 화학 결합은 구성 원자들의 종류와 전기 음성도에 따라 무극성 공유 결합과 극성 공유 결합으로 구분된다. 예를 들어 H-H 결합은 동일한 두 원자 간의 결합이므로 무극성 공유 결합이고, H-O 결합은 수소 원자에 부분적인 (+)전하가 존재하고 산소 원자에 부분적인 (-)전하가 존재하여 극성을 띤다. 하나의 화합물 내에 존재하는 화학 결합들에서 극성의 유무와 극성의 크기, 분자의 구조에 따라 그 물질의 극성이 결정된다.

(마) 분자 사이의 상호 작용도 원자의 전기 음성도에 큰 영향을 받는다. 예를 들어 수소 결합은 분자 사이의 강한 상호 작용으로 한 분자에 존재하는 H 원자의 부분적인 (+)전하와 다른 분자에 존재하는 N, O, F 원자의 부분적인 (-)전하 사이의 정전기적 인력에 의해 형성된다. DNA 이중 나선 구조는 두 가닥의 DNA 단일 구조 간의 수소 결합으로 설명할 수 있다.

(1) DNA 이중 나선 구조는 다음과 같이 DNA 단일 구조에 존재하는 아데닌(A)과 타이민(T), 사이토신(C)과 구아닌(G) 사이의 수소 결합으로 형성되며 실온에서 안정하다.

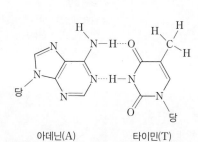

아데닌(A)   타이민(T)   구아닌(G)   사이토신(C)

만약 사이토신의 구조가 오른쪽과 같은 구조로 대체된다면 DNA 이중 나선 구조의 안정성 변화에 대해 서술하시오.

(2) 이산화 탄소(CO_2)는 실온, 1기압에서 기체로 존재하며 같은 조건에서 물에 잘 녹지 않는다. 화학 결합의 극성이라는 논거만 이용하여 이산화 탄소의 구조를 예측하시오.

(3) 다음과 같은 구조를 갖는 분자가 있다.

$$-X-O-H$$

X가 Na 등의 알칼리 금속인 경우 이 물질이 산 또는 염기로 작용할지 서술하시오. 또, X가 P, S, Cl 등의 비금속 원소인 경우 이 물질이 산 또는 염기로 작용할지 서술하시오.

문제 해결을 위한 배경 지식
• 전기 음성도: 공유 결합을 하고 있는 원자가 공유 전자쌍을 끌어당기는 능력을 상대적으로 나타낸 값이다.
• 전기 음성도의 경향성: 같은 주기에서는 원자 번호가 클수록 대체로 커지고, 같은 족에서는 원자 번호가 클수록 대체로 작아진다.
• 수소 결합: 수소 원자(H)가 직접 F, O, N에 결합한 분자에서 H 원자와 이웃한 분자의 F, O, N 사이에 작용하는 분자 사이의 힘이다.
• DNA: 생명체의 유전 정보를 저장한 핵산으로, 당, 인산, 염기로 구성된 뉴클레오타이드가 반복적으로 결합하여 단일 가닥을 만들고 단일 가닥의 염기들이 수소 결합으로 이중 나선 구조를 이룬다.

답안

예시 문제

다음 제시문을 읽고 물음에 답하시오.

● **출제 의도**
금속의 산화 환원 반응을 전자의 이동에 의한 현상으로 이해하고, 철의 부식 반응에서 전자의 이동을 이해하고 있는지 평가한다.

〔제시문 1〕 철이 녹스는 것은 공기 중의 산소와 물이 철 표면에 결합하여 철이 산화되기 때문이다. 따라서 철이 공기나 물과 접촉하는 것을 막으면 산화에 의한 부식을 방지할 수 있다. 금속의 표면에 기름이나 페인트를 칠하는 것은 이와 같은 원리를 응용한 것이다. 그러나 모든 금속이 녹슬어서 못 쓰게 되는 것은 아니다. 예를 들어 철은 산화로 생긴 녹이 벗겨지면서 산화가 내부로 계속 진행되지만, 구리나 알루미늄의 경우 공기 중에서 생긴 산화막이 스스로를 보호하는 막으로 작용하기 때문에 더 이상 산화가 일어나지 않는다.

〔제시문 2〕 세균이 관여하는 철의 부식은 석유 송유관을 파손시키는 등의 피해를 일으키는 원인이 된다. 철의 부식을 일으키는 원인균은 황산 환원균인데, 이 균은 철의 표면에서 주위의 유기물과 황산 이온(SO_4^{2-})을 받아들여 황화 수소(H_2S)를 만든다. 이렇게 만들어진 ㉠H_2S가 철과 반응하면 철의 표면이 황화 철(FeS)로 바뀌면서 부식이 이루어진다. 따라서 살균을 위해 약품을 투입하게 되는데 약품이 땅속으로 방출됨에 따라 환경오염을 일으키기도 한다.

〔제시문 3〕 2018년 2월 일본의 오카모토 아키히로 박사 등은 FeS 아래의 철에서도 산화, 즉 부식이 일어나는 것은 전자를 먹고 사는 세균인 'IS5 주(株)'에 의한 산화 환원 반응 때문임을 발견했다. 그는 이 균이 전자를 끌어내는 막효소를 가지고 있고 철의 전자를 '먹이'로 할 수 있는 효소를 스스로 만들어내는 능력을 가지고 있어 FeS 아래의 철은 전자를 빼앗기고 산화되며, FeS과 철 사이의 틈에 있는 액체에 녹아 철의 부식이 이루어진다고 발표하였다.

1 〔제시문 1〕에서 철의 표면에 기름이나 페인트를 칠하면 부식이 일어나지 않는 이유를 전자의 이동에 근거하여 서술하시오.

2 〔제시문 2〕에서 ㉠의 화학 반응식을 완성하고, 산화수 변화를 언급하여 산화된 물질과 환원된 물질을 서술하시오.

3 〔제시문 2와 3〕을 통해 석유 송유관의 철의 부식을 막기 위해 개발되어야 할 약품의 과제가 무엇인지 서술하시오.

문제 해결 과정

1 철의 표면에 물방울이 떨어지면 물방울이 전해질의 역할을 하며 철의 서로 다른 표면에서 그림과 같은 산화 환원 반응이 일어난다.

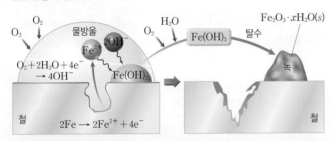

2 화학 반응에서 전자의 이동 또는 산화수 변화가 있으면 산화 환원 반응이다. 전자를 잃으면 산화, 전자를 얻으면 환원된 것이고, 산화수가 증가하면 산화, 산화수가 감소하면 환원된 것이다.

3 황산 환원균은 유기물과 황산 이온을 받아들이고 황화 수소를 내놓는다. 이때 전기 세균은 황화 철의 표면에 부착해 막효소가 전자를 끌어낸다. 또, 전자와 황산 이온으로부터 에너지를 만들어 내고 황화 이온을 내놓는다.

예시 답안

1 철의 표면에 물방울이 떨어지면 물방울이 전해질의 역할을 하여 철은 산화수가 증가하며 산화되고, 산소는 물과의 반응을 통해 산화수가 감소하며 환원된다. 따라서 철의 표면에 기름이나 페인트를 칠하면 공기 중의 산소나 물과의 접촉을 방지할 수 있으므로 철의 산화가 일어나지 않아 부식을 방지할 수 있다.

2 화학 반응식: $H_2S + Fe \longrightarrow FeS + H_2$
 Fe은 산화수가 0에서 +2로 증가하므로 산화되고, H_2S는 H의 산화수가 +1에서 0으로 감소하므로 환원된다.

3 석유 송유관에서 철의 부식을 막기 위해서는 철의 전자를 끌어내는 전기 세균의 생존 시스템을 제거할 수 있는 약품 개발이 필요하다. 이 세균의 경우 에너지원이 부족한 경우에도 생존할 수 있도록 철의 전자를 이용하는 효소를 갖고 있으므로 효소 저해 반응을 할 수 있는 약품이 개발되어야 하며, 이때 투입되는 약품은 땅속 및 심해저 환경의 오염 원인이 되지 않아야 한다.

실전 문제

> 정답과 해설 **91**쪽

1 다음 제시문을 읽고 물음에 답하시오.

> (가) 수소(H_2) 기체 1 g이 연소할 때 발생하는 열은 142.9 kJ이고, 프로페인(C_3H_8) 기체
> 1 g이 연소할 때 발생하는 열은 50.5 kJ이다. 즉, 같은 질량의 연료가 연소하면 수소
> 기체가 프로페인 기체보다 더 큰 열에너지를 방출한다. 이처럼 수소는 다른 연료에 비
> 해 발열량이 커 자동차의 연료로 가솔린을 대신할 수 있다. 또, 수소는 물을 분해하여
> 얻을 수 있으므로 자원이 풍부하고, 연소할 때 물만 생성되므로 환경오염을 일으키지
> 않는다.
>
> (나) 물을 전기 분해하여 수소를 얻을 경우 전기 에너지가 많이 소모되기 때문에 비효율적
> 이다. 과학자들은 효율적인 물 분해 방법을 연구하였는데, 녹색 식물이 태양 에너지를
> 이용하여 이산화 탄소와 물을 포도당과 산소로 합성하는 방법에 착안했다. 광합성 과
> 정 중 엽록소에 빛이 흡수되면 물이 전자와 수소 이온, 산소 기체로 분해되는데, 이때
> 엽록소를 대신할 물질로 광촉매나 반도체성 광전극을 개발하여 그림과 같이 물을 광
> 분해함으로써 수소 기체를 얻는 방법이다.
>
>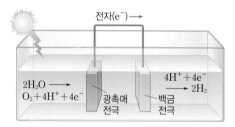
>
> (다) 최근 일본 오사카 대학 산업과학연구소의 연구팀은 폭넓은 파장의 빛을 흡수하는 새
> 로운 광촉매를 개발하였다. 기존에 이용하던 광촉매인 이산화 타이타늄은 태양광의
> 약 4 %밖에 되지 않는 자외선을 이용함으로써 효율이 떨어졌다. 왜냐하면 태양광의
> 약 44 %는 가시광선, 약 52 %는 근적외선이기 때문이다. 한편 이번에 개발된 광촉매
> 는 바나듐과 비스무트 등의 화합물 '바나딘산비스무트'와의 복합체로 원자 몇 개 두께
> 의 박막을 이용하여 전자의 이동이 일어나게 함으로써 태양 에너지의 99 %를 활용할
> 수 있는 물질이다.

(1) 수소 연료의 장점을 가솔린과 비교하여 서술하시오.

(2) 제시문 (나)의 광촉매 전극과 백금 전극에서 일어나는 각 화학 반응식을 통해 산화 전극과 환
원 전극이 어떤 것에 해당하는지 이유와 함께 서술하시오.

(3) 일본 연구팀에 의해 개발된 새로운 광촉매에 의해 태양 에너지의 99 %를 활용할 수 있게 된
의미는 무엇인지 서술하시오.

답안

● 출제 의도
수소 연료 전지의 장단점과 이를
극복하기 위한 광촉매 활용 원리
를 이해하고 있는지 평가한다.

● 문제 해결을 위한 배경 지식
• **새로운 광촉매의 메커니즘**

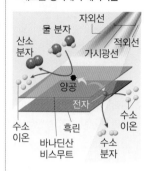

2 다음 제시문을 읽고 물음에 답하시오.

> (가) 우리 조상의 문화 유물 중 고려청자는 세계적으로 손꼽힐 만큼 대단한 문화재이다. 고려청자의 비취색은 청자의 원조인 중국에서도 흉내낼 수 없을 만큼 독창적이며 신비로운 색으로 입증된 바 있다. 최근의 연구에 따르면 비취색은 점토의 색깔과 유약이 어우러져 만들어진 것으로, 청자를 굽기 전 바탕의 흙(태토)에는 산화 철(Ⅲ)(Fe_2O_3)이 포함되어 있는데 산소가 부족한 상태에서 땔감을 연소시키면서 청자를 구우면 연료의 불완전 연소로 생성된 일산화 탄소(CO)가 청자 표면에서 산소를 빼앗아가고 Fe^{3+}이 Fe^{2+}으로 변하면서 청자의 푸른색 빛을 낸다고 알려졌다.
>
> (나) 실내에서는 안경의 기능을 하고 실외에서는 선글라스의 기능을 하는 렌즈를 광변색 렌즈라고 하는데, 이 렌즈는 규소와 산소 원자로 이루어진 정사면체가 무질서하게 연결된 구조에 염화 은($AgCl$)과 염화 구리(Ⅰ)($CuCl$) 등의 미세 결정이 분산되어 있다. 이 렌즈의 경우 실외에서는 자외선이 흡수되어 $AgCl$이 분해되며 Ag 원자와 Cl 원자가 생성된다. 이때 Cl 원자는 Cu^+과 반응하며 Cl^-과 Cu^{2+}이 되는데, 이 과정에서 생성된 Ag이 빛의 난반사를 일으키며 렌즈의 색이 어둡게 변하게 된다. 자외선이 약한 실내에서는 실외의 경우와 반대의 반응이 일어나 투명해진다.

(1) 고려청자의 비취색이 만들어지는 과정에서 산화된 물질과 환원된 물질을 각각 이유와 함께 서술하시오.

(2) 실외에서 선글라스로 이용되는 경우의 산화 환원 반응식과 실내에서 안경으로 이용되는 경우의 산화 환원 반응식을 각각 쓰고, 각 반응식에서 구성 원소의 산화수를 언급하여 산화된 물질과 환원된 물질을 서술하시오.

답안

• **출제 의도**
주위에서 볼 수 있는 산화 환원 반응을 전자의 이동에 의한 산화 환원 반응으로 설명할 수 있는지 평가한다.

• **문제 해결을 위한 배경 지식**
• **산화 환원 반응:** 화학 반응에서 어떤 원자나 이온 등이 전자를 잃으면서 산화수가 증가하는 반응은 산화, 어떤 원자나 이온 등이 전자를 얻으면서 산화수가 감소하는 반응은 환원이다.
• **난반사:** 표면으로 들어온 빛이 반사될 때, 다수의 방향들로 반사되는 빛의 반사이다.

memo

과학 고수들의 필독서